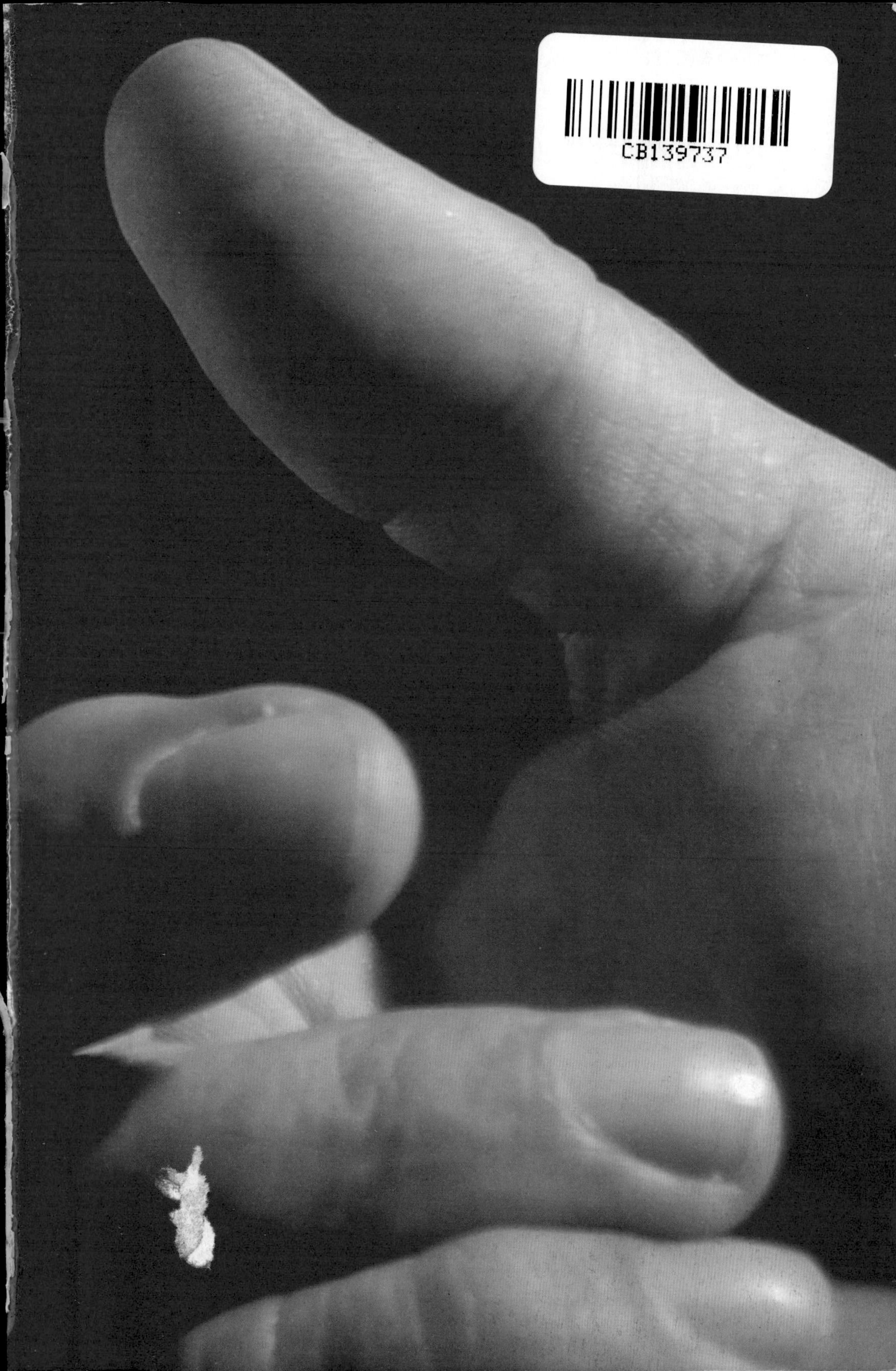

Mônica de Castro

Meu amor pela literatura existe desde os meus tempos de menina. Sempre gostei de ler e escrever, em verso e prosa, e foi nos poemas de Manuel Bandeira que lapidei ainda mais a sensibilidade da minha alma. Gostava de escrever poemas, contos, textos diversos, e cheguei a ganhar um concurso de poesia aos treze anos, aqui na cidade do Rio de Janeiro, onde nasci, em 1962. Ao mesmo tempo, minha mediunidade despertou, e adotei o espiritismo como bálsamo do meu coração.

Meu desejo sempre foi o de ser escritora. Mas a vida nos leva por caminhos diferentes, sempre em nosso benefício, e acabei me formando em Direito e passando num concurso para o Ministério Público do Trabalho. Anos depois, após o nascimento do meu filho, senti a primeira inspiração. Foi uma coisa estranha. Uma voz ficava na minha cabeça repetindo esse nome: *Rosali*, e a idéia de fazer um romance brotou na mesma hora. Rejeitei a idéia e pensei: "Quem sou eu para escrever um romance?".

Por outro lado, a mesma voz também me dizia: "Não custa nada tentar. O máximo que pode acontecer é não dar em nada". Aceitei a sugestão do invisível, acreditando ser o meu pensamento, e fui sentar-me ao computador. Na mesma hora, a inspiração para *Uma história de ontem* surgiu espontânea, e fui escrevendo, cada dia um pouquinho. Até então, eu não sabia que estava psicografando.

Foi só quando terminei o romance que recebi a psicografia do Leonel, que abre o meu primeiro livro, onde ele se apresenta e dá o seu nome. Mas foi preciso uma boa dose de desprendimento para escrever sem questionar e aceitar a interferência do espírito. Hoje, posso dizer, Leonel é parte fundamental da minha vida.

Não escrevo para viver. Escrevo porque gosto e porque acredito estar levando algum bem para as pessoas. E é esse sentimento que me faz querer escrever cada vez mais. É pelas pessoas que vale a pena escrever. Pelos leitores, que estão em busca de algo além do aqui e agora, e que acreditam no poder da fé, do autoconhecimento e do amor como caminhos seguros para a transformação do Ser.

Acredito que nós todos podemos trabalhar pelo aperfeiçoamento moral da humanidade para construir um mundo melhor.

Leonel

Leonel é um espírito muito querido do meu coração. Já em nosso primeiro romance, ele me deu uma idéia do que teria sido em sua vida passada: escritor.

Sei que nasceu e viveu na Inglaterra em sua última encarnação, assim como nas anteriores. Em *Segredos da alma*, ele narra um pouquinho da sua história, juntamente com a da mulher que foi o grande amor da sua vida. Não foi um escritor dos mais famosos. Era um boêmio, mas alguém com tanta dignidade que logo despertou para os verdadeiros valores do espírito, e hoje está em condições de transmitir mensagens de otimismo e amorosidade. Eu mesma percebi isso no contato quase diário com ele e nas comunicações que transmite, sempre de forma mental.

Há algum tempo, ele me permitiu conhecer a sua aparência. Leonel se mostrou para mim na casa espírita, em um momento de profundo recolhimento e reflexão. Fisicamente, é um rapaz bonito. Cabelos negros, cheios, com feições delicadas e olhos azuis. Estatura mediana, magro, veio vestido com calça e bata brancas, descalço e com ar tranqüilo. Tinha um rosto tão sereno que me contagiou. Ali, ele me disse coisas que modificaram para sempre o meu modo de encarar certos aspectos da vida.

Sua proposta é a do crescimento e da disseminação do amor. É para isso que trabalha, é nisso que acredita e me faz também acreditar. Sem a esperança e a certeza na consolidação do amor, a vida não tem razão de ser. E o instrumento que ele encontrou para a realização desse propósito, no momento, foi a psicografia. Assim como eu, Leonel escreve por amor a si mesmo e ao próximo.

Considero Leonel mais um batalhador do invisível. Um espírito com enorme sabedoria e inigualável capacidade de amar. Um ser em evolução que conhece o caminho para o crescimento e sabe onde está a fonte do discernimento e da moral. Uma alma que cresce por meio do esforço próprio, do reconhecimento de suas imperfeições e da busca incessante do domínio sobre si mesmo. E é nisso, acima de tudo, que reside o seu valor.

Mônica de Castro

Projeto Gráfico
Priscila Noberto e Luiz Antonio Gasparetto

Assistente de Design
Marcio Lipari e Daniel Pecly

Editoração Eletrônica:
Fernanda Rizzo Sanchez

Revisão
Fernanda Rizzo Sanchez e Maria Gloria Nolla Pires

Análise e Adaptação de Conteúdo
Marcelo Cezar

1ª edição
Setembro • 2008
20.000 exemplares

Dados Internacionais de Catalogação na Publicação (CIP)
(Câmara Brasileira do Livro, SP, Brasil)

Leonel (Espírito).
Só por amor / pelo espírito Leonel; [psicografado por] Mônica de Castro. --
São Paulo : Centro de Estudos Vida & Consciência Editora, 2008.
ISBN 978-85-7722-026-7
1. Romance brasileiro I. Título.
08-08693 CDD-133.93

Índices para catálogo sistemático:
1. Romances espíritas psicografados: Espiritismo 133.93

Publicação, distribuição, impressão e acabamento
CENTRO DE ESTUDOS VIDA & CONSCIÊNCIA EDITORA LTDA.

Rua Agostinho Gomes, 2.312
Ipiranga • CEP 04206-001
São Paulo • SP • Brasil
Fone / Fax: (11) 2061-2739 / 2061-2670
E-mail: grafica@vidaeconsciencia.com.br
Site: www.vidaeconsciencia.com.br

Só por amor

Mônica de Castro

pelo espírito Leonel

Para aqueles que lutam e sofrem derrotas,
E que sempre saem vitoriosos na batalha final
Contra seus próprios receios.
Para a amiga Mônica, que resume tudo isso.

Srº Alexandre
3224-3771

Prólogo

Um silêncio morno e inquietante pairava sobre a noite cálida do sertão. Ao longe, por entre as árvores secas e os arbustos espinhentos, algumas corujas piavam baixinho, atingidas por aquela onda de calor noturno. Mais além, um riacho quase seco esbarrava nas pedras das margens, fazendo ressoar pela madrugada seu murmúrio de dor. Fazia tempo que não chovia, e toda a natureza se ressentia daquela seca.

A noite, porém, era silenciosa. De quando em vez, um gambá mais assustado corria em meio aos gravetos, fazendo-os estalar sob suas patas como fogo crepitando na madeira seca. Entremeados com a fuga dos gambás, ouviam-se passos cautelosos e muito bem direcionados. Devagar, Januário avançava pela escassez da mata. Rosto duro e austero, apalpou a arma na cintura e enxugou o suor da testa. Com a outra mão, apertou o galão de querosene que levava e prosseguiu com um suspiro. Já estava ficando cansado daquela vida. Ia fazer cinqüenta anos, não era mais nenhuma criança. Aquele seria seu último serviço. Diria ao coronel Agostinho que já estava na hora de se aposentar. O que juntara ao longo da vida era o suficiente para que ele e Antônia levassem uma vida tranqüila e sem preocupações.

Coronel Agostinho sempre o recompensava bem pelos seus serviços e ainda permitia que saqueasse as casas e fazendas mais abastadas, antes de queimá-las. Jóias e pratarias, tudo caía em suas mãos, objetos valiosos que Januário ia vendendo e guardando todo o dinheiro no cofre que mandara instalar por detrás da parede de seu quarto. Apesar da estranheza, a mulher, Antônia, não fazia perguntas e se contentava com as desculpas que Januário lhe dava: aqueles eram objetos que coronel Agostinho recebia em paga de algumas dívidas e lhe dava.

Mansamente, aproximou-se do casebre e espiou para dentro, pelas frestas da porta mal cerrada. A sala estava vazia e escura, e ele experimentou a maçaneta. Zé Mário havia descido a trava pelo lado de dentro, e ele não conseguiu entrar. Maldito cabra, pensou. Na certa, já desconfiava do que estava para acontecer. Tentando não fazer barulho, Januário soltou o galão perto da porta e seguiu rodeando a casa, esforçando-se para não emitir nenhum som. Testou a primeira janela, e nada. Estava fechada e dificilmente conseguiria abri-la sem fazer barulho. Passou à segunda. Também estava fechada, mas a aldrava que corria por dentro era visível pelo lado de fora, porque a parte em que as duas bandas da janela se encontravam era muito irregular, produzindo uma folga que deixava abertos vários pedaços na madeira.

Tirou o facão da cinta e enfiou pela fresta, subindo com ele bem devagar, até que a lâmina tocou a aldrava. Com a língua entre os dentes, fez força para cima o mais calmamente possível. A tranca cedeu, subindo juntamente com a faca. Rápida e silenciosamente, Januário empurrou a janela, guardando o facão de volta no cinto. Enxugou novamente a testa e colocou as mãos no peitoril. Corpo magro e ágil, não foi preciso muito esforço para saltar. Em poucos segundos, viu-se do lado de dentro da pequenina e tosca sala de Zé Mário. Espiou ao redor, fazendo um reconhecimento do ambiente, tentando acostumar os olhos à penumbra. Assim que identificou o local, pôs-se a caminhar pela sala, evitando os poucos móveis quase amontoados no cubículo. Avistou mais à frente a cozinha e, do outro lado, uma porta entreaberta. Só podia ser ali. Eram os únicos cômodos da casa, e não havia mais onde se enfiar.

Pé ante pé, encaminhou-se para lá. No mais profundo silêncio, empurrou a porta, que se abriu sem qualquer ruído, e entrou no minúsculo quarto. Sem pensar em nada, aproximou-se da cama. Zé Mário e a mulher, Edilene, dormiam profundamente. A seu lado, o rifle de dois tiros jazia em posição de ataque, bem ao alcance de sua mão. O tolo ainda pensava que teria tempo de passar a mão na arma e se defender.

Januário não perdeu tempo. Sacou a arma e fez pontaria, mirando bem na cabeça de Zé Mário. Fez pressão no gatilho, mas a mão começou a tremer e o suor voltou a escorrer-lhe pela testa. Enxugou o rosto novamente, respirou fundo e voltou a mirar. Aquele seria seu último serviço, não tinha mais dúvidas. A idade ia avançando, e ele já não tinha mais a mão segura e firme de outros tempos. Resolveu acabar logo com aquilo. Queria ir embora o mais rápido possível e voltar para os braços de sua Antônia.

O que diria Antônia se descobrisse o modo como ele ganhava a vida? Será que ela era tão ingênua a ponto de pensar que ele trabalhava para coronel Agostinho apenas como seu capataz e guarda-costas? Nunca lhe passara pela cabeça que ele já havia matado centenas? Ao longo de seus quase trinta anos de profissão já matara muita gente; homens, mulheres e até crianças. Não gostava de atirar em crianças, mas o que fazer? Ordens eram ordens, e se coronel Agostinho mandava, ele obedecia. Seria por isso que Deus o castigara e jamais lhe enviara filhos? Por mais que Antônia fizesse, não conseguia engravidar. O tempo foi passando e, com ele, a vontade de ser pai. Januário queria muito encher a casa de crianças, mas não teve essa alegria e acabou se acostumando. Antônia engolira a frustração e também se acostumara. O que fazer? Deus era quem sabia, dizia ela. Se não lhe mandava filhos, algum motivo havia de ter.

Afastou aqueles pensamentos e voltou a concentrar-se no trabalho que tinha que executar. Eram três mortes encomendadas ali. Coronel Agostinho estava de olho naquelas terras, mas o danado do Zé Mário não queria vender. Com a morte do cabra e da família, as terras seriam herdadas pela irmã, que morria de medo do coronel e as venderia sem titubear. Eram muitos acres de fazenda que Agostinho não podia desprezar. Além do mais, era pelas terras de Zé Mário que passava grande parte da água que abastecia as duas fazendas, pois a nascente do regato ficava justamente em sua propriedade.

Sem pestanejar, Januário apertou o gatilho, e um estampido seco ecoou pela noite. Em seguida, voltou a pistola para a mulher e atirou novamente, antes mesmo que ela pudesse gritar ou sequer compreender o que estava se passando. Januário ainda teve tempo de ver a sombra de terror que lhe perpassou pelos olhos, mas não se comoveu. Aquele era o seu trabalho, era para aquilo que era pago, e, depois de tanto tempo, o medo e as súplicas já não o impressionavam mais.

Com a frieza que lhe era peculiar, virou as costas para a cama onde o casal agora jazia fulminado, tingido pelo sangue um do outro, e dirigiu-se para o bercinho de madeira que ficava do outro lado da cama. Assim que disparara o primeiro tiro, o bebê desatara a berrar e a chorar, bruscamente despertado de seu sono inocente. Impassível, aproximou-se do berço e levantou novamente o trabuco, mirando bem entre os olhinhos da criança. Mais uma vez, pressionou o gatilho e piscou um olho, tentando enquadrar bem o rostinho em sua mira. Os dedos, mais uma vez, começaram a tremer, e Januário baixou a arma por uns instantes. Mas que droga, pensou, estava ficando mesmo velho.

Resoluto, fez pontaria novamente, incomodado com aquela gritaria desenfreada. Mirou de novo o rostinho do bebê e encostou o dedo no gatilho. Por que será que não tinha filhos? – era a pergunta que, naquele momento, fizera novamente a si mesmo. Intimamente, uma voz lhe respondeu: porque assassinos não têm coração, e um coração é o de que as crianças mais necessitam. Era um castigo, não podia deixar de pensar, porque já matara muitas crianças, sem dar ouvidos a seu choro e seus soluços inocentes. Inocentes? Sim, eram inocentes. Januário não gostava de matar os inocentinhos... mas coronel Agostinho mandava, ele fazia.

Subitamente, sentiu a vista turva e percebeu uma umidade morna descendo pelo seu rosto. Será que, além de velho, estava também amolecendo? O que estaria acontecendo com ele? Jamais tivera dramas de consciência. Por que é que agora não conseguia executar um trabalho tão simples? Lutou consigo mesmo e enquadrou novamente o bebê, dizendo para si que era questão de segundos para tudo estar terminado. A criança nem sentiria nada. E depois, era melhor morrer do que viver órfã. E, o que era pior, transformar-se em uma possível arma contra coronel Agostinho no futuro. Porque a criança iria crescer, e não faltariam bocas para sussurrar as desconfianças que pairavam sobre o coronel.

O homem era uma peste danada de rica. Fora assim que conseguira sua fortuna: matando e roubando. Quem se recusava a vender suas terras pelos preços irrisórios que ele oferecia levava chumbo do coronel. Ou melhor, dele, Januário. Era ele quem sempre executava seus servicinhos sujos. Todos desconfiavam, mas ninguém nunca conseguiu provar nada. Januário era cuidadoso e não deixava pistas. As evidências apontavam sempre para o coronel, porque toda vez que alguém morria, sua fortuna e suas posses aumentavam, mas não havia meios de se provar nada. Havia muitos cangaceiros por aquelas bandas, e Januário sempre fazia parecer que os assassinatos eram cometidos pelos bandos de insubordinados que vagueavam por ali. Chegou mesmo a acusar o próprio Lampião de haver assassinado algumas pessoas para vingar ofensas aos membros de seu bando. Era mentira? Todo mundo sabia que era. Mas quem é que se atreveria a contestar ou acusar um homem tão poderoso e temido feito coronel Agostinho?

Só o doutor delegado. Conrado bem que tentava, mas não conseguia enquadrar o homem em crime nenhum. Quem via alguma coisa não falava, e Conrado jamais pôde reunir provas contra o coronel ou contra ele, Januário. Por isso ainda continuava vivo. O delegado era uma ameaça, mas coronel Agostinho também sentia medo dele. O homem era filho de um desembargador importante da capital, e matá-lo poderia custar-lhe muitas investigações. Agostinho preferia não arriscar. Enquanto Conrado não conseguisse incriminá-lo, nada faria contra ele.

Com isso, Januário também estava seguro, porque o delegado, por mais que se esforçasse, também não conseguia pôr as mãos nele. Chegava sempre perto, mas a ausência de provas o impedia de prendê-lo. Era, por isso, obrigado a engolir a frustração e via o jagunço circulando livre pela cidade, sem que pudesse fazer nada para detê-lo.

Januário deixou de lado esses pensamentos e fixou os olhos no bebê, que, agora mais cansado, parara de chorar e soluçava baixinho. Que idade teria? Pelo jeito e pelo corpinho magro, não devia ter mais do que três meses. Que pena, pensou. Um bebê tão bonitinho! Mas ele também precisava morrer. Foram as ordens de coronel Agostinho, e ele tinha que cumprir. Decidiu não pensar em mais nada e dar por encerrada aquela questão. Apontou novamente a arma para a criança, e sua mão, como das outras vezes, começou a tremer. Segurou o braço com a outra mão e fez pontaria, sentindo o suor escorrer de novo, misturado às lágrimas que sabia escorrerem pelas faces.

– Não posso! – chorou amargurado, deixando os braços caírem ao longo do corpo. – Deus, por quê? Por que não posso matar esta criança?

O neném, assustado, recomeçou a chorar, e Januário, mais que depressa, guardou a arma de volta na cintura e estendeu os braços para o berço. Com cuidado, retirou-o de sua caminha e estreitou-o contra o peito, batendo de leve em suas costinhas. O bebê, reconfortado, aquietou o pranto e acabou adormecendo. Vagarosamente, Januário saiu com ele. A alguns metros da casa, deitou-o no chão e falou carinhosamente.

– Não se apoquente. Tenho que terminar um trabalho, mas já volto para buscá-lo.

A passos largos, correu para onde deixara o galão e o abriu, espalhando o querosene por toda a casa, embebendo portas e janela, móveis e utensílios. Esvaziado o galão, atirou-o para o meio da sala e voltou para a porta, dando uma espiada no bebê, que permanecia quieto, no mesmo lugar em que o deixara. Maquinalmente, riscou o fósforo e atirou-o para dentro, correndo o mais que pôde. Em frações de segundos, as labaredas subiram aos céus, lambendo a casinha com fúria devastadora.

Januário apanhou a criança e ficou olhando o incêndio, sentindo que o calor da noite se intensificava sob as línguas de fogo. Esperou até que toda a casa estivesse tomada pelas chamas e só então virou as costas, trilhando de volta o mesmo caminho que percorrera para chegar até ali. Adiante, oculto entre as árvores e as sombras, seu cavalo o aguardava. Segurando o bebê adormecido com uma das mãos, Januário montou e esporeou o animal, partindo para casa em disparada.

Quando chegou, a madrugada corria alta, e Antônia ressonava na cama, a luz do abajur acesa e um bordado inacabado pousado sobre o colo. Januário aproximou-se dela rapidamente e a sacudiu, falando num quase desespero:

– Antônia! Pelo amor de Deus, Antônia, acorde!

Antônia passou a língua nos lábios e pigarreou, abrindo os olhos lentamente. Estreitou a vista por uns instantes, em busca de compreensão para o que estava vendo. Parado diante dela, estava seu marido. Isso não era nada de mais. O estranho, porém, era que trazia um bebê no colo. Será que estava sonhando? Piscou várias vezes, na esperança de que o sonho se desvanecesse, mas ele continuava ali. Foi só quando Januário pousou o bebê a seu lado e começou a andar pelo quarto, falando e gesticulando feito louco, que ela realmente compreendeu o que estava acontecendo.

– Januário! – exclamou atônita. – O que é isso? Posso saber o que está acontecendo?

– Então você não vê, mulher? É uma criança. Um bebê...

– Isso eu sei. Mas o que é que ele está fazendo aqui?

– Não há tempo... – respondeu balbuciante, abrindo a porta do armário e retirando as roupas lá de dentro, jogando-as todas em cima da cama. – Precisamos apressar-nos.

– Apressar-nos? Para quê?

– Vamos, Antônia, levante-se daí e arrume nossas coisas. Vamos embora.

– Embora? Como assim? O que aconteceu?

– Não faça perguntas! Precisamos sair daqui com urgência. Fiz uma loucura... e quando o coronel Agostinho descobrir, vai ser o meu fim!

– Mas que loucura? O que você fez? – vendo o bebê se mexendo a seu lado na cama, completou aterrada: – Não vá me dizer que você roubou essa criança! Foi isso, Januário? Você tirou a criança da mãe?

– Não...

– Mas então, como é que ela veio parar aqui?

– Não faça perguntas agora. Mais tarde, explicarei tudo. Agora, precisamos fugir. Por Deus, Antônia, quer que essa criança morra?

– Não... mas por que morreria?

– Levante-se daí, mulher! Será que você não pode calar-ser um minuto e me obedecer? Precisamos sair daqui o quanto antes ou, não só a criança vai morrer, como nós também!

Sentindo a gravidade na voz do marido, Antônia obedeceu. Levantou-se rapidamente e correu a apanhar as malas.

– Para onde vamos? – indagou preocupada, enquanto enfiava nas malas as roupas que podia.

– Ainda não sei. Pegue o que puder. O que não der para levar, deixe por aí.

– Deixar por aí? Vamos abandonar nossa casa, nosso lar, tudo por que lutamos durante todos esses anos, com tanto sacrifício?

Januário fitou-a com desgosto e retrucou angustiado:

– Não foi com sacrifício. Não com o nosso.

– Não entendo... o que quer dizer com isso?

Ele terminou de esvaziar o cofre por detrás de um quadro na parede e aproximou-se dela, segurando-lhe as mãos e olhando-a bem fundo nos olhos.

– Outro dia – começou, visivelmente transtornado –, um outro dia, Antônia, vou contar-lhe tudo. Mas agora não. Agora, só no que consigo pensar é em salvar nossas vidas.

Uma estranha sensação arranhou o coração de Antônia, mas ela não disse nada. Apenas meneou a cabeça e continuou a arrumar suas coisas.

– E o bebê? – tornou, olhando para a criança adormecida. – Trouxe as coisas dele?

– Comprar-lhe-emos algo no caminho. Ele está dormindo, não dará problemas.

– Mas é muito pequenino. Ainda deve mamar no peito. Logo, logo, vai acordar, berrando de fome. O que lhe daremos?

– Vou apanhar leite na geladeira e vamos levar.

– Mas ele não sabe beber na garrafa!

– Daremos um jeito! Pelo amor de Deus, Antônia, vamos embora!

Antônia se calou e terminou de arrumar suas coisas, que Januário foi levando e ajeitando na carroça. O automóvel moderno que comprara, achou melhor não levar. Automóveis daquele tipo não eram comuns por ali, e o seu seria de fácil localização. Não. Apesar do desconforto, a carroça ainda era mais segura.

Enquanto isso, Antônia foi sentar-se ao lado do bebê, admirando-lhe o rostinho adormecido. Quando Januário entrou de volta no quarto, para apanhar outras malas, ela perguntou curiosa:

– É menino ou menina?

Januário estacou e olhou para a mulher. Nem se preocupara com aquilo.

– Não sei – resmungou cabisbaixo. – Não tive tempo de olhar.

Ele saiu esbaforido, e ela, com cuidado, afastou as roupinhas do neném. Quase sem tocá-lo, abriu-lhe a fralda. Era uma menina.

– É menina! – falou entusiasmada, quando Januário chegou de volta.

– Ótimo – respondeu ele, secamente. – É menina. Agora a apanhe e vamos embora. Quero partir antes do amanhecer.

Sem dizer nada, Antônia ergueu a menina no colo e saiu apressada atrás do marido. Januário trancou a casa toda. Esperava que, quando o patrão desse pela sua falta, eles já estivessem longe. Afinal, era seu costume sumir por uns tempos depois de serviços grandes feito aquele. Ao colocar os cavalos em movimento, Januário nem imaginava ainda que rumo iria tomar. Só o que sabia era que queria estar bem longe de Pedra Branca, aquela ridícula cidadezinha esquecida no interior do Ceará. Achou melhor seguir para Senador Pompeu e, de lá, apanhar um trem para o sul. Chegando à pequenina cidade, procuraram uma estalagem razoavelmente tranqüila e se hospedaram com nomes falsos. Logo em seguida, Januário saiu em busca de fraldas e uma mamadeira. Voltou pouco depois, trazendo a mamadeira e uma garrafa de leite fresco.

– Enquanto você a alimenta, vou comprar passagens para o sul – disse para a mulher. – Não é seguro pegarmos a direção de Fortaleza.

Antônia sorriu, enquanto oferecia a mamadeira ao bebê, que chorava esfomeado. Imediatamente, a menina se acalmou, e Antônia ficou à espera de que Januário voltasse. Quando ele retornou, trazendo nas mãos as passagens de trem, ela o fitou com uma interrogação no olhar. Para Januário, não havia mais como fugir; era hora de lhe contar toda a verdade, e a verdade era que ele salvara a criança de um incêndio que ele mesmo provocara. Antônia ficou chocada, mas Januário prosseguiu. Se ela realmente o amasse como dizia amar, saberia compreendê-lo e aceitar. À medida que Januário ia-lhe narrando os episódios funestos de sua vida de crimes, Antônia ia empalidecendo mais e mais, o horror estampado em seus olhos vivos. Contou tudo, desde quando se iniciara naquela vida, até os momentos que antecederam a sua fuga, após ter matado Zé Mário e Edilene e fugido levando a menina, com medo da violenta reação de coronel Agostinho. Quando ele terminou a narrativa tenebrosa, ela estava chorando.

– Vai condenar-me e me abandonar? – perguntou Januário, temeroso.

– Não... – balbuciou ela, entre lágrimas.

– Entende que fiz isso por nós?

– Não, não entendo, embora, em meu íntimo, já desconfiasse de algo. Só não queria enxergar.

Januário não conseguia desviar dela os seus olhos súplices e então indagou:

– O que pretende fazer?

Com um suspiro de dor, ela respondeu mansamente:

– Nada, não pretendo fazer nada. Temos agora uma filha para criar.

Com imenso alívio, Januário correu e a abraçou, mal conseguindo conter a emoção.

– Antônia... minha querida Antônia...

Ela, porém, repeliu o seu abraço e completou com voz firme:

– Prometa-me antes, Januário, que nunca mais vai matar.

– Como posso prometer-lhe isso?

– Vamos iniciar vida nova. Você, eu e a criança. Quero que você se transforme num novo homem. Do contrário, nem todo o amor que sinto vai prender-me junto a você. Agora que sei, não posso conviver com a morte.

– Mas Antônia, entenda... sou um matador!

– Você vai ter de escolher. Ou fica comigo, ou com a sua vida de jagunço. As duas coisas, não pode ter.

– É isso o que você quer? – suspirou, entre a contrariedade e a resignação.

– Sim. Essa é a condição para que continuemos juntos.

– Então está certo, se é o que vai fazê-la feliz. De qualquer forma, já estou ficando mesmo cansado dessa vida.

Agora sim, ela o abraçou comovida. Como o amava! Tanto que nem os seus horrendos crimes seriam capazes de destruir o seu amor. A criança, talvez atingida pela carga de emoção do momento, despertou faminta e aos berros. Antônia se soltou de Januário, indo preparar-lhe outra mamadeira. Terminou de alimentá-la e deu-lhe um banho morninho, colocando-a para dormir em seguida. Depois que ela pegou no sono, pediram comida no quarto. Não queriam expor-se em lugares muito movimentados. Na manhã seguinte, bem cedo, partiriam novamente.

– Para onde é que vamos? – quis saber Antônia. – Já decidiu?

Januário deu-lhe um sorriso amável e exibiu-lhe as passagens de trem.

– Para o Rio de Janeiro – respondeu com certa euforia. – Vamos de trem até Juazeiro e, de lá, tomaremos um ônibus para o Rio. Eu, você e nossa pequena Marisa...

Voltou o rosto antes que a mulher pudesse contestar o nome que ele escolhera para a menina que, dali para a frente, seria a sua filhinha. Antônia, porém, não demonstrou contrariedade. Sabia que Marisa era o nome de uma irmãzinha de Januário que morrera ainda bebê, e aceitara a idéia de coração. Era um nome bonito e gracioso, tal qual sua filha seria dali em diante. Sua filha e de Januário. De mais ninguém...

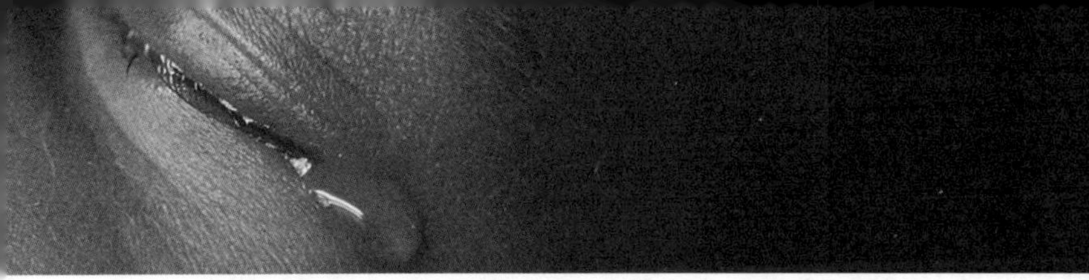

1

Assim que o dia amanheceu, um plic, plic, plic constante começou a bater nos vidros da janela, e um vento frio e cortante irrompeu pelo quarto em penumbra. As cortinas logo esvoaçaram, e alguns pingos de chuva se precipitaram no ambiente, indo pousar, insolentes, no rosto de Marisa. A moça abriu os olhos de chofre, espantada com aquela invasão da intempérie, e se levantou apressada. Correu a cerrar a janela, lutando contra a força do vento que empurrava os postigos em direção contrária. As cortinas, já úmidas, enrolavam-se ao redor de seu corpo, fazendo com que Marisa praticamente lutasse para conseguir dominar a ventania.

Quando, finalmente, conseguiu fechar a janela, sua camisola estava toda molhada, e um arrepio gelado percorreu-lhe a espinha. Ela esfregou os braços com vigor e tirou a camisola às pressas, atirando-se na cama e cobrindo-se com o cobertor até o pescoço. Estava fazendo muito frio naquele início de agosto, e o inverno seguia rigoroso. Naqueles dias, Marisa não sentia vontade de sair da cama, mas sabia que, dali a pouco, a mãe viria acordá-la para ir ao colégio. Aquele era o primeiro dia do último semestre letivo na Escola Normal do Instituto de Educação, e Marisa iria formar-se professora no fim do ano.

Consultou o relógio na mesinha e ficou esperando. Faltavam cinco minutos para as cinco, e a mãe não tardaria a chegar. Ela entrava na escola às sete horas, e Antônia não gostava que se atrasasse. Cinco minutos depois, a mãe entrou no quarto e se aproximou da cama da filha.

– Marisa – chamou baixinho. – Hora de levantar.

– Já estou acordada, mãe – respondeu a moça, virando-se para ela. – O vento não me deixou dormir.

Vendo a camisola de Marisa no chão, Antônia censurou:

– Mas onde é que já se viu dormir sem roupa com um frio desses? Ainda vai acabar ficando resfriada.

– Foi o vento, mãe. Escancarou a janela, e eu me molhei toda para fechá-la.

Antônia balançou a cabeça e notou a pequenina poça embaixo da janela.

– Devia verificar o trinco antes de dormir.

– Não acha esse lugar muito frio? Por que não nos mudamos para a zona sul?

– Seu pai não gosta de lugares muito movimentados.

– E prefere morar nesse castelo de fantasmas...

– Não diga isso, Marisa. Não moramos num castelo, muito menos de fantasmas.

– Mas essa casa é tão grande! E fica tão afastada da cidade. Por que não podemos morar mais perto?

– Não é tão afastada assim. Daqui até a Tijuca é um pulinho.

– Mas eu queria mesmo era morar em Copacabana...

– Que nada. Isso é modismo. Não vejo nada de errado em morar aqui no Alto da Boa Vista. É tão silencioso!

– Por isso mesmo, mãe. Gosto de ver gente, de andar por entre as pessoas. Mas aqui não tem nada. É tão deserto, parece outra cidade.

– Pensei que gostasse da nossa casa.

– Não é que não goste. Mas é que às vezes me sinto tão só...

– Por que não convida algumas amigas para passarem uma tarde aqui conosco?

– Ora, mãe, esse lugar não é dos mais fáceis de se descobrir, não é mesmo? Quem não conhece fica perdido.

– Isso não é desculpa. Se elas tiverem vontade, vão encontrar facilmente. Afinal de contas, aqui não é nenhum fim de mundo.

Marisa soltou um suspiro e se levantou da cama, caminhando em direção ao banheiro. Ao menos isso sua casa tinha de bom. Não era muito comum ver casas com banheiros no quarto, mas seu pai mandara construir uma suíte especialmente para ela. Além disso, os cômodos eram amplos e arejados, e tinham um bonito jardim.

O pai fazia todas as suas vontades. Alguns anos atrás, mandara instalar uma piscina no quintal, porque Marisa queria convidar os amigos para se refrescarem com ela no verão. Mas a distância impedia que suas amigas a visitassem com freqüência. Ficara decepcionada e, por esse motivo, pensava em se mudar. Não que não gostasse dali ou que achasse o lugar ruim. Tampouco era dada a modismos ou ostentações. Só o que queria era estar próxima do rebuliço da cidade e levar uma vida igual a de toda garota de sua idade.

Apenas Sandra parecia gostar de visitá-la. Marisa não se incomodava de apanhar o bonde e caminhar alguns minutos pela estradinha, até chegar ao casarão em que vivia, ladeado pela floresta da Tijuca. O lugar era muito bonito e aprazível. A única desvantagem era que a distância a estava isolando do resto do mundo.

Não entendia por que o pai teimava em viver ali. A mãe dizia que era porque ele já estava velho e cansado, e o sossego do bairro o tranqüilizava. João se aposentara no norte e viera para o Rio de Janeiro porque dizia que o Maranhão não era um lugar muito bom para se criar uma filha. O norte era quente e atrasado, e o que ele pretendia para sua Marisa era um futuro brilhante, ao lado de algum rapaz fino e formado, e não de mais um daqueles cabras, como costumava chamar os homens rudes de sua terra.

Marisa sentia-se agradecida pela preocupação do pai. Realmente, morar no interior do Maranhão deveria ser bem pior do que viver naquela quase chácara que o pai comprara no Alto da Boa Vista, bem no coração da floresta da Tijuca, considerada uma das maiores florestas urbanas do mundo. O pai era um homem meio bronco, mas Marisa o adorava. A ele e à mãe. Quando ela nascera, eles já eram meio idosos, e ela se tornara a alegria do lar. Antônia lhe contara das dificuldades que tivera para ter filhos e como sua chegada iluminou o coração de ambos. Fora por isso, explicara o pai, que resolveram partir. Para que sua única filha pudesse ter uma vida decente e coberta de alegrias.

Essa foi a versão que Januário contou a Marisa quando ela atingiu idade suficiente para compreender as coisas. Contara-lhe várias mentiras, apoiado por Antônia. O nome completo de Januário era João Januário da Silva, e ele passara a apresentar-se apenas com o primeiro nome, evitando que alguém o reconhecesse pelo nome e o descobrisse ali. Antônia, por sua vez, era um nome comum e não chamaria muita atenção. João dissera a Marisa que nascera no Maranhão e que fora administrador de uma grande fazenda na região, o que lhe rendera alguns trocados para a aposentadoria.

Chegando ao Rio de Janeiro, João tratou logo de investir o dinheiro que juntara durante todos os anos em que trabalhara para coronel Agostinho, fruto de crimes e de saques. O medo de chamar a atenção e de ser descoberto levou-o a procurar uma casa mais afastada da cidade, e ele comprou aquela mansão no Alto da Boa Vista. Mandou reformá-la e ajeitou-a ao gosto de Antônia, providenciando todos os confortos que pudessem satisfazer a uma criança. Comprou também uma loja de materiais de construção. Embora não entendesse nada do ramo, queria ingressar num negócio que não possuísse nenhuma ligação com o tipo de trabalho que fazia no Ceará. A oportunidade surgiu, e ele aproveitou. Dedicou-se ao novo negócio e, em pouco tempo, já dominava tudo do assunto. O mercado era bom, e a loja logo rendeu lucros, o que permitiu que João abrisse algumas filiais pela cidade.

Não apreciava, porém, a vida em sociedade, grandes passeios ou festas. À exceção de São José dos Campos, não viajavam para lugar algum. A pequena cidade paulista era o lugar que João escolhera para levar Antônia e Marisa nas férias escolares, por ser calmo e sossegado, onde dificilmente encontrariam conhecidos da época do jagunço. Marisa adorava aquelas férias, porque eram a única oportunidade que tinha de viajar e conhecer gente nova.

Apesar de tudo o que descobrira sobre o marido, Antônia parecia satisfeita. Dedicava-se integralmente à casa, à filha e ao marido, de quem era a única e verdadeira cúmplice. Foi ela quem o aconselhou a deixar o Januário de lado e apresentar-se somente como João.

E era assim que ele era conhecido: João da Silva, que se mudara do Maranhão com a esposa, Antônia, e a filha Marisa. Nada mais.

Marisa desconhecia esses pormenores. Os pais pouco falavam de sua vida no norte, e ela também pouco perguntava. Em seus dezoito anos, estava mais preocupada com a escola e os rapazes. Como toda garota normal de sua época, Marisa queria casar-se de véu e grinalda e ter filhos, embora não pretendesse abrir mão de lecionar.

– Não se demore – disse Antônia, assim que Marisa entrou no banheiro. – O café já está servido.

Ela tomou um banho rápido e vestiu o uniforme azul e branco da escola normal, descendo para o desjejum. Na sala de jantar, o pai e a mãe já se encontravam sentados, tomando seu café. Ela se aproximou e beijou João no rosto.

– Bom dia, minha querida – cumprimentou ele em tom jovial. – Dormiu bem? Soube que sua janela se escancarou essa noite.

– Foi o vento, papai. Fiquei toda molhada.

– Devia ter mais cuidado e conferir o trinco antes de dormir.

– Farei isso, papai.

– Coma logo, Marisa – ordenou Antônia, servindo-lhe uma xícara de leite –, ou vai atrasar-se.

– Hoje está fazendo muito frio – acrescentou João. – Não deixe de se agasalhar.

– Não, pai, não se preocupe.

Ela terminou de tomar o café, beijou os pais e saiu apressada. A chuva havia dado uma trégua, mas o vento ainda era gelado e úmido. Do lado de fora, Damião, o motorista, aguardava para levá-la à escola.

– Bom dia, Damião – falou ela, correndo até o carro.

– Bom dia, Marisa – respondeu ele de bom humor, abrindo-lhe a porta.

Fizeram o percurso em silêncio, até que chegaram à escola e Marisa saltou. Havia voltado a chover, e ela abriu o guarda-chuva, acenando para ele do portão.

Chegou à sala de aula e foi sentar-se no lugar de sempre. Sandra, sua melhor amiga, já havia chegado e estava lendo uma revista, marcando-a a lápis.

– Olá, Sandra. Que tempo horrível, logo no primeiro dia de aula, não?

– Nem me fale, Marisa – respondeu a outra, sem desviar a atenção do que estava fazendo. – Quase não consegui sair da cama hoje. Ainda tentei fingir que estava gripada, mas minha mãe não acreditou. Dona Albertina é fogo.

– Mas você também tem cada uma! E logo no primeiro dia?

– E daí? Acho uma chateação essa escola. O que eu quero mesmo é arranjar um marido rico.

– E quem não quer?

– Você. Até parece que precisa disso. Tem um pai cheio do dinheiro. Pena que não tem nenhum irmão.

– Não devia falar assim, Sandra. Dinheiro não é tudo na vida.

– Não, é quase tudo.

– O amor vem em primeiro lugar.

– Principalmente se vem acompanhado de uma polpuda conta bancária.

Marisa acabou rindo e apertou a bochecha de Sandra. A amiga não se emendava. O pai morrera quando ela era ainda bem pequena, e a mãe se vira obrigada a arranjar um emprego de doméstica na casa de uma senhora muito rica, em Copacabana, que fora quem conseguira uma vaga para Sandra no Instituto de Educação, uma das mais tradicionais escolas normais do Rio de Janeiro na década de 50.

Um pequeno rebuliço na porta deu a entender que a professora havia entrado, e as meninas pararam de conversar. Antes, porém, Sandra cochichou no ouvido de Marisa:

– Quem é aquela de cabelos ondulados ali na frente?

Marisa seguiu a direção do dedo de Sandra e reparou que havia uma moça nova na sala. Pelas costas, via que era um pouco cheinha de corpo e tinha longos cabelos castanhos e ondulados, extremamente brilhosos e bem cuidados.

– Não a conheço – retrucou Marisa, curiosa. – Deve ser aluna nova.

A professora já se havia sentado e começava a fazer a chamada, até que chamou um nome diferente:

– Lídia Aparecida de Moraes Bentes.

– Presente – respondeu a novata timidamente.

– Nossa, que nome mais comprido – sussurrou Sandra. – Aposto como é feia.

– Como é que você sabe? Não dá para ver daqui. Ela está de costas.

– Mas parece. É gordinha, olhe só. Melhor... menos uma concorrente.

– Marisa Louro da Silva – era a voz da professora.

– Presente – disse a menina, sufocando uma risada e completando bem baixinho: – Você é terrível.

– Sou apenas realista, meu bem.

– Sandra de Souza Neves – continuava a professora.

– Presente.

Depois disso, tiveram que se calar e prestar atenção à aula. Nos intervalos e na hora do intervalo, Marisa observou Lídia discretamente. A moça parecia deslocada e não se enturmava com ninguém. Era mesmo difícil ingressar numa escola nova, no meio do último ano, e fazer amizades. Marisa pensou em ir conversar com ela, mas Sandra parecia não ter simpatizado com a menina, e ela não queria que a amiga soltasse alguma piadinha que a embaraçasse ainda mais. Preferiu não se aproximar, embora em seu coração sentisse uma vontade imensa de conhecer melhor a nova colega.

***

Na sexta-feira, só o que as meninas faziam era comentar o baile do dia seguinte, no Colégio Militar, o que já era uma tradição. Sandra não parava de pensar nos rapazes com quem flertaria e falava sem parar no vestido cor-de-rosa que a mãe lhe fizera. Na verdade, o vestido fora um presente de Marocas, patroa de Albertina, e havia pertencido a sua filha, que agora se casara e morava no exterior.

Albertina aceitara o presente de bom grado e o reformara, tornando-o praticamente novo e de acordo com os ditames da moda.

– E você, Marisa, com que vestido vai? – indagou entusiasmada.

– Ainda não sei.

– Se eu fosse você, ia com aquele verde-claro. Fica muito bem em você.

– Ainda não pensei nisso, Sandra.

– Ou será que comprou algum vestido novo?

– Não, não comprei.

Marisa, na verdade, não tirava os olhos de Lídia. Estavam no pátio da escola, e a moça se sentara em um banco para comer a sua merenda. Outras meninas se juntaram ao grupo, e, aproveitando a distração de Sandra, Marisa se afastou e caminhou em direção a Lídia. Ela havia aberto um guardanapo em seu colo e comia tranqüilamente um sanduíche de presunto.

– Oi – cumprimentou Marisa, tentando ser o mais amável possível. – Posso sentar-me?

Lídia olhou-a espantada e puxou o copo de refresco mais para perto de si, respondendo com uma certa timidez:

– Fique à vontade.

Sentada a seu lado, Marisa iniciou uma conversa:

– Você é Lídia, não é? É nova na escola?

– Sou sim. Cheguei ao Rio no mês passado.

– De onde você é?

– De Fortaleza. Meu pai foi nomeado ministro do Supremo Tribunal Federal e teve que se mudar para cá.

– Seu pai é juiz?

– É sim.

– Você tem irmãos?

– Tenho um. Chama-se Vinício, é engenheiro, capitão-tenente da Marinha, e conseguiu uma transferência para nos acompanhar.

– Está gostando do Rio?

– Acho que chegamos em má hora. O tempo anda ruim, e ainda não pudemos conhecer praticamente nada da cidade.

– É uma pena. Há lugares muito bonitos de se ver.

– Imagino... e você?

– Sou Marisa, e aquela é minha amiga Sandra.

Apontou para a moça, que ainda não dera pela sua falta. Lídia lançou-lhe um olhar indefinível e retrucou com interesse:

– Você também tem irmãos?

– Não, sou filha única. Meus pais também são lá do norte, só que vieram do Maranhão.

– Você nasceu aqui?

– Não, nasci lá. Mas só fui registrada aqui no Rio. Sabe como são essas cidades do interior.

– Bom, Fortaleza não é uma cidade do interior.

– Eu sei.

– Você conhece? Já esteve lá?

– Não, mas vi em revistas.

– Também é muito bonita.

– Sente saudades de casa?

– Sinto sim. Deixei meus avós, amigos... foi difícil. E aqui também não está sendo nada fácil.

– Posso imaginar. Não deve ser fácil ingressar numa escola nova, no meio do último ano letivo.

– É, é difícil. Os grupos já estão formados, e ninguém quer abrir espaço para uma estranha.

– Eu não sou assim. Podemos ser amigas, se você quiser.

– Obrigada, gostaria muito. Desde que a vi, simpatizei logo com você.

– Você também é muito simpática. Espero que possamos ser amigas.

– Eu também...

– Ah! Então foi aí que você se escondeu! – era Sandra, que vinha chegando com seu andar rebolativo.

– Já conhece a Lídia, Sandra? – retrucou Marisa polidamente.

– De vista.

– Ela veio do Ceará.

– Migrou, fugindo da seca?

– Não, Sandra, o pai dela é ministro do Supremo Tribunal Federal.

A moça engoliu em seco e forçou um sorriso. Decididamente, aquela seria uma boa amizade para se cultivar.

– Seja bem-vinda ao Rio! – exclamou com afetado fingimento. – Espero que não tenha ficado zangada com a brincadeira.

– Não fiquei – tornou Lídia, visivelmente avessa à presença da outra.

– Lídia tem um irmão – prosseguiu Marisa, com uma certa inocência. – Engenheiro da Marinha, não é?

– Isso mesmo.

– Engenheiro, é? – repetiu Sandra, interessada.

– Meu irmão é capitão-tenente e tem vinte e sete anos.

– Ele é casado?

– Sandra! – censurou Marisa. – Deixe de ser oferecida. Você mal conhece Lídia e nunca viu o rapaz. Que coisa feia!

Sandra sorriu sem graça, e Lídia não respondeu. Desde o primeiro dia, não simpatizara com Sandra. Achava-a debochada e cínica e, pelo visto, também era desfrutável e interesseira.

– Não foi essa a minha intenção – balbuciou Sandra desconcertada. – E depois, não sou oferecida não, ouviu? Perguntei por perguntar, por curiosidade. Você é que está maldando as coisas.

– Sei... conheço-a muito bem, viu?

– Não precisam brigar – interveio Lídia. – Não me aborreci nem estou fazendo mau juízo de Sandra.

– Nós não estamos brigando – objetou Sandra. – Marisa e eu nunca brigamos. Somos amigas desde o jardim de infância, não é Marisa?

– É, sim. Sandra e eu estudamos juntas desde pequeninas.

– Devem ter uma sólida amizade.

– Você nem imagina o quanto, meu bem! – gracejou Sandra. – Somos praticamente irmãs.

Ouviram a sirene tocar, indicando o término da hora do intervalo, e voltaram para a sala de aula. No fim da tarde, Marisa deu a Lídia o número de seu telefone, e a moça também lhe entregou o seu.

– Não gostaria de vir visitar-nos amanhã? – indagou Lídia. – Mamãe faz uns bolos deliciosos, e você poderia conhecer o resto da família.

– Excelente idéia! – concordou Marisa. – A que horas?

– Que tal, lá pelas cinco?

– Não está se esquecendo de nada? – intercedeu Sandra. – Amanhã é o dia do baile no Colégio Militar. Aliás, seu irmão não vai?

– Meu irmão já está muito velho para esses bailes. E depois, ele não gosta.

– Mas você vai, não é, Marisa?

– Pensando bem, Sandra, não sei se estou com tanta vontade de ir.

– Como? Você estava até mais animada do que eu!

– Estava, mas agora não estou mais.

– Ora, essa é boa! Vai me deixar ir sozinha?

– Ah! Sandra, você não vai ficar sozinha. Todo mundo vai estar lá.

– Mas você é minha melhor amiga!

Não querendo entrar em confronto com Sandra, Lídia voltou atrás:

– Se é assim, Marisa, podemos deixar para outro dia.

– Ah! Mas eu gostaria tanto de ir...

– Podemos transferir para o domingo. Então? O que me diz?

– Ótimo! Assim vai dar tudo certo. Vou ao baile no sábado com Sandra e, no domingo, vou lanchar em sua casa.

– Então, fica combinado. Espero-a lá em casa no domingo, às cinco horas. Não vá faltar.

– De jeito nenhum.

– Você não vai ao baile? – quis saber Sandra.

– Não gosto muito de dançar.

Sandra pensou: é muito desajeitada para dançar, mas armou um sorriso nos lábios e contrapôs:

– Ora, mas que bobagem. Toda moça gosta de dançar.

– É que não danço muito bem.

– Isso não é desculpa. Por que não nos acompanha para ver como é?

– Não quero estragar a noite de vocês.

– De jeito nenhum! – contestou Marisa animada. – Seria um imenso prazer se você fosse conosco.

– Não sei...

– Ah! Vamos, Lídia, por favor! Você vai gostar.

– Não sei. Tenho que falar com meus pais.

– Fale com eles e depois telefone para Marisa. Você não tem o telefone dela?

– Está certo – concordou por fim. – Vou falar com meus pais e ligo para você hoje à noite, Marisa, inclusive para lhe dar meu endereço.

– Muito bem! – exclamou a outra, batendo palmas em sinal de genuína alegria.

– Não vai se arrepender – prometeu Sandra. – Há muitos rapazes bonitos no baile, você vai ver.

Despediram-se. Damião já estava no portão, à espera de Marisa, que entrou e acenou para as amigas. No caminho de volta para casa, ia pensando em sua mais nova amizade. Gostara verdadeiramente de Lídia. Achava-a simpática e muito agradável. Não conseguia ver toda aquela feiúra que Sandra apontava e pensava mesmo que ela era bonita. Não que fosse de chamar a atenção. Mas tinha um rosto expressivo, cabelos lindos e olhos de um negro cintilante e perscrutador. Embora fosse cheinha de corpo, não era propriamente gorda, e Marisa achava mesmo que as formas lhe caíam bem, visto que Lídia era uma moça relativamente alta e de larga estrutura óssea. No conjunto, era uma moça interessante, de uma beleza exótica e cativante.

Além de tudo, era inteligente e simpática. Marisa estava empolgada com a moça. Sabia que Sandra ficara um tanto quanto enciumada.

Sandra sempre fora uma menina ciumenta e possessiva, mas acabaria se acostumando. Marisa achava que ela era uma boa moça, embora um pouco perdida e deslumbrada com aquela história de marido rico. Talvez, quem sabe, a amizade de Lídia lhe abrisse um pouco os olhos para as coisas da vida. Tinha certeza de que Lídia era uma moça que tinha muito a oferecer. Sim, pensou, estava mesmo disposta a estreitar amizade com ela.

2

Ao descer para o jantar naquela noite, Lídia parecia mais bem-humorada do que o normal, o que causou uma certa estranheza no resto da família. A mãe, Malvina, surpresa com sua euforia, indagou curiosa:

– Pode-se saber o motivo de tanta alegria?

Vinício fitou-a com ar matreiro e perguntou, não sem uma certa malícia:

– Será que arranjou algum namorado?

Notando o olhar grave do pai, Lídia contestou veemente:

– Não é nada disso. É que fiz amizade na escola hoje, e Marisa me convidou para ir ao baile do Colégio Militar amanhã.

– É mesmo? – tornou a mãe animada. – Mas que maravilha!

– Já não era sem tempo, minha filha – acrescentou o pai. – Uma mocinha feito você não deveria ficar sozinha em casa.

– E quem é essa tal de Marisa? – prosseguiu a mãe. – É de boa família?

– Creio que sim. Ninguém que estude no Instituto de Educação pode ser ruim, não é mesmo? Afinal, é um dos colégios mais tradicionais da cidade.

– Isso é verdade, minha filha – concordou o pai. – Só eu sei o trabalho que tive para arranjar uma vaga para você no meio do último ano. E olhe que só consegui porque conheço pessoalmente o governador, e ele deu um empurrãozinho. Mas o fato de a escola ser tradicional não significa que só seja freqüentada por pessoas de bem. Há pessoas inteligentes que usam seus dons para o mal.

– Não acham que estão exagerando? Marisa é uma moça assim como eu. É bonita, alegre, educada e inteligente.

– O que o pai dela faz? – prosseguiu a mãe.

– Não sei, nem me ocorreu perguntar. Conheci também uma outra moça, de nome Sandra, mas foi com Marisa que simpatizei.

– Que bom, minha filha – era o pai. – É muito bom fazer novos amigos.

– É verdade.

– E é com ela que você pretende ir ao baile?

– Posso, papai?

– É claro que pode. Eu mesmo a levarei.

– Você não quer ir, Vinício? – retrucou ela, dirigindo-se para o irmão.

O rapaz soltou a colher de sopa, enxugou os lábios e respondeu com um suspiro:

– Não acha que já estou um pouco velho para isso, Lídia?

– É claro que não! Aposto como conhecerá uma moça bonita.

– Não sei. Suas amigas são muito novinhas para mim.

– Ora, Vinício, mas que bobagem. Minhas amigas, como você diz, devem ter a minha idade. E haverá outras moças, com certeza.

– Seria uma boa idéia você ir – concordou a mãe. – Também já é hora de se distrair.

Vinício deu um suspiro e retrucou meio sem jeito:

– A senhora sabe que não gosto de bailes, mãe. Mas se for só para levar Lídia, pode deixar que eu mesmo levo. Sou o irmão mais velho, é natural que acompanhe Lídia em seu primeiro baile na nova cidade.

Apertou a sua mão por cima da mesa e deu-lhe um sorriso amistoso, que Lídia correspondeu com sinceridade:

– Obrigada, Vinício. Sabia que podia contar com você.

***

Ao entrar no salão de bailes do Colégio Militar, Lídia sentiu-se um pouco tímida e acanhada. Nunca vira moças tão elegantes e bem-vestidas, e pensou se não estaria parecendo uma roceira desengonçada.

– Você está muito bonita – elogiou Vinício, lendo-lhe os pensamentos.

Lídia apenas sorriu e apertou o seu braço, orgulhosa com a sua presença. Ele, sim, chamava a atenção. Era um rapaz muito bonito, moreno, queimado de praia, muito elegante em sua farda branca. Assim que entraram, Lídia percebeu os olhares das garotas sobre ele. Houve até um certo burburinho, e várias meninas se aproximaram para saudá-la, meninas que jamais haviam trocado sequer uma palavra com ela na escola. Lídia respondeu aos cumprimentos com educação e certa distância. Não precisava de amizades interesseiras.

– Veja! – exclamou ela, apontando para um grupo de moças mais adiante. – Lá está Marisa. Ainda não nos viu. Venha, vamos juntarnos a ela.

Saiu arrastando o irmão pelo braço, que se deixou conduzir, feliz com a alegria de Lídia. Sandra foi a primeira que os viu e soltou um grito de euforia:

– Lídia! Que bom que você veio.

Beijou a outra no rosto e fitou Vinício, que Lídia logo apresentou:

– Este é meu irmão, Vinício. Vinício, esta é Sandra, uma das moças de quem lhe falei.

Vinício cumprimentou-a com um aceno de cabeça e não disse nada, apenas reparando no seu estado de excitação. Quase que no mesmo instante, Marisa se virou para eles, e Vinício conteve um suspiro de admiração. Levantou as sobrancelhas, surpreso, e esqueceu o olhar sobre ela. Marisa se aproximou e abraçou a amiga, num gesto de genuíno afeto.

– Finalmente, Lídia! Pensei que não viesse mais.

Foi só quando Lídia apresentou o irmão que Marisa reparou nele. Não tinha por hábito encarar os rapazes, principalmente se vinham acompanhados de alguma moça.

– Gostaria que conhecesse meu irmão – falou Lídia, percebendo o quanto Marisa o havia impressionado. – Vinício, esta é Marisa, a outra moça de quem lhe falei. Lembra-se?

– É claro – respondeu ele, após um breve minuto de contemplação. – Foi com ela que você mais simpatizou, não foi? Posso entender.

Se Lídia ficou sem graça, Sandra ficou furiosa. Pelo visto, Lídia havia comentado que as conhecera, mas estava claro que manifestara sua preferência por Marisa. Marisa, que nada percebeu, convidou-os com animação:

– Venham sentar-se conosco – vendo que Sandra não se mexia, insistiu: – Eles vão sentar-se conosco, não é, Sandra?

Só então Sandra voltou de seu devaneio. Estava remoendo o ódio em seu íntimo e nem escutara o que Marisa dissera.

– É claro, Marisa – retrucou entre dentes. – É claro que vão sentar-se conosco.

Sandra foi conduzindo-os até a mesa onde a mãe e a patroa, Marocas, estavam sentadas, conversando. Marisa sempre ia aos bailes em companhia de Sandra. Seu pai nunca a acompanhara a festa alguma. Mesmo quando criança, ele não ia. Quem a levava era sempre a mãe e, assim mesmo, havia festas a que elas não iam. Os bailes do Colégio Militar, Marisa só freqüentava porque Sandra ia com a mãe e com Marocas. Como eram amigas desde crianças, o pai permitia que ela fosse. Caso contrário, não iria a lugar nenhum. Marisa não entendia por que os pais eram tão avessos à vida em sociedade. João lhe dizia que era porque eles estavam velhos e cansados, e já não tinham mais disposição para aquilo, o que ela não considerava motivo para isolamentos. Bastava ver Marocas ali, muito mais velha do que eles e sempre tão animada e de bom humor.

Para Sandra, era diferente. A mãe não tinha dinheiro para levá-la ao baile, e como Marocas era uma senhora viúva e solitária, cuja única filha morava no exterior, sempre acompanhava Sandra e Albertina aos bailes do Colégio Militar. Era uma forma de se distrair e proporcionar prazer à menina, que praticamente ajudara a criar.

Meio de má vontade, Sandra apresentou:

– Mamãe, d. Marocas, esta é Lídia, nossa nova colega, de quem já lhes falei. E este é o irmão dela... desculpe-me, esqueci o seu nome.

– É Vinício – completou Marisa, sem nem se dar conta de que Sandra fizera aquilo de propósito.

– Muito prazer, senhoras – falou ele de forma galante, beijando a mão de ambas.

– Não querem sentar-se? – convidou Marocas.

– É claro – disse Vinício, puxando uma cadeira para Lídia e as moças.

Todos se sentaram e começaram a conversar. A mãe de Sandra queria saber de onde eles vinham, e Lídia contava-lhes sobre suas vidas em Fortaleza e a vinda para o Rio. Marisa e as senhoras escutavam com atenção, mas Sandra mal podia esconder o descontentamento. Soltava longos suspiros e encarava Vinício discretamente, mas o moço, ou não percebia, ou fingia nada perceber. Depois de quase uma hora de conversa, não agüentando mais, disse de chofre:

– Por que não me convida para dançar, Vinício? Pelo visto, essa conversa ainda vai demorar horas.

Mesmo contra a vontade, Vinício se levantou. Fora acostumado a ser cortês e aprendera a jamais destratar uma moça. Na mesma hora, Sandra aceitou a mão que ele lhe estendia e foi com ele para o meio do salão, fingindo não reparar no olhar de reprovação que a mãe lhe lançara. Depois que eles se afastaram, Albertina comentou envergonhada:

– Não sei mais o que faço com essa menina. Por mais que tente, não consigo dar-lhe uma boa educação.

– Ora, d. Albertina, deixe – apressou-se Lídia em dizer, para cortar seu constrangimento. – Sandra só quis ser simpática com meu irmão. Ele já devia estar aborrecido. Veio ao baile só para me trazer.

Albertina agradeceu sua bondade com um sorriso, e Lídia retomou a conversa, desviando a atenção de Sandra. No fundo, também não gostara da atitude da outra. Fora muito oferecimento. Ainda mais porque ela notara que Vinício se interessara por Marisa. A amiga talvez nada tivesse percebido, mas o irmão não tirava os olhos dela desde que chegaram.

Ao contrário do que Lídia pensava, Marisa notara o interesse do rapaz, sim. Como não poderia notar? Vinício a fitava com certa insistência, embora se esforçasse ao máximo para disfarçar. Também percebera o interesse de Sandra por ele, e ela conhecia muito bem a amiga para saber que faria de tudo para conseguir sua atenção exclusiva. Sandra era uma moça atirada e atrevida, ao contrário dela, mais quieta e comedida. Ficou olhando-os dançar, imaginando se Vinício estaria gostando de tê-la em seus braços. Provavelmente sim, pensou. Que homem não gostaria de estar junto de uma moça linda feito Sandra?

De onde estava, Marisa não podia ver os olhares de Vinício. Apesar de Sandra dançar colada a ele, não era nela que ele estava interessado.

– Por que não vamos até lá fora? – sussurrou ela, quase encostando os lábios no ouvido de Vinício. – Podemos tomar um pouco de ar fresco.

Ele a afastou gentilmente, e ela pensou que fosse aceitar o seu convite. Qual não foi o seu espanto, porém, quando ele a tomou pelo braço e voltou com ela para a mesa.

– Obrigado pela companhia, Sandra – falou em tom formal. – Foi muito gentil de sua parte convidar-me para dançar.

Ela deu um sorriso sem graça e murmurou de forma quase inaudível:

– Não tem de quê.

– E agora – prosseguiu ele, voltando-se para as outras moças –, qual das senhoritas vai me dar o prazer?

– Vá dançar com Marisa – sugeriu Lídia rapidamente. – Ainda não terminei de contar minha história.

As senhoras riram, e Vinício foi com Marisa para o meio do salão. Estava encantado com a moça, jamais sentira algo assim em sua vida. Marisa sentia a mesma coisa. Seu contato lhe transmitia um calor aprazível e acolhedor, algo que nunca antes sentira. Sabia que Sandra também se interessara por ele e não queria entrar em uma disputa com a amiga. Mas o que estava sentindo naquele momento era algo indescritível, uma felicidade que não tinha igual, algo de que não poderia simplesmente abrir mão. Ainda mais porque Vinício também estava interessado nela. Ao entrar em seus braços para a dança, podia perceber a perturbação fluindo de seu corpo. Estariam se apaixonando?

Vinício, mal contendo a emoção, começou a virar o rosto de Marisa para ele, e ela, percebendo o que estava para acontecer, entreabriu os lábios instintivamente, e os lábios de Vinício encontraram os dela. Até que a orquestra, como que sentindo o perigo daquela atração, desatou a tocar um twist frenético, e os dois se separaram, um tanto envergonhados.

– Marisa, eu... – balbuciou Vinício – ...perdoe-me... não sei o que me deu... não quis faltar-lhe com o respeito... mas é que...

– *Sh...!* – tornou ela, levando o dedo indicador aos lábios. – Não diga nada. Não é preciso.

Ela começou a balançar o corpo ao som do twist e logo foi acompanhada por Vinício. Dali em diante, ficaram juntos a noite inteira. Quando a orquestra parou para uma pausa, voltaram para a mesa e sentaram-se para uma bebida. Lídia, percebendo o que se passava entre eles, sentiu imensa alegria, ao passo que Sandra mal podia conter a raiva e o ciúme.

3

No domingo, Marisa acordou um pouco mais tarde e tomou café sozinha. Os pais sempre levantavam cedo e já haviam feito o desjejum. Encontrou a mesa posta para ela, esquentou o leite e serviu-se. Estava sentada, comendo calmamente, quando a mãe entrou:

– Bom dia – foi o cumprimento jovial. – E então? Como foi o baile ontem?

– Maravilhoso! – exclamou, dando mostras de uma alegria fora do comum.

Antônia fitou a filha com ar de malícia e retrucou interessada:

– Não me diga que conheceu um rapaz atraente!

Marisa engoliu uma torrada e aquiesceu, acrescentando com ar apaixonado:

– Ah! Mamãe, ele é um sonho! É tão bonito... e elegante, educado, atencioso, inteligente...

– É de verdade?

– Ora, mamãe, pare com isso! É claro que é de verdade.

– Não sei não, minha filha. Rapazes com tantas qualidades assim, hoje em dia, só no cinema.

– Vinício é um rapaz e tanto!

– Vinício? É esse o nome dele? – ela assentiu. – Bonito nome. O que ele faz?

– É da Marinha.

Ela soltou um assobio e retrucou em tom de brincadeira:

– Está disponível?

– É claro que está.

– E o que um rapaz da Marinha estava fazendo num baile do Colégio Militar?

– Não lhe contei? – ela meneou a cabeça. – Ele é irmão de uma nova colega, a Lídia. Não lhe falei sobre ela?

– Lídia? É, acho que comentou por alto. Lembro-me de você ter dito algo sobre uma garota que entrou agora e que fica meio deslocada. É essa?

– Essa mesma. Na sexta-feira, comecei a conversar com ela e fizemos amizade. É uma moça muito simpática.

– E o rapaz é irmão dela.

– É. E tem mais. Ela me convidou para ir a sua casa hoje à tarde. Posso ir, mamãe?

– Fale com seu pai. Mas creio que não haverá problema. Damião está de folga, mas acho que ele mesmo poderá levá-la. Onde é que ela mora?

– No Jardim Botânico.

– Um pouco longe, mas acho que seu pai não vai se importar de ir até lá. Só assim, damos uma volta. Termine de tomar o seu café e vá falar com ele.

Marisa engoliu o resto do café e saiu atrás do pai. Ele estava sentado na varanda, lendo o jornal, e levantou os olhos quando a ouviu chegar.

– Olá, minha filha. Quer alguma coisa?

– Sabe, pai, é que conheci uma garota nova na escola, e ela me convidou para um lanche em sua casa, hoje à tarde. Será que posso ir?

– Hoje à tarde? Hum... não sei, é a folga do Damião.

– Você não pode me levar? Oh! Por favor, papai, leve-me!

– Posso saber por que tanta euforia por causa de uma amiga nova?

Ela enrubesceu novamente e falou baixinho:

– É que ela também tem um irmão...

– Eu sabia! – exclamou o pai, sorrindo num gracejo. – Arranjou um namorado?

Cada vez mais enrubescida, ela retrucou:

– Ele não é meu namorado. Mas é um rapaz muito simpático.

– E você está interessada nele?

– Bem, sim...

– E ele? Também se interessou por você?

– Creio que sim.

Marisa sempre teve uma relação muito aberta com os pais. Se, por um lado, eles tentavam protegê-la e afastá-la de tudo o que pudesse revelar-lhe a verdade, por outro, faziam tudo o que ela queria. Conversavam sobre todas as coisas e a alertavam sobre a vida. Sabiam que ela precisava viver e não tinham intenção de ocultá-la do mundo. No fundo, sentiam-se seguros ali, certos de que ninguém da velha vida os descobriria.

– Está certo, Marisa – concordou o pai rapidamente. – Levo você. A que horas é o lanche?

– Às cinco horas.

– E onde a moça mora?

– No Jardim Botânico.

– Jardim Botânico? É um estirão até lá. Levaremos mais de uma hora. Esteja pronta às quatro. Creio que ela não se importará se você se atrasar alguns minutos.

– Obrigada, papai – finalizou ela com um beijo, correndo pela porta aberta.

Foi difícil passar o resto do dia. As horas pareciam arrastar-se, e ela consultava o relógio a todo instante. Às três horas, já estava pronta. Os pais riam de sua euforia, pois sabiam que ela se embelezara e perfumara toda, não para a amiga, mas para o irmão. Efetivamente, Marisa estava louca para reencontrar Vinício. Gostava muito de Lídia também e queria conversar com ela, mas o que sentia por Vinício era algo que não podia explicar nem para si mesma.

Esperava os pais se vestirem quando o telefone tocou, e ela correu a atender:

– Alô?

– Marisa? Sou eu, Sandra.

– Ah! Oi, Sandra, como vai?

– Bem. O que vai fazer hoje?

– Vou sair, por quê?

– Vai visitar Lídia?

– Vou. Ela me convidou...

– Eu sei. Estava lá quando ela fez o convite.

– Olhe, Sandra, gostaria muito de conversar, mas agora não vou poder. Já estou de saída. Amanhã nos encontraremos na escola, está bem?

Desligou, deixando Sandra furiosa. Não queria desgostar a amiga, mas aquele não era o momento de entrar em nenhuma discussão com ela. Os pais já estavam prontos e a chamavam para ir. No caminho, iam conversando:

– Você disse que essa menina é nova – afirmou o pai. – Como é que se chama?

– Lídia. E o irmão, Vinício.

– De onde foi que vieram?

– De Fortaleza. O pai foi nomeado ministro do Supremo Tribunal Federal.

Uma nuvem imperceptível de preocupação passou pelos olhos de João, nuvem que apenas Antônia notou. Fazia dezoito anos que não tinha notícia nenhuma do Ceará. Desde que saíra fugido de Pedra Branca, nunca mais ouvira falar em nada que se referisse a seu estado natal. A não ser pelas notícias que lia nos jornais, pouco sabia do que acontecia por aquelas bandas. Não sabia nem o fim que levara coronel Agostinho, mas imaginava-o morto. Na época em que trabalhara para ele, o homem já havia ultrapassado a casa dos setenta anos.

A situação do nordeste se acalmara desde a morte de Lampião, um ano após sua chegada ao Rio de Janeiro. João soube que os cangaceiros haviam sumido da região, embora ainda continuasse havendo mortes pela disputa de terras. Mas os jagunços agora também eram em menor número, e a polícia tinha uma atuação mais eficaz.

Sem querer, João se viu pensando em Conrado. Filho de um importante desembargador em Fortaleza, fora o delegado na época em que cometera seu último crime e estava louco para pôr as mãos nele. Mas Conrado jamais conseguira reunir provas contra ele, e o seu desaparecimento repentino devia ter deixado o homem surpreso. Ninguém sabia que fim levara o Januário de então, nem ele sabia o que havia acontecido depois de sua fuga. Se Conrado ou o coronel Agostinho estavam atrás dele, não podia saber, mas imaginava que não. O Rio de Janeiro era muito longe de Pedra Branca, e ninguém poderia suspeitar que fora para lá que ele desabalara, fugido da polícia e da morte.

João olhou pelo espelho retrovisor e viu que a filha olhava pela janela, distraída com a paisagem e o movimento. Fitou a mulher a seu lado e notou o ar de gravidade que se estampara em seu rosto. Ela também estava preocupada. Provavelmente, era apenas uma coincidência o fato dos novos amigos de Marisa serem do Ceará e, na certa, jamais haviam ouvido falar em seu nome ou no de coronel Agostinho. O tal ministro, provavelmente, sempre fora um figurão em Fortaleza, alheio aos problemas e dissabores do cangaço. Mas como poderia um juiz estar alheio aos problemas que se desenrolavam em sua terra, bem debaixo do seu nariz? Quantos processos envolvendo cangaceiros aquele homem já não deveria ter julgado? Não. Decididamente, aquela amizade era algo perigoso, e João precisava descobrir mais a respeito daquela gente.

Pigarreou de leve e indagou com aparente naturalidade:

– Como é o nome do pai de sua amiga, minha filha?

– Não sei, pai, nem perguntei. Mas hoje vou ficar sabendo. Vou ser apresentada a eles.

– Você disse que o pai dela foi nomeado ministro do Supremo Tribunal Federal. Ele era juiz lá em Fortaleza?

– Não sei, mas devia ser. Não entendo muito dessas coisas.

– A família dela é de Fortaleza mesmo ou é do interior?

– Não sei, pai. Mas por que tantas perguntas assim, de repente?

– Curiosidade, minha filha.

– Você conhece alguém lá em Fortaleza?

– Eu? Não. Só estive em Fortaleza de passagem.

Às cinco e quinze, João parou o carro em frente à bonita mansão em que Lídia vivia com a família. Marisa beijou os pais e saltou. Lídia a estava esperando em uma janela do segundo andar e acenou para ela, correndo para dentro. Poucos minutos depois, ela mesma abria o portão e ia ao seu encontro. Marisa deu adeus aos pais da porta e já ia entrando quando João falou:

– Às oito horas virei buscá-la.

Minutos depois, quando o carro de João rodava pela avenida, Antônia perguntou com visível preocupação:

– Acha que essa gente pode ter alguma ligação com o que houve há dezoito anos?

– Não sei, Antônia, só espero que não. Mas amizade com a filha de um juiz lá da nossa terra não é bom. Imagino que o homem deva conhecer alguma coisa dos jagunços.

– O que não significa que conheça você. Afinal, Pedra Branca era apenas uma cidadela quando partimos de lá. Não deve ter despertado muito a atenção de ninguém.

– Não sei não, Antônia. Havia jagunços por todo o nordeste. Não havia cidade que não vivesse assustada, com medo dos crimes pela posse de terras. Em Pedra Branca, sabemos que houve muitos. Não apenas por ordem de coronel Agostinho, mas de outros coronéis também. Não acho nada impossível que esse sujeito já tenha ouvido falar de mim.

– Impossível não é, embora seja pouco provável. E depois, isso foi há muitos anos. Ninguém, na certa, lembra-se mais de você. Ainda mais porque você não é mais o Januário de outrora, mas o João de hoje. Quantos Joões você acha que o tal ministro deve conhecer?

– Mesmo assim, não acho que essa seja uma boa amizade para nossa filha. E, pior, não creio que o tal Vinício seja o rapaz ideal para ela. Estou com medo, Antônia, temo pelo que possa nos acontecer.

– Não vai nos acontecer nada. Você está exagerando. Ninguém se lembra mais daqueles dias, muito menos de você. Pare de pensar nisso.

– Não a quero de namoricos com esse rapaz. É perigoso...

– O que pretende fazer, João? Proibi-la de encontrar-se com ele?

– Se for preciso, sim.

– Você está louco. Nós nunca proibimos Marisa de nada. Sempre a incentivamos a encontrar um bom rapaz e se casar.

– Aí é que está. Não creio que esse moço seja um bom rapaz.

– Você vai magoar os sentimentos de nossa filha. Aposto como essa gente nada tem a ver com Pedra Branca.

– Preciso saber. Preciso descobrir se estamos seguros.

– Quando ela voltar, pergunte-lhe como foi. Você vai ver como tudo deve ser impressão.

– Tomara que você esteja certa, porque sou capaz de tudo para manter nossa família em segurança.

Antônia abriu a boca, abismada, e protestou com veemência:

– Nem se atreva a dizer o que imagino que esteja pensando! Você prometeu, João. Ao virmos para cá, você prometeu que jamais tornaria a matar. Não faça isso novamente, por Deus! Não sei se poderei suportar.

Vendo que ela começara a chorar, João segurou a sua mão e levou-a aos lábios, acrescentando em tom tranqüilizador:

– Eu não disse isso, querida. Sei que prometi que jamais tornaria a matar. E cumpri minha promessa, não foi?

– Nós temos uma nova vida agora. Não vá manchar o seu nome e estragar tudo o que construímos. Deixe de pensar em bobagens e esqueça essa gente. Deixe Marisa fazer amizade com a moça e o irmão, aja naturalmente. Você vai ver que está se preocupando à toa.

João não disse mais nada. Qualquer coisa que dissesse só serviria para aumentar ainda mais a preocupação e o medo de Antônia. Precisava pensar feito ela. Sua família estava segura ali, não havia o que temer. O tal ministro, provavelmente, nunca ouvira falar dele ou de seus crimes. Na certa, jamais se envolvera com jagunços ou coronéis. Deve ter vivido sempre na cidade grande, cercado de papéis e de gente elegante. Nunca deve ter experimentado as agruras do sertão, não conhecia a seca e estava longe de se familiarizar com bandidos. Tinha que acreditar nisso. Era sua esperança de continuar com sua vida em paz.

Antônia, a seu lado, buscou a sua mão por cima do volante e a apertou.

– Tire isso da sua cabeça. Nada vai nos acontecer. Vamos continuar vivendo nossa vida em paz, casaremos nossa Marisa com um bom rapaz e teremos muitos netos. Continuaremos felizes, João, felizes até a nossa morte.

Ele lançou-lhe um sorriso de agradecimento e concentrou-se na direção. Queria pensar feito ela. Queria ter certeza de que o passado não ressurgiria para exigir-lhe vingança. O passado estava enterrado e não podia mais ressuscitar.

João era um homem atormentado. Desde que deixara a vida no sertão e assumira uma nova identidade, vivia assombrado pela culpa por seus crimes. Em seu íntimo, de forma inconsciente, desejava resgatar o passado, mas temia as conseqüências que teria que assumir. Por tudo isso, optara por viver em locais isolados, tamanha a preocupação que tinha de ser descoberto e ter que, finalmente, prestar contas à vida pelas muitas vidas que roubara.

4

Os pais de Lídia não estavam em casa. Tinham saído para ir ao cinema, em companhia de Vinício, e ainda não haviam voltado. Lídia levou Marisa para seu quarto e encostou a porta, falando com alegria:

– Fique à vontade e sinta-se como se estivesse em sua casa.

– Obrigada – retrucou Marisa, sentando-se numa poltrona do outro lado da cama.

– Meus pais e Vinício foram ao cinema, mas já devem estar voltando. Quero que os conheça. Eles também estão loucos para conhecer a moça que conquistou o coração de meu irmão.

Marisa corou violentamente e abaixou a cabeça, murmurando pouco à vontade:

– Não sei do que você está falando.

– Ora, Marisa, não precisa ficar acanhada comigo. Pensa que não percebi?

– Percebeu o quê?

– Você e Vinício. Dançaram a noite toda no baile, e ele não desgrudou de você. E, se não me engano, você também gostou dele. Não estou certa?

Cada vez mais vermelha, Marisa tentou protestar:

– Não foi nada disso, Lídia. Seu irmão só estava tentando ser gentil.

– Quanta gentileza! E você? Apenas retribuía o seu gesto?

Sentindo o rosto em fogo, Marisa se levantou da poltrona e aproximou-se da janela.

– Não devia falar assim, Lídia. Seu irmão é um excelente rapaz, mas não creio que esteja interessado em mim. Deve ter alguma namorada mais velha.

– Nada disso, minha querida. Vinício não tem ninguém.

– Tem certeza?

Marisa havia-se voltado para a amiga, e seus olhos brilhavam intensamente, o que deu a Lídia a certeza de seu interesse pelo irmão.

– Absoluta – respondeu ela, com um sorriso malicioso nos lábios. – Vinício não tem ninguém.

– Por quê? Um rapaz tão bonito...

– Ah! Já passou por uma decepção amorosa e, de lá para cá, nunca mais se interessou por ninguém a sério. Bobagem! Para mim, o que lhe faltou foi encontrar a pessoa certa.

– Acha que ele encontrou?

– Tem dúvidas?

Marisa sorriu, intimamente envaidecida, lembrando-se do beijo apaixonado que haviam trocado. Nesse instante, um ruído do lado de fora chamou a atenção das meninas. Os pais de Lídia estavam chegando do cinema, e ela olhou significativamente para a amiga. Esperaram uns poucos minutos, e Malvina apareceu na porta do quarto.

– Olá, meninas – saudou em tom jovial. – Está tudo bem por aqui?

Marisa se surpreendeu com a fisionomia da mãe de Lídia. Era uma senhora já na casa dos cinqüenta anos, mas muito bonita e simpática, bem diferente de sua mãe, que sempre fora uma mulher sem graça e nada comunicativa. Lídia abraçou a mãe e falou satisfeita:

– Mamãe, esta é a Marisa. Marisa, minha mãe, Malvina.

Malvina se aproximou de Marisa e deu-lhe dois beijos na face, acrescentando com naturalidade:

– É um imenso prazer conhecê-la, Marisa. Lídia tem falado muito de você nos últimos dois dias.

– O prazer é todo meu, d. Malvina. Sua filha é que é muito simpática e gentil. Gosto muito dela.

Malvina sorriu, feliz porque Lídia havia encontrado uma amiga que, à primeira vista, parecia uma moça de boa família. A filha também lhe havia falado do interesse de Vinício por ela, e Malvina podia compreender. Marisa era muito bonita e elegante, e o filho tinha razão de ficar impressionado.

– Bem – prosseguiu Malvina –, podem continuar conversando. Vou providenciar o lanche e daqui a pouco virei chamá-las.

– E papai e Vinício, onde estão?

– Seu pai foi descansar um pouco, e Vinício foi tomar um banho.

Marisa notou a piscadela discreta que Malvina deu para Lídia e sorriu intimamente. No fundo, as duas estavam tentando aproximá-la de Vinício, o que não era assim tão ruim.

– Quer escutar um pouco de música? – era Lídia, abrindo a porta de uma pequena estante e exibindo sua maravilhosa coleção de discos.

Marisa aquiesceu, e ela colocou um disco na vitrola. Era uma música romântica de Elvis Presley, e as duas ficaram embalando o corpo ao som da melodia. Cerca de meia hora depois, Malvina tornou a aparecer. Viera chamá-las para o lanche, e as duas a seguiram apressadas, Marisa tentando conter dentro do peito a ansiedade que sentia para reencontrar Vinício.

Ao entrar na sala de jantar, uma decepção. O pai de Lídia estava sentado sozinho à mesa e se levantou assim que as viu chegar. Lídia o beijou na face, mas nem precisou apresentar Marisa, porque o pai foi logo falando:

– Então, essa é a mocinha de quem Lídia tem falado tanto?

– É ela mesma, papai. Essa é a Marisa.

– Muito prazer, senhorita. Conrado, às suas ordens. Fico muito feliz que tenha feito amizade com minha filha. Viemos de outra cidade, no meio do ano, e sabe como é difícil fazer novos amigos.

– Sua filha não tem com o que se preocupar. Ela é uma pessoa muito agradável. Simpatizei com ela desde o primeiro momento em que a vi.

– Venha sentar-se aqui junto de mim. Quero saber tudo o que os jovens fazem nessa cidade tão maravilhosa.

– Onde está Vinício? – indagou Lídia, olhando de soslaio para a amiga.

– Não sei. Deve estar por aí.

Sentaram-se à mesa, e Malvina começou a servir as meninas de leite, bolo e rosquinhas. Lídia comia com satisfação, mas Marisa mal conseguia tocar no lanche. Não que não estivesse gostoso. Malvina caprichara e preparara os doces mais saborosos. Mas é que ela estava triste. Esperava encontrar Vinício e ficara profundamente decepcionada com a sua ausência. Lídia notou a sua decepção, mas não falou nada. Qualquer coisa que dissesse na frente dos pais só serviria para deixá-la embaraçada.

– Já esteve em Fortaleza? – perguntou Conrado.

– Não, nunca. Meu pai não gosta muito de viajar.

– Não? Por quê? Há lugares muito bonitos para se ver por lá.

– Imagino que sim. Já vi muitas fotografias em revistas. Mas, desde que chegou do Maranhão, o único lugar para onde meu pai viajou foi São José dos Campos. Costumamos passar as férias lá.

– Sua família é do Maranhão?

– É, sim. Meu pai era administrador de uma fazenda por lá e se mudou para o Rio quando eu ainda era um bebezinho. Minha mãe já tinha certa idade quando eu nasci, sabe, e meu pai já estava perto da aposentadoria. Por tudo isso, pediu as contas e, com o que juntou durante a vida, abriu uma loja de materiais de construção. Hoje, possui quatro lojas na cidade.

– Como se chama seu pai? – perguntou Malvina. – Temos muitos conhecidos lá no norte e talvez já tenhamos ouvido falar dele.

– Não creio. Ele não era nenhuma pessoa importante. Chama-se João da Silva, e minha mãe, Antônia.

– Já ouviu falar, Conrado?

– Não, Malvina. Mas também, não conheço muita gente no Maranhão.

– Meu pai conhece quase todo mundo no nordeste. – intercedeu Lídia. – Sabia que ele já foi delegado de polícia na época de Lampião?

– Não me diga! – surpreendeu-se Marisa. – Deve ter sido emocionante.

– Bem, nem tanto. Lampião e seu bando fizeram um estrago danado por aquelas bandas.

– O senhor o conheceu? Viu-o de perto alguma vez?

– Não, nunca. Quando fui nomeado delegado, mandaram-me para o interior do Ceará, uma cidadezinha chamada Pedra Branca. Nunca vi Lampião por aquelas bandas, mas tinha gente que dizia que ele andara por lá. Só o que sei era que havia muitos crimes naquela época, por causa da disputa de terras.

– Papai prendeu muitos jagunços, não foi, papai?

– Alguns, minha filha. Foram épocas difíceis. As pessoas que viam alguma coisa tinham medo de falar. Além disso, havia muita corrupção na polícia, o que facilitava a vida dos jagunços e dos coronéis. Infelizmente, por causa disso, não pude prender todos os que gostaria. Foram muitos os jagunços que sumiram depois de certo tempo, sem deixar vestígios.

– Nossa, deve ter sido uma vida bastante interessante – comentou Marisa.

– Por um lado, sim. Mas por outro, era triste ver famílias inteiras assassinadas. E, o que era pior, saber quem eram os bandidos que haviam cometido aquelas atrocidades e não poder fazer nada. Era muito difícil reunir provas contra os jagunços e coronéis.

– Não vamos falar sobre isso – cortou Malvina. – Aquela época foi muito triste, e não gosto de me recordar daqueles dias.

– Tem razão – concordou Conrado, desanuviando uma sombra de tristeza.

– Depois, papai se tornou juiz e foi sendo promovido, até virar ministro do Supremo Tribunal Federal.

Conrado riu da atitude da filha. Lídia sempre se mostrara interessada nas questões jurídicas e dizia que queria ser advogada, o que era incentivado por ele e por Malvina. Costumava discutir com ela alguns de seus casos, e ela sempre ficava impressionada. Em nenhum momento, porém, Conrado chegou a lhe falar de Januário. Na época em que ele fugira, levando consigo aquela criança, Malvina estava grávida de Lídia. Vinício já estava com nove anos, e o caso acabou caindo no esquecimento. Não que Conrado se houvesse esquecido de Januário, ou de coronel Agostinho, ou de seus crimes. Mas o tempo foi passando, o coronel morreu e, com a chegada da civilização, os crimes foram diminuindo. Os jagunços ficaram um pouco esquecidos, e os casos sem solução, amontoados nas prateleiras da delegacia, estavam agora arquivados, enchendo-se de poeira à espera da prescrição. Alguns crimes jamais seriam punidos, porque o tempo se encarregaria de sepultar a culpa dos criminosos.

Assim como Januário, muitos outros haviam debandado. Quando ele e a mulher desapareceram, Conrado, então delegado, tinha certeza de que fora ele o culpado por várias chacinas, inclusive a da família de Zé Mário. Esses crimes terminaram impunes, como todo o resto, mas algo naquele caso, em especial, chamou-lhe a atenção. Sabia-se que a mulher de Zé Mário havia tido criança poucos meses antes. Fora a própria parteira quem contara à polícia, dizendo que ajudara a mulher, Edilene, a colocar no mundo uma menina pálida e franzina. No entanto, quando Conrado chegou com a polícia e encontrou a casa queimada, os corpos carbonizados, não viu nem sinal da criança. Aquilo foi muito estranho. Não havia nada entre os escombros que sugerisse o corpo de um bebê. Onde teria ido parar? Ninguém sabia.

Na cidade, Januário e a mulher haviam desaparecido. A casa estava fechada e sem sinal de vida, o carro abandonado na garagem. Ninguém nunca mais voltou lá, e soube-se que foi invadida por posseiros em busca de moradia. De Januário e da mulher, nem sinal. Não se sabia onde haviam ido parar, nem se estavam com a criança. Alguns sugeriram que ele havia enterrado a menina em algum lugar na caatinga, mas nada foi apurado.

Embora Conrado não se tivesse esquecido desse ou de qualquer outro caso em que atuara, nem de longe lhe passou pela cabeça que aquela menina fosse a mesma filha de Zé Mário e Edilene, desaparecida dezoito anos atrás. Ainda mais porque ela dizia que sua família provinha do Maranhão, e não do Ceará. Se tocasse no nome de Pedra Branca, ele na hora desconfiaria. Mas ela nada falara do Ceará, e ele não tinha motivos para suspeitar que ela não fosse quem dizia ser. Aquela, para ele, era Marisa, uma menina encantadora, cujo pai, que viera do Maranhão em busca de uma vida melhor para a filha, era dono de uma cadeia de lojas de materiais de construção. Nada mais.

***

Durante algum tempo, Marisa se esqueceu completamente de Vinício, interessada que estava nas fascinantes histórias que Conrado tinha para contar. Ao contrário de seu pai, um homem pacato e de boa paz, o pai de Lídia vivera muitas aventuras emocionantes, lidara com gente perigosa e se envolvera nos mais intrigantes e complicados casos de polícia. Seu pai, ao contrário, sempre se contentara com sua vidinha monótona e sem qualquer emoção.

Conrado era um homem bastante interessante. Devia ter uns cinqüenta e poucos anos e guardava no rosto traços de uma beleza máscula e viril. Levara uma vida atribulada, repleta de perigos e emboscadas, o que, na certa, contribuíra para que ele conservasse aquele semblante de homem rústico e marcado por uma vida intensa e cheia de atividades. Era bastante bonito, e Marisa ficou impressionada com a semelhança que havia entre ele e Vinício.

Estava assim, admirando discretamente o rosto de Conrado, quando um vulto na porta da sala chamou sua atenção. Era Vinício, que acabara de chegar, todo arrumado, pronto para sair. Na mesma hora, o coração de Marisa disparou, e ela quase caiu da cadeira, de tanto se virar para olhar para ele.

– Vai sair, meu filho? – perguntou Malvina, que esperava poder juntá-lo a Marisa.

– Recebi um telefonema urgente – falou ele com gravidade. – Preciso ausentar-me por alguns instantes, mas prometo que não vou demorar.

– Que pena – lamentou Lídia. – Esperava que nos fizesse companhia. Marisa veio visitar-nos.

– Não cumprimenta a moça, Vinício? – disse Conrado em tom de censura. – Esqueceu os modos e a educação?

Ele hesitou. Estava louco de vontade de falar com ela e aproximou-se, cumprimentando-a com um jeito que a encantou:

– Não poderia deixar de cumprimentá-la – tomou sua mão e a beijou gentilmente. – Como vai, Marisa? Fico feliz que tenha vindo.

Ela corou e respondeu com uma vozinha miúda:

– Obrigada, Vinício.

– Não vai mesmo ficar conosco? – insistiu Lídia.

– Gostaria muito, mas não posso. Como disse, recebi um telefonema urgente...

– Mas que urgência é essa que não respeita nem os domingos? – reclamou Malvina. – Será que estamos em guerra de novo?

– Não se trata disso, mãe. É um assunto particular.

– Que pena... – lamentou Lídia novamente.

– É realmente uma pena. Um amigo meu está com problemas e pediu o meu auxílio, mas não pretendo demorar-me. Voltarei antes que Marisa se vá.

Como gostaria de poder ficar! Vinício daria tudo para estar ao lado de Marisa, mas o telefonema que recebera o deixara muito preocupado. Fora Sandra quem ligara, dizendo que tinha algo muito urgente para lhe dizer. Sem que Marisa percebesse, Sandra havia lido e memorizado o número do telefone que Lídia lhe entregara na escola.

Sandra arrumou-se com apuro, perfumou-se e passou um leve batom nos lábios. Não queria parecer vulgar para o homem que pretendia conquistar. Inventou uma desculpa qualquer para a mãe e saiu. Ela morava muito longe da casa de Vinício, mas ele tinha automóvel e logo chegou à esquina em que ela marcara de encontrá-lo.

– Olá, Vinício – cumprimentou ela, entrando no carro e tomando o cuidado de deixar que o vestido levantasse quando se sentou.

– Aonde vamos? – indagou Vinício secamente, agora desconfiado de suas verdadeiras intenções.

– Podemos dar uma volta de carro.

Vinício rodou por cerca de meia hora, até que estacionou em uma rua deserta. Cruzou as mãos sobre o volante e indagou meio ríspido:

– Muito bem. O que quer?

Ela sentiu a sua hostilidade. Não seria nada fácil conquistá-lo, e ela precisava tomar muito cuidado para não o perder. Escolheu bem as palavras e começou a falar:

– Ouça, Vinício, não o chamaria aqui se o assunto não fosse realmente importante.

– Do que se trata?

– É sobre nós dois.

– Como assim, nós dois?

– Gostaria que me perdoasse o atrevimento, mas é que não pude mais me conter. Sei que estou sendo atrevida e que talvez você não aprove o que faço. Mas a verdade é que... apaixonei-me por você e...

– Você o quê!?

– Estou apaixonada por você, Vinício. Sério. Tentei controlar-me a princípio, mas foi ficando insuportável.

– Você me chamou aqui para isso? – retrucou aborrecido. – Pensei que o assunto fosse sério.

– Mas é sério!

– Você deve estar brincando. Só nos encontramos uma vez!

– Foi o suficiente para me apaixonar.

– Não acredito...

– Por que acha que eu estaria inventando isso? Por acaso pensa que me sinto confortável abrindo meu coração para você?

– Você não pode estar falando sério, Sandra. Nós nos conhecemos tão pouco...

– No entanto, você se interessou por Marisa no mesmo espaço de tempo. Ou será que estou errada?

Ele sentiu-se confuso, sem saber o que dizer.

– Mas é diferente. Estive com Marisa a noite toda... nós nos beijamos...

Sandra suspirou dolorosamente. Sabia que Vinício e Marisa

haviam-se beijado e que pareciam apaixonados. Por isso mesmo precisava agir. Não podia permitir que aquela paixão fosse além daquele beijo, ou acabaria perdendo-o para sempre. Tinha que aproveitar que o relacionamento deles ainda estava no início, se é que já havia começado, para extirpar aquela semente.

– A única diferença é que você a beijou – aproximou o rosto do dele, roçando-lhe os lábios com a boca carnuda. – Por que não experimenta beijar-me também?

Antes que ela o beijasse, Vinício se afastou, retrucando indignado:

– O que deu em você, Sandra? Contenha-se!

– Você não me quer? Eu não faço o seu tipo?

– Não se trata disso – tornou confuso. – Você é muito bonita, mas não estou interessado. Gosto de Marisa e pretendo ficar com ela.

– Por quê? O que Marisa tem que eu não tenho?

– Não é um caso de comparação. Gostei de Marisa desde que a vi pela primeira vez. Isso acontece e não tem explicação...

– Sou mais bonita do que ela – murmurou, aproximando o rosto do dele novamente. – E mais experiente. Não quer ver?

Apanhou a sua mão e colocou-a sobre o seu seio, fazendo com que Vinício sentisse um fogo a consumi-lo por dentro. Rapidamente, ele tirou a mão e afastou Sandra com uma certa rispidez.

– O que há com você? – censurou. – Perdeu o pudor?

– É só porque estou com você – tornou ela, com voz melíflua. – Uma mulher apaixonada é capaz de qualquer coisa pelo homem amado.

– Pare com isso, Sandra! Tenha respeito. Não vê que está sendo fácil e vulgar?

– Eu sou fácil e vulgar. Ou será que ainda não reparou?

Vinício virou o rosto, enojado com as palavras da moça. No entanto, dentro dele um fogo queimava. A proximidade de Sandra, o calor de seu corpo, a maciez de sua pele, tudo o excitava, ao mesmo tempo que lhe causava um certo horror. Sentindo a sua hesitação, Sandra investiu novamente. Encostou os lábios em seu pescoço e pôs-se a beijá-lo, causando-lhe arrepios de prazer.

– Pare com isso, Sandra – protestou vagamente. – Comporte-se. Você é apenas uma criança...

Não conseguiu dizer mais nada. Ao voltar o rosto para ela, Sandra havia desabotoado a blusa e exposto os seios, provocando nele as sensações mais contraditórias. Embora a desejasse, queria fugir correndo dali. Ela não lhe deu tempo para pensar. Avançou sobre ele de um jeito sensual e pôs-se a acariciá-lo novamente, dessa vez de forma mais ousada, tocando-o em suas partes mais sensíveis.

– Sandra, não... – murmurou, entre o choque e a excitação. – Nós não devemos...

Ela não lhe deu resposta. Beijou-o sofregamente na boca, e ele acabou correspondendo com ardor. Durante os primeiros segundos, a imagem de Marisa, pura e doce, apareceu em sua mente, para depois extinguir-se, sufocada pelos lábios de Sandra. Não podendo mais resistir, Vinício atirou-se sobre ela, entregue à pura paixão.

Depois que terminaram de se amar, ela o abraçou fortemente e indagou com malícia:

– Então? Superei as suas expectativas?

Ele a encarou e sorriu meio sem jeito, ainda sem saber quais seriam as expectativas dela. Ele mesmo não tinha nenhuma.

– Você é uma mulher e tanto, Sandra – respondeu honestamente.

– Quer dizer que me aprova?

– Inteiramente.

– Eu sabia! Sabia que Marisa não era páreo para mim. Espere só até ela saber o que houve entre nós.

Vinício desvencilhou-se de seu abraço e encarou-a alarmado. Não era isso que pretendia. Gostara muito de fazer amor com Sandra, mas apenas isso. Ela, decididamente, não era a mulher com quem pretendia casar-se.

– O que quer dizer com isso, Sandra? – tornou desconfiado.

– Ora, o que poderia ser? Você e eu... nosso romance...

Vinício remexeu-se no banco do carro e revidou constrangido:

– Não estou entendendo, Sandra. Gostei muito de estar com você, mas não a amo. Não pretendo iniciar com você nenhum romance.

– Como assim? Faz amor comigo e depois quer descartar-me?

– Não é bem assim. Foi você quem me provocou.

– Ora, muito engraçado. Quer dizer que agora a culpada sou eu? Até parece que você não gostou.

– Eu não disse isso. Ninguém foi culpado de nada. Nós dois estávamos com vontade, por isso nos amamos. Mas não vai acontecer de novo.

– Como não? Você fez sexo comigo. Isso não conta?

– Conta. Mas não para o que você pretende.

– E o que você pretende?

– Ficar com Marisa, já disse.

– Não pode ser! Não depois do que houve entre nós.

– Ouça, Sandra, sinto muito se você me entendeu mal, mas eu não lhe prometi nada. Foi você quem me telefonou e começou a me seduzir...

– Seduzir? Você é muito engraçado. Na hora em que estava dentro de mim, não pensou desse jeito.

– Não estou tentando tirar o corpo fora, mas não era isso o que eu queria. Não vim aqui para fazer amor com você. Você me telefonou, falando que tinha algo importante a me dizer.

– E disse. Não foi importante o nosso amor?

– Foi... foi muito bom. Mas não significa que agora tenhamos qualquer tipo de compromisso.

– Acha que pode deitar-se comigo e depois descartar-me como um monte de lixo? E a minha honra, onde é que fica?

– Não me leve a mal, Sandra, mas você já não era mais virgem...

– Canalha!

Sandra levantou a mão para bater-lhe, mas Vinício segurou-a a tempo.

– Sinto muito, Sandra – falou ele com um certo pesar. – Lamento que você tenha entendido tudo errado.

– Quem entendeu tudo errado foi você!

– Talvez. Pensei que você estivesse apenas em busca de prazer.

– Mas eu disse que estava apaixonada!

– Tem razão, você disse. Mas não pensei que estivesse falando sério.

– Como não estava falando sério, se me entreguei a você?

– Não fui o primeiro a quem se entregou.

– Você é um cretino! O que pensa que sou, alguma vagabunda? Só porque não sou mais virgem não quer dizer que seja uma piranha! Entrego-me a quem gosto. E daí? Isso é algum pecado?

– Pecado nenhum. Você é livre para fazer o que quiser da sua vida, mas depois não venha cobrar nada de ninguém. Uma mulher experiente feito você já deve estar acostumada a esse tipo de situação.

– Cachorro! Isso não vai ficar assim. Amanhã mesmo vou contar tudo a Marisa!

– Se fizer isso, vai ficar mal é para você mesma.

– Não me importo.

– Nem eu.

Com um gesto rápido, Vinício tirou a carteira do bolso e apanhou algumas notas, colocando-as na mão de Sandra, que as recebeu perplexa.

– O que é isto? – perguntou ela, mal crendo no que via.

Vinício debruçou-se por cima dela e abriu a porta do carro, ordenando com voz incisiva:

– Saia. Pegue o dinheiro e tome um táxi. Não quero mais vê-la na minha frente.

Empurrou-a para fora e deu partida ao motor, sequer se voltando para trás a fim de presenciar o ar de perplexidade com que ela permanecia parada na calçada, o dinheiro preso entre os dedos, remoendo nos lábios um furor de ódio.

5

Já passava das oito horas quando João voltou para buscar Marisa. Assim que o carro partiu, Vinício chegou pelo outro lado. Viu o automóvel se afastando e adivinhou que seria o pai da moça. Sentiu uma pontada de tristeza atravessar seu coração, mas não podia ir correndo atrás dela e pedir que voltasse.

No automóvel, Marisa ia contando as novidades:

– Eles são maravilhosos, mamãe! Trataram-me feito uma princesa.

– Vejo que essa gente a impressionou – observou João.

– E o moço? – perguntou a mãe. – Também estava lá?

– Vinício? Não, ele teve que sair. Falou comigo rapidamente e foi resolver um assunto particular.

– Que assunto? – quis saber João.

– Não sei, ele não falou.

– Aposto como foi ver alguma mulher – comentou irônico e com uma certa raiva.

– Papai!

– É isso mesmo, Marisa. O tal moço é jovem, deve ter namorada.

– Lídia me garantiu que não. Parece que teve uma decepção amorosa no passado e se desencantou com as mulheres.

– Pode ser... mas isso não exclui a possibilidade de ter alguma amante. Duvido que um homem jovem e saudável vire padre de uma hora para outra.

Marisa não respondeu. Virou o rosto, amuada, e ficou olhando a paisagem. Era a primeira vez que o pai falava com ela naquele tom sarcástico, o que não a agradou. Será que não gostara de seus novos amigos?

– O pai dela também estava lá? – indagou a mãe, como quem quer apenas puxar assunto.

– O dr. Conrado? Estava.

Ao ouvir aquele nome, João teve um sobressalto. Sentiu as pernas amolecerem e pensou que fosse desmaiar. A vista foi-se turvando, e uma fraqueza indescritível tomou conta de seu corpo. Cerrou os olhos momentaneamente e quase deixou de fazer uma curva, só não batendo porque Antônia gritou a tempo:

– Cuidado, João! A curva!

João deu uma guinada no volante, e o carro virou bruscamente, jogando Marisa para o outro lado.

– Credo, pai, ficou maluco? – protestou Marisa, endireitando-se no banco.

Ele não respondeu. Fixou os olhos na estrada, a cabeça repleta de perguntas que não se atrevia a fazer. Foi Antônia quem falou:

– O nome dele é Conrado? – Marisa assentiu. – Conrado de quê?

– Não sei, nem perguntei. Por quê? Isso é importante?

– É claro que não, minha filha. Só perguntei por curiosidade.

Recobrando-se do susto, João conseguiu indagar:

– Ele é juiz há muito tempo?

– Hum... creio que uns dezoito anos. Você sabia que ele foi delegado lá no Ceará, na época em que Lampião aterrorizava o nordeste?

– É mesmo?

– É. Numa cidadezinha quase desconhecida... Pedra Branca, se não me engano.

– Pedra Branca, ele disse? – João quase entortava o volante, de tanto o apertar.

– Foi. Por quê? Você conhece?

– Não.

– Contou algumas histórias sobre o sertão e os jagunços. Disse que prendeu muitos deles, mas que outros fugiram.

– É?

– Mas não conheceu Lampião pessoalmente, embora ele tenha levado a fama de muitos crimes cometidos pela disputa de terras.

– Sério?

– É um horror essa história de jagunços, não acham? Imagine só, matar famílias inteiras só por causa de um pedaço de terra. Sabia que eles matavam até crianças, papai? Uma crueldade. Aqueles jagunços eram mesmo uns monstros. Mereciam ficar presos para sempre. Não acha, mãe?

– Acho...

Pelo canto do olho, Antônia fitou João. Algumas lágrimas despontaram em seus olhos, mas ele conseguiu contê-las.

– O tal dr. Conrado falou de alguém em especial? – tornou João, tentando não demonstrar o terror que o invadia. – Contou algum caso específico?

– Não, por quê?

– Por nada. Apenas curiosidade pelo assunto.

– Vocês não conheceram nenhum jagunço lá no Maranhão? Será que eles não matavam por lá também?

– Não sei, minha filha, não ouvi falar de nenhum.

– Eles perguntaram algo sobre nós? – sondou Antônia.

– O de sempre. Contei-lhes que vocês vieram do Maranhão e que papai era dono de uma cadeia de lojas de material de construção.

– E?

– E nada. Por quê? Por que vocês parecem tão preocupados?

– Não estamos preocupados, Marisa – disfarçou a mãe. – Só queremos saber mais sobre eles.

– E é natural que eles quisessem saber mais sobre vocês também, não acham? Mas eles não perguntaram muita coisa. Dona Malvina ainda perguntou nosso sobrenome, para ver se dr. Conrado já ouvira falar de nossa família, mas ele disse que conhecia pouca gente no Maranhão.

João suava frio. O pior de seus temores acontecera. O homem que ele mais temia em sua vida acabara de retornar para atormentá-lo. Precisava dar um jeito, fazer alguma coisa. Não podia permitir que, depois de tantos anos, a sombra do passado voltasse para destruir a sua vida. Não depois de estabelecer-se como um homem de negócios, uma pessoa de bem, pacata, feliz ao lado da mulher e da filha. Precisava impedir aquela amizade entre Marisa e a tal Lídia. Mais: seu romance com o moço Vinício. Só não sabia ainda como fazer. A única coisa que sabia era que precisava agir e rápido. Não podia permitir que Marisa estreitasse ligações com aquela gente. De conversa em conversa, alguma coisa surgiria para levantar suspeitas. Quanto tempo não demoraria até que Conrado ligasse os fatos e descobrisse quem ele era verdadeiramente?

Já em casa, Marisa recolheu-se logo, enquanto João caminhava pelo quarto, nervoso e irritado, como nos velhos tempos em que fora jagunço.

– Pelo amor de Deus, João, procure acalmar-se! – pediu Antônia, preocupada. – Vai acabar tendo um ataque do coração.

– Talvez fosse melhor. Só assim livraria minha filha da vergonha de ver o pai atrás das grades.

– E quem disse que isso vai acontecer? O dr. Conrado não se lembra mais de você. Nem tocou no seu nome.

– Mas ele pode descobrir.

– Por quê? Que motivos teria ele para ressuscitar um caso há tanto tempo sepultado? Ele nem é mais delegado, nem deve mais se lembrar daqueles dias em Pedra Branca. O homem agora é um ministro, deve ter assuntos mais importantes com que se ocupar. Imagine se vai lembrar-se de um jagunço, dentre tantos que conheceu no sertão?

– Tenho minhas dúvidas, Antônia. Ele pode perguntar daqui, perguntar dali, e acabar ligando os fatos.

– Mas que fatos? Como ele pode fazer alguma ligação entre Marisa e os jagunços do sertão?

– Não sei, Antônia, não sei! Mas tenho medo. Medo de ser descoberto e preso.

– Não vai acontecer nada disso. O homem, provavelmente, nem pensa mais naqueles dias. Nem se lembra mais de Pedra Branca.

– Você ouviu o que Marisa falou. Ele contou a ela que foi delegado naquela cidade maldita.

– Mas não deve mais se lembrar de tudo o que aconteceu por lá. Já faz muito tempo.

– Dezoito anos, Antônia. Não é tanto tempo assim. Não o suficiente para apagar a memória de um homem.

– Você está sendo dramático. Ele não tem motivos para voltar a pensar em você. Você não é mais o Januário daqueles dias, é o João de hoje. João da Silva, vendedor de materiais de construção.

– Ele pode ligar o sobrenome...

– E daí? Quantas pessoas chamadas Silva você conhece? É um sobrenome comum, assim como João e Antônia também são nomes comuns. Acredite, querido, ele não vai desconfiar de nada.

– Mas a menina... duvido que ele não saiba que a filha de Zé Mário sumiu naquela noite.

– *Sh...!* Quieto, fale baixo! Quer que Marisa escute?

– Ele sabe, Antônia, sabe que a menina sumiu. E agora, dezoito anos depois, nós aparecemos, um casal de velhos com uma filha tão moça. Dá para desconfiar.

– Por quê? Por que ele desconfiaria justo de nós? Ele não tem motivos para nos ligar ao sertão ou a Pedra Branca.

– Se isso acontecer, Antônia... se isso acontecer, não sei o que sou capaz de fazer.

– Nada! – cortou ela rispidamente. – Nem pense!

– Eu o mato, Antônia. Juro pela felicidade de nossa filha que o mato.

– Não diga uma coisa dessas nem brincando. Você prometeu...

– Prometi, prometi abandonar aquela profissão. Mas agora o caso é outro. É uma questão de sobrevivência.

– Pense no desgosto que trará a Marisa. Você ouviu o que ela falou no carro. Sabe o que ela pensa sobre os jagunços. Como acha que ela vai sentir-se ao descobrir que o pai é um deles e que já matou centenas de pessoas, crianças, inclusive? E pior, que matou seus pais verdadeiros e depois a roubou!

– Pare, Antônia, pare! Não me torture mais.

João deixou o corpo tombar aos pés de Antônia, chorando e soluçando feito uma criança. A mulher o ergueu e enxugou os seus olhos, fazendo com que ele a encarasse.

– Seja forte! Você sempre foi um homem forte. Do contrário, não poderia fazer tudo o que já fez. Pare de se martirizar e não pense mais nisso. Deus há de nos ajudar...

– Deus não vai me ajudar, Antônia. Você não vê? Deus não ajuda pecadores como nós.

Ela não respondeu. Nunca fora uma mulher religiosa, porque não tinha coragem de se dirigir a Deus depois do que haviam feito. João era um matador e um seqüestrador, e ela, sua cúmplice. Como se julgar merecedora das atenções de Deus se eles haviam sido os primeiros a renegá-lo? Falara aquilo sem pensar, apenas para tranqüilizar o marido. Mas não falara a sério.

Só depois de muito tempo foi que conseguiram dormir. Assim que fechou os olhos, o corpo astral de João se desprendeu parcialmente do corpo físico e logo encontrou um vulto parado a seu lado, com ar sombrio e preocupado.

– Não estou gostando nada disso! – foi logo falando, aproximando-se do vulto com gesto ameaçador. – Você me prometeu proteção.

– E não é isso que tenho feito sempre? Mesmo quando você deixou de matar, não continuei a seu lado?

– É, mas agora as coisas estão ficando perigosas. Marisa conheceu o tal delegado...

– Já sei, ouvi tudo.

– Ouviu? E o que pretende fazer?

O vulto lançou para ele um olhar enigmático.

– Na verdade, Januário, é você quem vai fazer por mim.

– Eu!? Como assim?

– Chegou a hora de você me pagar por todos esses anos de proteção. É hora do ajuste de contas com o delator, e é você que vai fazer isso.

– Não me venha com essa! – esbravejou João. – Não tenho que

fazer nada. Você está é fugindo às suas responsabilidades! Usou-me o quanto pôde e agora quer atirar-me às feras!

– Nos últimos anos, tenho servido mais a você do que você a mim. Desde que parou de matar, deixei de alimentar-me como devia. Mas continuei a seu lado, mesmo assim continuei protegendo-o. Sabe por quê? Porque sabia que precisaria de você mais tarde.

– Sou eu que preciso de você, Kedar! O homem que mais temia voltou para me assombrar.

– Você não sabe o que é ser assombrado. Pensa que todos os jagunços são iguais a você? O que seria de você sem o meu auxílio e o dos servos que envio para protegê-lo? Pensa que poderia enfrentar sozinho as centenas de espíritos odientos que estão só esperando o momento de vir aqui e atormentá-lo? Não se iluda, meu caro. No mínimo, você hoje estaria num hospício. Você não faz idéia do que espíritos vingativos e carregados de ódio são capazes de fazer nos centros nervosos dos encarnados. Pense nos tormentos, nas vozes fantasmagóricas, nos acidentes inexplicáveis, na loucura. Não se esqueça de que, assim como lhe ofereci a minha proteção, posso tirá-la de uma hora para outra, o que não seria nada bom para a sua saúde. É isso o que quer?

– Você não faria isso... faria?

– Quer ver? – João meneou a cabeça. – Eu, no seu lugar, também não iria querer.

– Por favor, Kedar, tente entender. Minha filha nunca poderá descobrir o que aconteceu. Ela jamais vai perdoar-me.

– Eu entendo, Januário, perfeitamente. Afinal, eu o ajudei a roubá-la. Era o que você queria, não era? Pois então, eu o ajudei. Mas agora, a coisa fugiu ao meu controle. Está fora de minhas mãos.

– Não é possível! Deve haver algo que você possa fazer, como colocar um véu negro nos olhos de Conrado para impedi-lo de ver a verdade.

– Eu bem que gostaria, mas o homem é protegido lá de cima – apontou para o alto e sorriu com ironia. – Dá para acreditar nisso, Januário? Um ex-delegado com tanta proteção? Dizem por aí que ele é da luz, sabia? Não dá para entender uma coisa dessas. O homem põe a mão nos bandidos e ainda os trata feito gente. Bom, seja como for, isso lhe valeu muitos elogios lá do alto e fez com que se erguesse ao seu redor uma capa de proteção. Dizem que ele mereceu essa proteção toda, o que não acontece com todo mundo, é claro.

– Está querendo comparar-me a ele, Kedar? Quer diminuir-me diante de um inimigo?

– Eu!? Longe disso. Sabe que gosto de Conrado tanto quanto você. Ele é tão meu inimigo quanto seu. Só o que estou tentando mostrar-lhe é que, assim como você conseguiu a proteção da treva, ele alcançou a da luz. É a mesma coisa. Ambos estão protegidos. Só que o poder da luz é muito maior do que o nosso. Quando eles querem alguma coisa, nós sempre acabamos perdendo.

João correu para Kedar e se ajoelhou diante dele, implorando de mãos postas:

– Pelo amor de Deus, Kedar, ajude-me! Faço qualquer coisa para não ser descoberto.

– Não adianta chamar por Ele agora, nem pedir a mim pela Sua intercessão. Não é a hora, nem eu sou a pessoa mais indicada para isso.

– Foi só maneira de falar. Por favor, faça alguma coisa.

– Você é meu amigo, Januário, de muitas vidas. Quando resolveu abandonar-me e sair da treva, eu não reclamei, reclamei? – João negou. – E depois, quando reencarnou, eu também não falei nada, falei?

– Não.

– Foi fácil encontrá-lo depois, é verdade. Seus pensamentos e sentimentos ainda estavam em sintonia comigo. Logo pressenti o seu desejo de matar e lhe ofereci todo o meu apoio. Você sabe o quanto gostamos da energia de vida que só o sangue quente pode nos dar.

– Eu sei...

– Pois é. Foi por esse motivo que me aliei a você novamente. E depois, quando você abruptamente deixou de nos satisfazer, continuei a seu lado, mesmo contra a vontade de muitos aqui. E sabe por quê?

– Por quê?

– Porque eu sabia que ainda estava por vir o dia em que nos encontraríamos frente a frente com o traidor. É chegada a hora de tornar a matar.

– Não! Matar, não. Prometi a Antônia...

– Suas promessas são tão consistentes quanto a areia que afunda sob seus pés.

– Não diga isso, Kedar. Se voltar a matar, Antônia é bem capaz de deixar-me.

– Se não voltar a matar, quem vai deixá-lo sou eu.

– Por quê? Por que voltar a matar agora, depois de tantos anos? Faz séculos que tudo aconteceu.

– Séculos que eu jamais esqueci. Passei esses anos todos à espera do momento em que você reencontraria Conrado, nosso odiado delator, e acabaria com ele por mim. Quero o meu prisioneiro, para que possa lhe infligir todo mal que, por culpa dele, eu sofri.

– Você mesmo disse que Conrado é protegido.

– É uma proteção muito sutil que você, encarnado, pode tentar romper, se quiser.

– Não posso, Kedar. Por mais que queira, não tenho como atender ao seu pedido.

– Pense bem, Januário. Será que vale a pena trocar a vida de um traidor pela prisão ou a loucura?

Soltou uma gargalhada sinistra e esvaneceu numa nuvem negra de poeira. Na mesma hora, João acordou assustado e suando frio.

– O que foi que houve? – perguntou Antônia, acendendo a luz na mesinha ao lado.

– Nada, um pesadelo. Volte a dormir.

O dia já estava quase raiando, e João balançou a cabeça, tentando espantar a lembrança daquele sonho. Lembrava-se vagamente de um vulto lhe dizendo para voltar a matar. Matar... como poderia? Na mesma hora, cerrou os olhos e novamente adormeceu.

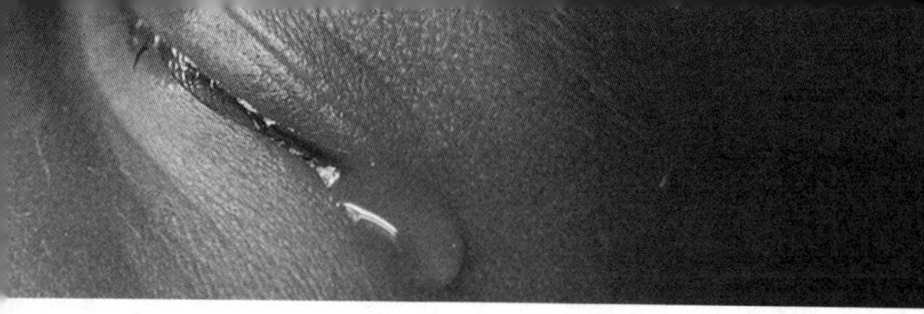

6

Quando Vinício chegou a casa, Marisa já havia partido. Ao ver o carro de seu pai se afastar pelo outro lado da rua, sentiu uma pontada de remorso. Marisa era uma moça doce e meiga, não merecia aquela traição. Mas que traição? Eles não estavam namorando... ainda... e ele não lhe devia fidelidade alguma. No entanto, era a ela que amava. Sentia que seu coração lhe pertencia desde o instante em que a vira pela primeira vez. Em seu íntimo, não podia continuar mentindo para si mesmo. Podia não tê-la traído fisicamente, mas traíra o seu coração. Desde o dia anterior, quando a beijara, seus lábios haviam selado um compromisso de amor que ele agora traía por causa de um desejo animal. Por que se deixara seduzir pela beleza de Sandra? Por que não fora forte o bastante para resistir-lhe aos apelos? Por que tivera que fazer amor com ela? Por quê? Por quê? Por quê?

E se Sandra contasse alguma coisa a Marisa? As duas eram amigas, não seria difícil para Sandra inventar uma história e fazer-se de coitadinha para conquistar a piedade da outra. A moça, na certa, o culparia por aquilo, chamando-o de devasso, aproveitador ou coisa pior. Mordeu os lábios, com raiva de si mesmo. Como se deixara levar por aquela estupidez? Então já não aprendera o bastante com a vida? Não sabia que mulheres feito Sandra eram traiçoeiras e intrigantes? O que podia esperar? Que ela se entregasse a ele e depois o libertasse para namorar a outra? Como fora estúpido!

Ficou pensando no que deveria fazer. Talvez fosse melhor ser o primeiro a contar a verdade a Marisa. Se fosse honesto com ela, talvez ainda tivesse alguma chance. Mas o que lhe diria? Que Sandra lhe telefonara na véspera, e ele a deixara para sair com a outra e depois fizera amor com ela? Será que Marisa iria entender? Não importava. Fosse qual fosse a sua reação, a verdade seria o melhor caminho.

Ainda que ela não entendesse ou o recriminasse a princípio, acabaria superando, certa de seu amor por ela. Precisava despertar nela a confiança e fazê-la compreender que aquele fora um erro tolo e que jamais se repetiria. Não atacaria Sandra, mas deixaria entrever que sua amizade não era tão sincera assim. Do contrário, não o teria seduzido como fizera. Com esse pensamento, dormiu mais tranqüilo.

Ao sair da escola no dia seguinte, Marisa sentiu o coração palpitar e pensou que fosse desmaiar. Do lado de fora, imponente em seu uniforme branco, Vinício a aguardava. Ela vinha em companhia de Lídia e de Sandra, e esta se adiantou logo que o viu, deixando para trás as amigas. Marisa, em seu deslumbramento, nem percebeu que Sandra se havia adiantado a elas e chegara primeiro junto do rapaz.

– Não tenha receio – falou ela, perto de seu ouvido. – Não contei nada a Marisa nem pretendo contar. Fique sossegado, que não sou nenhuma ordinária.

Vinício nem teve tempo de responder. Marisa e Lídia vinham chegando logo em seguida, e Sandra lhe deu um sorriso mordaz, que ele não retribuiu. Contudo, ficou confuso. Se Sandra não havia contado nada a Marisa nem pretendia contar, por que é que ele deveria antecipar-se e colocar em risco a relação dos dois, que sequer havia começado? Não seria melhor calar e fingir que nada havia acontecido? Mas, e se Sandra estivesse mentindo? Se tivesse dito aquilo só para que ele não contasse a Marisa o que havia acontecido para, mais tarde, contar tudo à sua maneira? Será que valeria a pena omitir o que fizera?

Olhando para Marisa, tomou uma decisão. O seu olhar doce e o seu sorriso de paixão lhe diziam que não valia a pena arriscar o seu romance por causa de uma aventura que não significara nada. Marisa, na certa, não o perdoaria. Sua amizade por Sandra era das mais sólidas, e, ainda que Marisa acreditasse nele, talvez não estivesse disposta a magoar a amiga por causa de um namoro que nem chegara a começar. Esse receio foi dominando-o de tal forma que, em poucos minutos, toda a determinação da noite anterior já havia desaparecido. Decidiu-se: não diria nada.

– Aonde é que vão as minhas garotas preferidas? – perguntou ele, fixando em Marisa o seu olhar penetrante.

– Vamos para casa – respondeu Lídia apressada. – Por quê?

– Pensei se Marisa não gostaria que a levasse em casa.

A moça corou violentamente. Jamais um rapaz a levara em casa, e ela não sabia se o pai acharia apropriado.

– Seria um prazer muito grande – respondeu timidamente –, mas Damião veio buscar-me.

– Damião?

Ela apontou com o queixo para o local em que o motorista estava parado com o carro, à sua espera, e Vinício não escondeu o desapontamento.

– Por que não o dispensa só por hoje? – sugeriu esperançoso.

– Não sei se deveria... papai pode não gostar.

– Se o caso é esse, falarei com ele.

– Mas Damião...

– Por que Damião não leva Sandra em casa? – considerou Lídia. – Assim, não perde a viagem.

– Hum... não sei, não. O que você acha, Sandra?

O olhar súplice da amiga quase a fez gritar de ódio e despeito, mas Sandra conseguiu controlar a fúria e respondeu displicente:

– Para mim, está tudo bem. Ia de ônibus mesmo...

– Então está resolvido – finalizou Vinício. – Marisa vem comigo, Lídia segue com nosso motorista e Damião leva Sandra.

– Excelente! – animou-se Marisa. – Dê-me apenas um minuto para falar com ele.

Em poucos minutos, Marisa já estava de volta. Deu um beijo em Sandra e voltou para onde ele e Lídia estavam.

– Vamos? – perguntou ela, ansiosa pela companhia do rapaz.

Vinício abriu a porta do carro para ela e deu um beijo de despedida na irmã, que foi tomar o seu carro. Marisa sorriu-lhe com simpatia e voltou a atenção para Vinício assim que ele colocou o automóvel em movimento.

– Muito bem. Agora só falta dizer-me onde é que você mora.

– É no Alto da Boa Vista.

– Não conheço o Rio de Janeiro, Marisa. Vai ter que me mostrar.

– Pode seguir em frente.

Ele obedeceu e, durante algum tempo, limitou-se a ouvir as indicações que ela lhe dava. Foi só quando começaram a subir a montanha que ele indagou, sem desviar a atenção do trânsito:

– Você está bem?

– Estou.

– Ficou zangada comigo?

– Zangada, eu? Por quê?

– Por causa do que aconteceu na noite do baile. E depois, por causa de ontem também.

– Não aconteceu nada na noite do baile... isto é, você não fez nada que me contrariasse... eu... – calou-se confusa, os lábios trêmulos, as faces ardendo.

– Que bom que não a contrariei. Porque eu, de minha parte, só o que posso é dizer que gostei muito.

Ela corou ainda mais e abaixou os olhos, já umedecidos pela emoção.

– Fico feliz... porque eu também gostei... – calou-se novamente, com medo de começar a chorar feito uma tola.

– Sabe, Marisa, há tempos que não me interesso por ninguém. Todas as garotas que conheço são fúteis e artificiais. Mas você, não. É uma moça realmente diferente. Bonita, inteligente, sincera. Gosto muito de estar com você.

– Isso é verdade?

– Acha que eu teria motivos para mentir?

– Não... não creio.

– Pois pode acreditar em mim. Pergunte só a Lídia. Há anos que não me interesso por nenhuma garota. Não de verdade. Mas você possui algo que não sei explicar. Depois daquela noite no baile, confesso que não consegui mais parar de pensar em você. Quando soube que você ia à nossa casa ontem, quase pulei de contentamento. Pena que recebi aquele telefonema e tive que me ausentar. Quando voltei, a vi entrando no carro de seu pai e partindo. Fiquei decepcionado.

– Eu... também lamentei muito você não estar conosco.

– Você lamentou?

– Sim... quero dizer, você é um rapaz interessante e tudo o mais...

Calou-se outra vez, não sabendo bem o que dizer. Era a primeira vez que se via numa situação como aquela e não sabia como proceder. Tinha medo de expor os seus sentimentos e parecer idiota. Não queria que ele a julgasse uma criança, era importante que a admirasse, porque sentia que estava apaixonada por ele.

– Não precisa sentir-se envergonhada perto de mim – ele apertou a sua mão gentilmente e continuou: – Gosto de você de verdade, Marisa. Queria que soubesse.

Sem que ela percebesse, Vinício havia parado o automóvel na subida do Alto, num recanto cheio de árvores e flores.

– Por que parou? – perguntou Marisa, preocupada e ao mesmo tempo ansiosa.

– Será que não poderíamos saltar um pouquinho? Aqui é tão bonito!

Vinício saltou do carro e encaminhou-se para o lado de Marisa, a fim de abrir-lhe a porta, e ela aceitou a mão que ele lhe oferecia para descer. Vinício era um rapaz muito gentil, um verdadeiro cavalheiro, e ela se sentiu lisonjeada. Quase dez anos mais velho, parecia não se importar com a sua pouca idade e a sua inexperiência.

– Esse lugar é muito bonito – elogiou ele. – Sua casa também fica num lugar assim?

Ela aquiesceu e explicou:

– Gosto daqui, mas o problema é que fica muito afastado de tudo. Praticamente, moramos no meio da floresta.

– Pois eu ia adorar morar num lugar como esse.

Ainda de mãos dadas, caminharam até um regato próximo.

– Como pode existir um lugar assim no meio da cidade?

– O Alto da Boa Vista é um lugar muito antigo. Faz parte da história da cidade.

– E muito bonito também. Assim como você.

Ela sentiu o rosto arder e desviou o olhar, tentando desvencilhar-se dele. Mas Vinício a puxou e gentilmente pousou em seus lábios um beijo terno, porém ardente, que ela correspondeu com paixão. Por mais que pensasse, não podia resistir a ele. Sentiu o corpo todo amolecer e entregou-se àquele beijo, esquecendo-se de tudo o que havia ao redor.

– Marisa, eu... acho que a amo.

Vinício estava sendo sincero com ele mesmo e com ela. Amava-a de verdade. Lamentava muito o que acontecera entre ele e Sandra, mas não podia deixar passar a oportunidade de ser feliz com a mulher de seus sonhos. E depois, Sandra não contara nada. Talvez nunca contasse. Na certa, caíra em si e se conscientizara de que fora ela que o seduzira. Talvez até tivesse chegado à conclusão de que não valeria a pena estragar a vida de Marisa por causa de um homem que jamais seria dela. Ou talvez, simplesmente houvesse descoberto que não era amor o que sentia por ele, mas apenas desejo e paixão.

Estava perdido em seus pensamentos quando a voz suave de Marisa o chamou de volta ao mundo real.

– Oh! Vinício! Será que isso realmente está acontecendo comigo?

– Será que isso está acontecendo comigo? – tornou apaixonado, esquecendo-se por completo da imagem de Sandra. – Será possível que, depois de tantos anos, finalmente consegui apaixonar-me por alguém?

Beijou-a novamente, estreitando-a com amor.

– Também sinto o mesmo por você, Vinício. Acho que também estou apaixonada. Será isso possível?

– Tanto é possível que está acontecendo – beijou-a delicadamente e indagou em tom solene: – Você gostaria de ser a minha namorada?

– É claro que gostaria! Ah! Vinício, diga que não é um sonho.

– Você é que é o sonho. Sempre pensei que garotas feito você não existissem de verdade.

– Eu existo. E mais, você existe! Nunca me imaginei nos braços de um homem tão maravilhoso.

– E eu nunca imaginei sentir por alguém o que sinto por você agora.

Prosseguiram trocando juras de amor. Estavam tão entretidos que nem se lembravam de mais nada. Sequer notaram quando Damião passou, vagarosamente subindo pela estrada. Sempre fora um motorista cauteloso e não gostava de correr. Ao passar pelo local em que Vinício estacionara o carro, notou-o parado, sem ninguém dentro. Achou estranho. Reconhecera aquele automóvel como o que Marisa lhe mostrara na porta da escola, mas não havia ninguém por ali. Ainda pensou em parar para procurá-los, mas achou melhor não. Sabia que o moço era novo na cidade, e talvez a menina lhe estivesse mostrando a floresta. Sem pensar mais no assunto, acelerou o carro e continuou a subir.

***

Cerca de uma hora depois de Damião haver chegado, Vinício parou o carro em frente à mansão em que Marisa vivia. Soltou um assobio de surpresa e não pôde deixar de observar:

– Você mora nesse palacete?

Ela sorriu envaidecida e retrucou de bom humor:

– Garotas de sonho devem morar em locais de sonho também, não acha?

Ele riu e acariciou o seu rosto, ao mesmo tempo em que indagava:

– Não vai convidar-me para entrar?

– Entrar? Em minha casa?

– Por que não? Agora sou seu namorado, temos um compromisso sério. Não acha que eu devia entrar e me apresentar aos seus pais? Dizer-lhes o quanto a amo e que minhas intenções para com a filha deles são as mais sérias possíveis? E depois, preciso justificar a sua demora e responsabilizar-me por havê-la impedido de voltar em segurança com seu motorista.

Marisa sorriu embevecida e sentiu-se tentada a apresentá-lo aos pais, mas algo dentro dela fez com que recuasse. Talvez ainda não fosse o momento. Os pais não sabiam que ela estava namorando e podiam não aprovar.

– Acho melhor deixarmos para outra vez – tornou ela em tom de desculpa. – Não quero precipitar-me e talvez seja melhor conversar com eles primeiro; prepará-los, você entende.

Vinício mal conseguiu ocultar a decepção. Tinha esperanças de selar o seu compromisso naquele dia mesmo, comprovando suas boas intenções, mas Marisa tinha razão. Ele não podia simplesmente irromper em sua casa e dizer aos pais dela que estava apaixonado por sua filha e pretendia, num futuro bem próximo, casar-se com ela e levá-la embora. Isso poderia chocá-los.

– Muito bem – concordou contrariado. – Vou esperar. Mas só porque você está me pedindo. No entanto, quero conhecê-los logo e mostrar a eles o quanto a amo.

Marisa aquiesceu e se despediu, prometendo a Vinício que marcaria uma data para que ele fosse conhecer os seus pais. Depois que o carro sumiu no fim da rua, ela abriu o portão e entrou, toda sorridente.

Em casa, o pai e a mãe a aguardavam na sala de visitas. João andava de um lado para outro, nervoso.

– Muito bem, mocinha, posso saber onde esteve? – esbravejou, assim que ela atravessou a porta.

– Credo, pai, que susto! Por que tanto alvoroço?

– Alvoroço? Então você some, sem a nossa autorização, e ainda se queixa de que eu estou me alvoroçando?

– Damião não lhes contou? Não lhes disse que eu vim com o irmão de Lídia?

Então era verdade. O motorista lhes dissera que Marisa estava voltando para casa em companhia do irmão de sua mais nova amiga, mas João ainda tinha esperanças de que fossem outras pessoas. Afinal, Lídia morava no Jardim Botânico. Por que o irmão se daria ao trabalho de levar Marisa em casa, do outro lado da cidade, dispensando o motorista que fora à escola só para buscá-la?

Sentindo que o marido começava a descontrolar-se, Antônia resolveu intervir:

– Damião nos contou sim, Marisa, mas você demorou demais. Podemos saber aonde foram?

– A lugar nenhum. Quero dizer, nós paramos em um recanto na estrada. Vinício queria ver a paisagem.

– Não quero você metida com essa gente! – vociferou João de repente, e Marisa quase não o reconheceu.

– Pai! – protestou com veemência. – O que foi que deu em você? Por que está tão bravo?

– Porque você me desobedeceu. Quantas vezes já lhe falei para não andar com estranhos?

– Vinício não é um estranho! Ontem mesmo estive em sua casa...

– Só que eu não conheço essas pessoas. Vieram lá do nordeste, sabe-se lá de onde ou com quem estão metidos!

– Como pode dizer uma coisa dessas, papai? Então não lhe contei que o pai de Lídia é ministro do Supremo Tribunal Federal, e que o irmão é engenheiro, oficial da Marinha?

– E daí? Nem sabemos se eles estão falando a verdade. Podem estar inventando essas histórias só para enganar você.

– Mas isso é um despropósito! Por que fariam isso? Que interesse podem ter em me enganar?

– Não sei. Só sei é que essa gente não me agrada, e não quero você metida com eles.

– Tarde demais, papai, já estou envolvida com eles até a alma.

– Como assim? O que quer dizer com isso?

– Quero dizer que Vinício e eu... você sabe... estamos apaixonados.

– O quê!? Jamais permitirei uma coisa dessas!

– Por quê? Você nem o conhece...

– Conheço o suficiente para saber que gente do tipo dele não presta.

– Posso saber o que foi que deu em você? Você nunca agiu dessa maneira. Mamãe, será que pode me explicar que bicho mordeu meu pai?

Antônia fitou-a aturdida e tentou esclarecer:

– Seu pai só está preocupado com você, minha filha. Não quer que se envolva com a pessoa errada.

– Mas que pessoa errada? Por que está fazendo esse julgamento precipitado de Vinício e de sua família?

– É que nós não os conhecemos direito. Eles podem não ser pessoas de bem.

– Você concorda com ele, mãe?

– Bem, nunca é demais se precaver...

– Mamãe, isso é um absurdo! Eu mesma lhe contei de Vinício. Disse-lhe o quanto ele era bonito, inteligente e tudo o mais. E você me pareceu bem interessada. Posso saber o que a fez mudar de idéia?

– Não mudei de idéia... isto é... seu pai tem razão... não se preocupe, minha filha, há muitos moços bonitos e inteligentes por aí. Esse rapaz não é o único.

– Não acredito no que estou ouvindo. Pois fiquem sabendo que não estou interessada em nenhum outro. Gosto de Vinício, e ele de mim. E, se querem mesmo saber, ele já se declarou e me pediu para namorar. Resta apenas marcarmos uma data para ele vir aqui falar com vocês e formalizar o namoro.

– Isso é que não! – vociferou João, fora de si. – Jamais! Só passando por cima do meu cadáver! Quem esse moço pensa que é? O que lhe dá o direito de pensar que nós lhe daríamos nossa permissão? Ele não serve para você, não adianta. Pode ir tratando de lhe dar o fora. E naquela sua nova amiguinha também. Ela é muito estranha e suspeita.

– O quê!? Não acredito no que estou ouvindo! O que foi que Lídia lhes fez?

– Não me parece lá muito decente. Uma moça direita, de família, não fica por aí alcovitando o irmão.

– Alcovitando? Mas que disparate! Lídia não fez nada.

– Se fosse direita, não iria acobertar esse encontro.

– Acobertar? O que há com você, papai? Por acaso perdeu o juízo? Ela não acobertou nada. Nem sequer sabia que Vinício iria aparecer na escola hoje.

– Mas se fosse uma moça de princípios, teria acompanhado você até em casa, ao invés de largá-la sozinha com o irmão dela.

– Quanta bobagem! Por que é que Lídia faria isso? Ela não ia querer ficar segurando vela, ia?

– Como assim, segurando vela? – indagou Antônia, mal crendo no que ouvia.

– Você sabe, mãe. Vinício e eu queríamos ficar sozinhos.

– Marisa! Como pôde ficar sozinha na floresta com aquele sujeitinho?

– O nome dele é Vinício, e ele não é um sujeitinho.

– Chega! – cortou João, completamente transtornado. – Não quero mais ouvir o nome dessa gente aqui em casa. De hoje em diante, você está proibida de se relacionar com eles!

– Não! Não vou aceitar essa proibição. É injusta e despropositada. Não concordo com isso.

– Você não tem que concordar ou deixar de concordar com nada. Quem manda aqui sou eu, e você me deve obediência. Quando digo que não a quero em companhia dessa gente, não estou mentindo. Não quero mesmo. E você está de castigo. Não sai de casa essa semana nem para ir à escola!

– João!

– Não o estou reconhecendo, pai – tornou Marisa, magoada. – Você nunca foi autoritário nem ríspido comigo. Por que me está tratando dessa maneira? O que foi que eu fiz de errado? Só porque saí com o irmão de Lídia não é motivo para você ficar desse jeito.

João encarou-a confuso. Não sabia o que dizer. Não podia explicar a ela o pânico que o invadia. Temia perdê-la e a tudo por que lutara durante aqueles dezoito anos em que a tinha como filha. Como arriscar perder a filha que aprendera a amar antes mesmo de tê-la em seus braços? Como se arriscar a que ela descobrisse a verdade e passasse a odiá-lo, soterrando para sempre o amor que sempre lhe devotara? Não, não podia consentir. Podia aceitar perder tudo na vida, menos o amor e o respeito da mulher e da filha.

– Não quero brigar com você, Marisa – tornou, agora em tom mais brando. – Só o que quero é o seu bem.

– Ótimo. Mais um motivo para não implicar com Vinício ou sua família. Gosto dele, e nada do que você disser ou fizer vai fazer com que eu deixe de gostar.

– Você está sendo ingrata. Sempre fizemos tudo por você. Por que não nos pode corresponder agora e atender a um simples pedido do seu pai?

– Isso não é um pedido, é uma ordem insensata, mesquinha e irracional!

– Marisa, estou tentando ser justo com você.

– Justo? Como, se está sendo prepotente, tirano e ditador? Que justiça é a sua, que julga e condena antes mesmo de conhecer os fatos? Ou pior, antes mesmo que algum crime tenha sido cometido?

– Minha filha – interveio Antônia –, ouça seu pai e acredite. Ele só está fazendo isso pelo seu bem. É o melhor para você.

– Por quê? Por que é o melhor para mim? Será que vocês sabem alguma coisa da vida de Vinício ou da família dele que eu não sei? – Antônia e João se olharam significativamente, e Marisa continuou: – Se é assim, por que não me contam? Acho que tenho o direito de saber, não concordam?

A conversa estava tomando um rumo perigoso, e Antônia se adiantou:

– Não é nada disso. Não sabemos nada da vida desse moço.

– Então, por que o estão julgando dessa forma? A família dele é muito importante em Fortaleza, o pai é juiz, e ele é capitão-tenente da Marinha. Será que não é o suficiente para demonstrar que eles são gente de bem? O que mais vocês querem? Que tenham pertencido à realeza?

– Não se trata disso, minha filha. Seu pai e eu só estamos tentando protegê-la.

– Proteger-me de quê? Vinício, ou Lídia, ou os pais não parecem constituir nenhuma ameaça.

– Você não sabe o que está dizendo! – João berrou novamente. – Não conhece nada das pessoas, nada sabe sobre as maldades do mundo.

– Maldades? Mas o que é isso? Vai desconfiar de todo mundo agora, vai? Por que isso? É mania de perseguição ou o quê?

– Marisa, acredite-me – João quase suplicou. – Esse rapaz não serve para você. Não é um rapaz direito.

– Como pode dizer uma coisa dessas? Você nem o conhece!

– Minha filha, seu pai tem razão. Se ele fosse um rapaz decente, jamais a teria levado para aquele lugar ermo.

– Mas que lugar ermo? Já disse que só paramos para ver a paisagem.

– E se embrenharam no meio do mato? – revidou o pai, aproveitando-se do comentário de Antônia.

– É claro que não!

– Não minta para mim, Marisa. Vocês foram vistos – arriscou. – Damião passou e viu você e aquele rapaz juntos.

Ela ficou confusa por alguns minutos, envergonhada de ter sido surpreendida num momento tão íntimo. No entanto, não tinha por que mentir e respondeu o mais serenamente que pôde:

– Nós estamos apaixonados, papai. Por isso estávamos juntos. Beijamo-nos, sim, e daí? Não é o que pessoas apaixonadas fazem?

– Vocês se beijaram? – a mãe estava incrédula.

– Sim...

– Está vendo só, Marisa? – fremiu o pai, exagerando na exasperação, agora se apegando a esse motivo. – Um rapaz decente jamais se embrenharia no meio do mato com uma moça de família. Muito menos a beijaria!

Marisa estava atônita. Não entendia como eles podiam distorcer daquela forma uma situação que fora tão maravilhosa, muito diferente do que eles diziam ter sido.

– Vocês estão entendendo tudo errado... – procurou justificar. – Vinício e eu nos afastamos apenas um pouquinho, mas não nos embrenhamos em nenhum mato!

– Na certa, fez isso para que pudesse ficar mais à vontade com você, não é? – prosseguiu o pai, parecendo surdo às suas explicações.

– Não! Não da forma como vocês estão insinuando. Vinício não me desrespeitou em nenhum momento. Apenas me beijou. Fez isso porque me ama...

– Ama? Ele quer é levá-la para a cama, isso sim! Depois que conseguir deitar-se com você, duvido que volte a encará-la.

Ela o fitou com os olhos rasos d'água. Ele agora estava sendo duro com ela, e sem nenhuma razão aparente. Aquilo não era motivo para fazer tanto alarde. Por mais que não aprovassem que ela entrasse na floresta sozinha com um rapaz, suas explicações deveriam ser suficientes para justificar o que fizera. O pai nunca fora um homem prepotente nem castrador, e Marisa não entendia o que o levava a tomar aquela atitude. E depois, sempre confiara nela. Ele e a mãe sabiam que ela não se meteria em encrencas e que só namoraria um rapaz quando ambos estivessem realmente apaixonados. Por que agora a tratavam como se ela fosse uma irresponsável ou criminosa?

– Vocês estão sendo injustos – declarou, em lágrimas. – E precipitados. Jamais pensei que pudessem magoar-me dessa forma.

– Minha filha, não queremos magoá-la – desculpou-se a mãe.

– Não é o que parece. Esforçam-se para me ferir e é o que estão conseguindo. Só o que não entendo é o porquê.

– Não! Feri-la, jamais! Tudo o que fazemos é pensando na sua felicidade.

– Pois vocês não entendem nada do que é ser feliz. Não têm motivo algum para se comportar dessa maneira. Se tudo isso é só pelo fato de Vinício ter-me beijado na floresta, podiam ter-se poupado tanto desgaste. Ele queria entrar e falar com vocês, mas fui eu que não deixei. Fiquei de conversar com vocês primeiro, contar-lhes a novidade, e só então combinaríamos uma data para ele vir aqui.

– Não o quero em minha casa!

– Eu sei, pai, já entendi. Não precisa mais ficar se repetindo. Já compreendi que vocês não gostam dele ou da sua família, embora não consiga entender por quê. Volto a dizer que o que nós fizemos não é motivo para isso, e Vinício poderia muito bem lhes provar qual é a sua intenção para comigo. Mas vocês não querem...

– Não queremos porque sabemos que ele não serve – adiantou-se João novamente. – Se tivesse mesmo boas intenções, não a levaria para o meio do mato.

– Você faz parecer que ele armou uma emboscada só para me atrair para o mato e me seduzir. Mas não foi nada disso. Não fomos para o meio do mato. Entramos um pouco na floresta e caminhamos por entre as flores. Depois, fomos até o córrego e paramos sob as árvores. Vêem como é diferente? Seria até bonito e romântico, se vocês não fizessem parecer sórdido e imoral.

– Minha filha... – a mãe tentou argumentar.

– Não, não precisam falar mais nada. Eu já entendi. Sua intransigência beira as raias da insensatez, mas como sou sua filha, tenho que me curvar à sua vontade e obedecer, não é assim? Só o que posso lhes dizer é que lamento essa atitude injusta e cruel. Vocês me decepcionam e me entristecem, e só o que posso pensar é que realmente desconheço meus pais.

Virou as costas e foi saindo em direção às escadas, tentando não desabar no pranto ali, na frente deles. João fez sinal de que ia segui-la, mas Antônia o impediu.

– Deixe, querido, deixe que ela se vá. Talvez tenhamos exagerado um pouco. Não devíamos ter sido tão duros com ela. Devíamos saber que isso só serviria para aproximá-la ainda mais desse rapaz.

– Isso não pode ficar assim, Antônia. Se eles namoram... pior, se eles se casam, o que será de nós?

– Não sei, João, nem quero saber. Só o tempo é que nos dirá.

Temendo pelo futuro, Antônia abraçou o marido, e ele desatou a chorar, agarrado a ela feito uma criança. Queria deter o curso daquela tragédia, mas sentia, em seu íntimo, que pouco ou nada poderia fazer. Sentia-se como um barco à deriva, solto nas águas turbulentas de um imenso rio. E o que lhe restaria fazer senão aquietar-se e conformar-se com o destino de ser atirado na imensidão do mar?

***

Marisa jogou-se na cama, chorando copiosamente. Não entendia como os pais podiam ter mudado tanto. Não havia nada no comportamento de Vinício ou de Lídia que justificasse aquela mudança. Ambos eram finos e educados, provinham de boa família e eram pessoas decentes. Por que os pais implicavam com eles daquela forma?

O mais difícil seria explicar aos dois que os pais não queriam mais conhecê-los e que ambos estavam proibidos de freqüentar a sua casa. E, pelo visto, ela também não poderia mais visitá-los. Não era justo. Gostava muito de Lídia, e Vinício era o seu amor. Não via motivos para afastar-se dele e não pretendia obedecer.

Angustiada, pegou o telefone e ligou para Sandra. Os acontecimentos dos últimos dias a haviam afastado um pouco de Sandra, mas ela continuava sendo sua melhor amiga. Conheciam-se há muitos anos, e Sandra saberia compreendê-la. A própria Sandra foi quem atendeu:

– Alô?

– Alô, Sandra? Sou eu, Marisa.

– Tudo bem? Como foi a volta para casa?

– Você nem pode imaginar o que aconteceu.

– O quê?

– Não posso falar por telefone. Será que você não poderia vir dormir aqui hoje?

– Vou falar com mamãe, mas acho que não terá problema.

– Ótimo. Espero-a mais tarde.

Desligaram. Do outro lado da linha, Sandra se perguntava o que havia acontecido para Marisa lhe telefonar daquela maneira. Tomou o bonde e foi para a casa da amiga. Quando chegou, já eram quase sete horas, e a família ainda não se reunira para o jantar. Sandra tocou a campainha e foi recebida por um dos criados, que logo a introduziu na casa. Marisa trancou-se no quarto com ela e contou-lhe tudo o que se havia passado nas últimas horas. Sandra escutou atentamente, demonstrando indignação ante as palavras de João e Antônia, que Marisa ia fielmente repetindo. Quando ela terminou, em lágrimas, Sandra a abraçou e falou com fingida preocupação:

– Não fique assim, querida. Tenho certeza de que seus pais só estão tentando protegê-la.

– Você está do lado deles!

– É claro que não. Mas que bobagem. Eu estou do seu lado, assim como eles.

– Se eles estivessem do meu lado, não teriam feito o que fizeram. Implicar com Vinício e com Lídia assim dessa forma, a troco de nada. Não é justo!

– Eles apenas ficaram zangados porque Vinício entrou sozinho com você na floresta. Mas também, Marisa, cá entre nós, foi muita imprudência de vocês. Então não sabiam que Damião estaria voltando por ali?

– Mas nós não fizemos nada de errado!

– Eu sei, mas as aparências falam em contrário. Tente colocar-se no lugar de seu pai. Ele é homem e pode imaginar o que Vinício poderia ter feito a você.

Ela pensou por uns minutos, até que considerou:

– Talvez você tenha razão. A princípio, até concordo que eles pensassem assim. Mas depois de tudo explicado, deveriam entender. Só que eles não aceitam e não querem nem que Vinício venha até aqui para falar com eles.

– Dê-lhes tempo, Marisa. Você já explicou tudinho. Eles só precisam assimilar o que você disse.

– Enquanto isso, como farei para me encontrar com ele? Meu pai chegou ao absurdo de me proibir de ir à escola essa semana.

– Acho melhor você não o ver por uns tempos.

– Não posso! Já estou morrendo de saudades.

– É só por uns dias, até que tudo se acalme.

– Não vou suportar, Sandra.

– Por que não telefona para ele?

– Não posso. Depois que falei com você, meu pai veio aqui e desligou minha extensão. Se quiser falar ao telefone, tem que ser lá na sala.

– Hum... seu pai está dificultando as coisas. Mas não se preocupe. Darei um jeito de transmitir um recado seu a Vinício.

– Você faria isso por mim?

– É claro que faria. Afinal, sou sua melhor amiga.

– Oh! Sandra! Você é a amiga mais maravilhosa do mundo!

Marisa abraçou-se a ela, comovida e feliz com a sua amizade, sem nem perceber o estranho brilho que perpassara o olhar de Sandra. Estava iniciado o jogo, e Sandra faria o possível para sair vencedora.

7

O que estaria acontecendo com a sua vida? Por mais que se esforçasse, João não conseguia entender. Durante todos aqueles anos, vivera sob a sombra de seu passado, sufocando no íntimo o medo de que ele ressurgisse das sombras. Nos primeiros anos, fora difícil. Sentia-se inseguro, atormentado pelas lembranças dos fantasmas de suas vítimas, com medo de encontrar um parente ou conhecido de alguém que matara. Não fosse por Antônia, não sabia se teria conseguido. A mulher sempre lhe dera todo o apoio e lhe mostrara que não havia o que temer. Sua vida de jagunço ficara para trás, no sertão do Ceará, e agora ele era um respeitável empresário no Rio de Janeiro. Quem iria desconfiar?

E depois, havia Marisa. Mesmo antes de lhe salvar a vida, amava-a como filha. Ela era sua filha. Sua e de Antônia. João poderia suportar qualquer coisa, menos perder a filha adorada. Tremia só de pensar que, um dia, ela pudesse voltar-se contra ele. Marisa nem de longe sonhava que não era sua filha de verdade. Pior ainda, sequer imaginava o trágico destino que fora imposto a seus verdadeiros pais. O que diria se descobrisse que fora ele, o pai que amara a vida inteira, que assassinara cruelmente seus pais? Seria capaz de perdoá-los, a ele e a Antônia, por tão miserável covardia?

A seu lado, invisível, Kedar acompanhava seus pensamentos. Em dezoito anos de fuga, o espírito das sombras permanecera junto a ele, protegendo-o de possíveis vingadores, mantendo afastados os espíritos daqueles que João assassinara e que eram menos esclarecidos. Muitos clamavam por vingança e teriam até conseguido, não fosse a constante intervenção do poder das trevas. Mas tudo aquilo tinha um propósito. Kedar e Conrado eram inimigos de muitas vidas, e o espírito das sombras mal podia esperar o momento de se vingar de seu antigo desafeto. E João serviria a seus propósitos. Os três estavam ligados por uma forte inimizade do passado, e Kedar jurara vingar-se de Conrado.

As atitudes comprometedoras do passado, através das quais se conquistam inimigos implacáveis, acabam gerando perseguições que se prolongam por sucessivas vidas, como no caso de Conrado e Kedar. Preso pelos grilhões da intolerância, Kedar não conseguia se desvincular do ódio que sentia por Conrado. Como não podia atingi-lo diretamente, procurava fazê-lo por intermédio de algum espírito desencarnado que estivesse preso por uma sintonia de compromissos gerados pelos crimes de João, para os quais sempre contou, ainda que de forma inconsciente, com a ajuda de Kedar.

Apesar de João o haver traído e pedido ajuda aos espíritos de luz, Kedar não se zangara. Sabia que, com sua volta, seria mais fácil atingir Conrado e ficou aguardando. Assim que se tornou possível aproximar-se de João, colou-se a ele e passou a inspirar-lhe desejos assassinos. Não fora difícil, porque João estava habituado a matar. Sempre fora um homem cruel e acostumado ao sangue e a matanças.

Sem nada perceber, João andava de um lado para outro em seu quarto, pensando que atitude deveria tomar para impedir a amizade de Marisa com aquela família. Já a proibira de se encontrar com aquele rapaz e sua irmã, mas não contava com uma obediência cega da filha. Ela estava apaixonada pelo tal Vinício, o que seria muito perigoso. Precisava agir com cautela ou acabaria perdendo o amor de Marisa para sempre. Tinha que encontrar um jeito de afastá-la daquele moço sem levantar suspeitas nem colocá-la contra ele.

De repente, sentiu uma quase inspiração. E se fosse dar uma espiadinha em Conrado? Poucas vezes haviam-se encontrado cara a cara, e talvez o homem não se lembrasse de sua fisionomia. E ele? Será que se lembraria do antigo delegado? Resoluto, apanhou o paletó e saiu. Algum tempo depois, estava parado na porta do tribunal, à espera de que ele saísse. Teve que esperar até o fim da tarde, pacientemente, sobressaltando-se a cada figura masculina e imponente que deixava o tribunal. Mas nenhum daqueles homens era Conrado, e ele já estava começando a impacientar-se. Será que não o reconhecia mais?

Subitamente, reparou em um senhor vistoso e bem apessoado, descendo as escadas em companhia de outros dois senhores um pouco mais velhos. Era ele, sim. Nem que se passassem cem anos, jamais esqueceria aquele rosto. Os anos haviam sido generosos com ele, e Conrado estava muito bem. Sempre fora um homem bonito e não parecia muito velho. Pelo visto, tivera uma carreira brilhante e veloz, alcançando o topo em pouco tempo. Era o que dava ser tão certinho e honesto.

Sem perceber a presença do outro, Conrado se despediu dos companheiros e parou na beira da calçada, onde um automóvel estava estacionado. O motorista saltou e abriu-lhe a porta, e João viu quando Conrado entrou. O carro passou bem a seu lado, mas Conrado não lhe prestou a menor atenção. Se o tivesse visto, acharia que era apenas mais um homem parado na multidão e jamais o associaria ao velho Januário de outros tempos.

O problema era que João, em sua loucura e dominado pelo medo e a culpa, não via as coisas dessa forma. Para ele, Conrado seria sempre o delegado, e ele, o criminoso. E um homem da lei jamais apagaria da mente o semblante daqueles a quem perseguira. Jamais.

***

Na noite seguinte, Conrado voltou para casa à hora de sempre, e Malvina o recebeu com a costumeira alegria. Ele a beijou suavemente no rosto e perguntou com ar cansado:

– Onde estão as crianças?

– Vinício ainda não chegou, e Lídia está lá dentro com uma nova amiga.

– Marisa?

– Não, Sandra. Lídia já nos falou sobre ela.

– Não é aquela com quem não simpatizou muito?

– Essa mesma.

– E o que ela veio fazer aqui?

– Não sei. Parece que veio trazer um recado de Marisa.

– Um recado? Por que não se falaram na escola ou Marisa não telefonou?

– Não sei ao certo. Parece que Marisa não foi à aula hoje.

– Estranho...

Malvina deu de ombros e finalizou:

– Coisas de garotas. Isso passa.

Conrado não respondeu e foi para o quarto. Precisava de um banho bem quente antes do jantar para espantar o frio. Passou pela porta do quarto da filha e ficou tentado a bater, mas não se deteve. Se Lídia estava com visitas, talvez fosse melhor não se intrometer. Cerca de uma hora depois, ele apareceu para o jantar. Malvina terminava de dar as últimas ordens, e ele reparou que havia mais um lugar à mesa.

– Temos visitas? – indagou.

– Convidei Sandra para o jantar.

– Ah...

Passados alguns minutos, Vinício também chegou e foi aprontar-se. Assim como o pai, reparou no outro prato à mesa e sorriu satisfeito. Estava tão certo de que era para Marisa que nem perguntou nada. Correu para o quarto e se esmerou na toalete. Queria impressionar sua amada.

Quando desceu, qual não foi o seu espanto ao encontrar Sandra confortavelmente instalada no lugar que deveria ser de Marisa. Olhou para a irmã sem entender nada e fitou a outra com ar de indagação.

– A que devemos a honra de sua visita? – perguntou a Sandra, tentando ocultar a decepção e a contrariedade.

– Sandra veio conversar comigo – adiantou-se Lídia, como que se justificando por aquela visita inesperada.

– E eu a convidei para jantar – completou Malvina.

Sem dizer nada, Vinício sentou-se e esperou até que o servissem. Malvina, como sempre, se esmerava na atenção a Sandra, mas ele mal conseguia esconder o desagrado. A última pessoa que esperava encontrar ali era ela. Depois de tudo o que lhes acontecera, não pensou que ela tivesse a ousadia de ir procurá-lo em sua casa. O que será que pretendia? Fazer intrigas com sua irmã ou com sua família?

Inesperadamente, contudo, não era Vinício quem prendia a atenção de Sandra. Ao se oferecer para procurá-lo, tencionava tentar alguma investida discreta. Mas a visão de Conrado encheu-a de admiração e desejo, e ela mal conseguia disfarçar os olhares sedutores que lhe dava. Vendo aquele homem tão másculo e viril, com algo de selvagem e rude no olhar, seu corpo todo estremeceu, e ela sentiu como uma febre a arder lhe por dentro. Efetivamente, aquele era o tipo de homem com quem gostaria de estar.

Pouco depois do jantar, Sandra se despediu. Estava ficando tarde, e sua mãe já deveria estar preocupada.

– Deixe que Vinício a leve em casa – sugeriu Malvina.

– Ora, d. Malvina, não é necessário – protestou Sandra, ao mesmo tempo em que torcia para ele aceitar. – Posso tomar um ônibus.

– Absolutamente. Seria uma grosseria Vinício permitir que uma moça saísse sozinha por aí a essas horas. Ele vai levá-la em casa e não se fala mais nisso. Não vai, meu filho?

– É claro – concordou Vinício de má vontade, indo apanhar a chave do carro e voltando logo em seguida. – Vamos?

Sandra se despediu de todos, lançando para Conrado um último olhar de admiração. Já no carro, Vinício deu partida ao motor e, logo que o automóvel ganhou a rua, perguntou com mal contida curiosidade:

– O que veio fazer aqui?

– Na verdade, Vinício, vim trazer um recado de Marisa.

– De Marisa? Por quê? Por que não veio ela mesma ou telefonou?

– Porque não pode.

– Como assim, não pode? O que você lhe contou? Disse-lhe algo sobre nós? Você prometeu, Sandra!

– Deixe de ser tolo, Vinício. Não disse nada. Eu prometi, não foi? – ele assentiu. – Marisa não pode lhe telefonar porque o pai não deixa.

– Não deixa? Como assim?

– Foi para isso que vim até aqui. Para lhe dizer que Marisa teve uma briga com seus pais e está proibida de se encontrar com você. Nem à escola pode ir essa semana, até as coisas se acalmarem.

– O quê!? Mas como? Por quê? O que foi que eu fiz?

– Francamente, Vinício, não acha que passou dos limites? Marisa não é como eu.

– Isso é fácil de se perceber.

– Vai ofender-me? Porque se vai, pode me deixar ali mesmo na esquina. Aliás, isso não deve ser nada para você. Já está acostumado a deixar as moças sozinhas na rua, no meio da noite, não é?

Vinício abaixou os olhos, envergonhado. Tratara Sandra muito mal da última vez em que a encontrara e não queria repetir aquela indelicadeza.

– O que foi que eu fiz para desgostar os pais de Marisa? – tornou, tentando ignorar sua observação maldosa.

– Sabia que vocês foram vistos por Damião?

– Que Damião?

– O motorista, ora essa. O mesmo que você dispensou para levar Marisa em casa.

– E daí?

– E daí que ele viu vocês lá na floresta e contou tudo para *seu* João e d. Antônia.

– Então é isso... mas não era preciso brigar. Posso ir até lá e explicar tudo. Marisa e eu estamos apaixonados, e minhas intenções são das mais sérias.

– Sei disso, e ela também. Mas não creio que seja uma boa idéia você ir falar com os pais dela agora. Eles estão bastante aborrecidos.

– É por isso mesmo que preciso ir até lá e me explicar. Não quero que eles pensem que sou um aproveitador ou algo parecido.

– Escute o que estou dizendo, Vinício, e não vá lá agora. Deixe as coisas se acalmarem primeiro.

– Se eu não for até lá, aí mesmo é que eles vão ficar pensando que eu só queria aproveitar-me de Marisa.

– Você está sendo muito tolo. Marisa não vai poder falar com você agora. Dê um tempo para que as coisas se acalmem e espere até que ela o chame. Quando seu João estiver mais calmo, ela vai procurá-lo.

Com um olhar de dúvida, Vinício tornou desconfiado:

– Será que posso confiar em você, Sandra? Será que você não está fazendo isso só para me afastar de Marisa?

– Não seja pretensioso, meu bem. Você não é o único homem no mundo nem o mais interessante.

– Desculpe-me – falou envergonhado.

– Não precisa desculpar-se. Sei que agi de forma inaceitável com você naquele dia, mas é que estava confusa. Pensei que estivesse apaixonada.

– E não está?

– É claro que não. Você é um rapaz simpático, bonito, inteligente, mas falta-lhe algo que considero essencial num homem.

– O que é?

– Coragem.

Vinício pisou no freio bruscamente e encarou-a perplexo.

– Como é que é? Coragem é o que não me falta.

– No sentido do herói destemido, pode ser. Mas você não é o tipo de homem que tenha coragem suficiente para assumir uma mulher feito eu.

– Como assim?

– Sou uma mulher liberada, Vinício, e isso assusta muitos homens. Não são todos que estão dispostos a expor a sua reputação nas rodas sociais para serem vistos ao lado de mulheres do meu tipo. Só os mais corajosos conseguem despir-se do preconceito que a sociedade lhes incute e assumem publicamente garotas liberais.

– É assim que você se chama? De liberal?

– Você pode dar o nome que quiser: vadia, vagabunda, piranha... não me importa. O fato é que você não é homem bastante para mim.

– Isso é um absurdo!

– Não devia ficar aborrecido, Vinício. Ao contrário, devia até me agradecer. Não era isso que queria? Ficar livre de mim para poder namorar Marisa à vontade? Pena que o pai dela não vai permitir.

Ele mordeu os lábios, ainda tentando avaliar o que lhe havia desagradado mais, se o fato de Sandra se desfazer dele com tanto desdém ou do pai de Marisa estar tentando impedi-la de vê-lo.

– Será que Marisa sabe quem realmente você é? – perguntou com uma certa raiva.

– Por quê? Pretende contar-lhe?

– Você não presta, Sandra.

– Não entendo por que está me agredindo novamente. Fiz o que você queria, não fiz? Deixei-o em paz, não deixei? Então, por que me ofende dessa forma? Será que é porque não aceita ser desprezado?

– Ridículo! E nem sei se acredito no que você diz.

– A mim, pouco importa. Se você acredita ou não, é problema seu. Não estou interessada em você e só vim mesmo procurá-lo a pedido de Marisa. Não fosse por ela, você jamais tornaria a me ver.

– Por que estamos brigando? – retorquiu ele, em tom menos hostil.

– Foi você quem começou a me ofender.

– Está certo, Sandra, perdoe-me. Não era minha intenção ofendê-la. Mas é que você me chamou de covarde, e isso me indignou.

– Pois não devia.

– Acha mesmo que sou um covarde? Que não fico com você por falta de coragem de assumi-la diante de todos? – ela deu de ombros. – Pois está enganada. Em primeiro lugar, acho que você não sai por aí narrando aos quatro cantos o que faz de sua vida, não é? E isso não me assusta. Se a amasse, ficaria com você de qualquer jeito, e ninguém precisaria saber dos seus deslizes.

– Olhe, Vinício, você mesmo me perguntou por que estamos brigando. Pois bem, não é minha intenção brigar com você. Só vim procurá-lo para prestar um favor a Marisa. Se não quer acreditar, o problema é seu. Só não quero desgastar-me ainda mais com você.

Você não me quer, e eu descobri que não o amo. Por que não podemos deixar tudo como está e nunca mais tocar no assunto?

– Você é quem sabe.

Franziu o cenho e encerrou o assunto. Em pouco tempo haviam chegado à casa de Sandra. Ela saltou rapidamente e falou, com a mão ainda segurando a porta:

– Lembre-se apenas do que lhe disse: não procure Marisa nesse momento. Espere até que ela o chame ou porá tudo a perder.

Rodou nos calcanhares e saiu sem se despedir, entrando em casa rapidamente, rindo do espanto que lhe causara. O idiota pensava mesmo que ela havia desistido dele. Pois que pensasse! Quanto mais achasse que ela o rejeitava e desprezava, mais ele iria interessar-se por ela. Nem que fosse por uma questão de orgulho, para lhe mostrar que não era nenhum covarde.

8

Já se haviam passado três dias desde que Sandra fora procurá-lo, e Vinício ainda não resolvera aparecer. Presa dentro de casa, sem nem ir à escola, Marisa não sabia o que estava acontecendo e se sentia deprimida e frustrada. Por onde andava Vinício? Os pais evitavam tocar no nome do rapaz e pareciam satisfeitos com seu sumiço. Será que Sandra lhe dera o recado? Tentou falar com ela ao telefone diversas vezes, mas não conseguiu. Na certa, tinha tido que ir ajudar a mãe em casa de Marocas, como acontecia às vezes.

Nesse dia, na hora do almoço, Sandra apareceu, ainda trajando o uniforme de normalista. Marisa mal conseguia esconder a ansiedade e tratou logo de ir trancar-se com ela no quarto.

– Por Deus, Sandra! – começou, quase sentindo o coração sair pela boca. – Por que demorou tanto a me procurar?

– Não pude vir antes. Minha mãe me pegou para ajudar em casa de d. Marocas. Passei três dias terríveis, faxinando a casa daquela velha depois das aulas.

Em outras circunstâncias, Marisa teria repreendido Sandra pelo seu jeito de falar da madrinha. Mas estava tão ansiosa por notícias de Vinício que praticamente ignorou o seu comentário desrespeitoso.

– Então? – continuou. – Conseguiu falar com ele?

– Consegui.

– Graças a Deus! E como é que foi?

– Bem, quando cheguei, ele não estava, e eu tive que contar tudo a Lídia, como você mandou. Vinício só chegou na hora do jantar e me levou em casa. Foi quando consegui contar-lhe tudo pessoalmente.

– E ele? Como reagiu?

– Pareceu-me bastante transtornado.

– Não disse nada?

– Não.

– Estranho. Pensei que fosse esbravejar e irromper pela minha casa para explicar tudo a meu pai.

– Marisa, tem certeza de que Vinício é como você pensa que ele é?

– Como assim?

– Quero dizer, tem certeza de que ele não é mesmo nenhum aproveitador?

– Sandra! Como pode dizer uma coisa dessas? Você o conhece, sabe que ele me ama.

– Pensando bem, Marisa, o que é que nós sabemos desse moço além do que ele nos conta?

– Não acredito que você esteja dizendo isso. O que foi que deu em você? Ficou contaminada pelas insinuações idiotas do meu pai?

– Não é isso. Mas é que acho que ele devia vir vê-la e esclarecer tudo. Você não acha?

– Bom, isso é mesmo. Pensei que fosse a primeira coisa que quisesse fazer.

– Não acha estranho que ele não queira vir?

Marisa ficou pensativa. Precisava descobrir o que havia com Vinício. Esperou até que Sandra se despedisse e aprontou-se toda para sair. Aproveitando que a mãe não estava por perto, atravessou a sala às pressas e saiu à procura de Damião.

– Boa tarde, Marisa – cumprimentou Damião. – Quer alguma coisa?

– Vamos sair.

Ele a olhou em dúvida e considerou:

– Seu pai não quer que você saia.

– Não seja tolo! Acha que eu estaria aqui sem a permissão dele?

Marisa não costumava mentir, mas, naquelas circunstâncias, era a única maneira de conseguir sair de casa.

– Muito bem – assentiu o motorista, que, embora hesitante, não se atreveu a colocar em dúvida as palavras dela. – Para onde vamos?

– Ao Jardim Botânico.

– Onde, ao Jardim Botânico?

Ela lhe deu o endereço da casa de Vinício, e Damião seguiu para lá em silêncio. Ao chegar à sua porta, Marisa ainda hesitou por alguns minutos. Não havia telefonado para avisar de sua visita. E se Vinício não estivesse ou não quisesse recebê-la? Bem, isso não importava. Ainda tinha Lídia, e era com ela que pediria para falar.

– Dê uma volta por aí e venha me buscar às cinco horas – pediu.

– Não me leve a mal, Marisa – ponderou Damião. – Sabe que nunca me meti na sua vida, mas não acha que seu pai vai ficar aborrecido se souber que você esteve aqui? Ainda dá tempo de desistir e voltar.

Ela titubeou. Morria de medo de que o pai descobrisse aonde fora. Por uns instantes, sentiu-se mesmo tentada a desistir e voltar para casa. Era fácil, bastava mandar que Damião seguisse adiante, mas algo dentro dela não queria desistir, e ela, lábios trêmulos, contestou vacilante:

– Não, Damião. Lamento por meu pai, mas isso é algo que preciso fazer. Gostaria apenas que você não dissesse nada a ele.

– Não posso fazer isso, Marisa. Ele vai exigir que eu lhe diga.

– Você não precisa obedecer.

– Se não obedecer, perco o meu emprego.

Ela fitou os seus olhos escuros pelo retrovisor e suspirou sentida. Não queria que ele fosse despedido, mas também não podia voltar atrás em sua decisão.

– É uma pena – murmurou. – No entanto, faça o que tem de fazer. Quanto a mim, farei a minha parte.

Abriu a porta do carro e saltou resoluta. A conversa com Damião enchera-a de ânimo. Não era possível que um homem só pudesse controlar a vida de tanta gente. Se Damião temia o pai, e ela entendia bem o porquê, deixaria a ele o encargo de obedecer-lhe as ordens. Quanto a ela, não gostaria de enfrentá-lo diretamente, mas, se Damião não lhe deixava alternativas, era isso mesmo o que iria fazer. Aproximou-se do portão principal, respirou fundo e tocou a campainha. Em poucos instantes, uma empregada veio abrir e reconheceu-a de imediato.

– Boa tarde. Lembra-se de mim? Sou Marisa, amiga de Lídia. Ela está?

A criada assentiu e chegou para o lado, deixando Marisa entrar. Conduziu-a até a sala, onde Malvina estava sentada, e anunciou o seu nome.

– Marisa! – exclamou Malvina, correndo a abraçá-la. – Que surpresa. Entre, minha filha, por onde andou? Lídia me disse que tem faltado às aulas.

– Andei meio adoentada, d. Malvina, mas já estou bem.

– Nada sério, espero.

– Não, só uma gripe.

– Que bom! Lídia vai ficar feliz de vê-la aqui.

– Ela está?

– Está lá no quarto. Por que não sobe e vai falar com ela?

Com um sorriso tímido, Marisa foi bater à porta do quarto da amiga, que gritou lá de dentro:

– Pode entrar!

Marisa rodou a maçaneta e entreabriu a porta.

– Será que não a incomodo? – adiantou-se, com um sorriso espontâneo e natural.

– Marisa! Que felicidade vê-la! Estava sentindo muito a sua falta.

– Por que você não me telefonou? – revidou, fazendo beicinho.

– Sandra disse que seus pais estavam zangados.

– E estavam... quero dizer, estão.

– O que foi que houve, Marisa? Sandra falou algo sobre eles estarem aborrecidos porque você e Vinício foram vistos juntos na floresta. Disse ainda que, por causa disso, você está proibida de nos ver e até de ir à escola. Isso é verdade?

Marisa corou. Como contar à amiga que seus pais haviam enlouquecido e a proibiram mesmo de falar com eles? Como explicar a ela que eles julgavam, ela e toda a sua família, indignos de sua confiança e de sua amizade? Como repetir as barbaridades que o pai dissera sobre eles? Não conseguia.

– Lídia – começou encabulada –, meu pai é um homem simples.

Veio lá do norte e sempre viveu para o lar e a família. Ficou chocado com o que Damião lhe contou. Acho que jamais pensou que sua princesinha pudesse um dia encontrar o príncipe encantado.

– Mas e eu, Marisa? Por que se zangou comigo?

– Bem, ele pensa que você arranjou tudo com Vinício. Sentiu-se um pouco traído, foi só.

– Foi só? Ele praticamente a afastou de nós. Tenho sentido muito a sua falta, e Vinício então, nem se fala!

– Por falar em Vinício, onde está ele?

– Ainda não chegou do trabalho.

– Queria tanto falar com ele... explicar o que aconteceu.

– Sandra já se encarregou de fazer isso por você.

– Ela tem sido ótima. É a única pessoa em quem posso confiar nessa situação.

– Não sei, Marisa. Há algo em Sandra que não me agrada.

– Você não simpatizou com ela desde o início, não foi? Vamos, pode falar.

Lídia hesitou, mas acabou confessando:

– É verdade, Marisa. Eu bem que tentei, mas acho Sandra muito esquisita. Parece-me o tipo de moça capaz de qualquer coisa para subir na vida.

– Isso pode até ser, mas em termos. Sandra tem sonhos de arranjar um marido rico, mas é minha amiga e não me trairia.

– Tem certeza?

– Absoluta. Como disse, ela é a única com quem posso contar e tem-se mostrado muito compreensiva.

– Quanta bondade! Não sabia que tinha vocação para freira.

– Não precisa ser irônica, Lídia. É verdade, Sandra sempre foi minha amiga.

– Ouça, Marisa, quem sou eu para tentar destruir a amizade de vocês duas? Sei que você e Sandra se conhecem de toda a vida, e eu a conheço apenas há pouco mais de um mês. É natural que confie muito mais nela.

– Não se trata disso. Gosto de você e confio muito em você

também. Apenas acho que você teve uma impressão errada de Sandra. Ela pode ser meio maluquinha, um pouco debochada e interesseira, mas é uma boa pessoa.

– Está certo, deixe isso para lá. O importante é que você está aqui e precisa falar com Vinício. Ele vai ficar muito feliz em vê-la.

– Não posso demorar-me muito, Lídia. Meu motorista vai contar a meu pai onde estive e com quem.

– Ele está espionando você?

– Não. É um bom homem, mas tem medo de perder o emprego.

– Quer dizer que você veio até aqui escondida?

– Vim. No fundo, acho tudo isso muito estranho. Meu pai está se comportando de uma maneira que eu nunca antes havia visto. Ele sempre foi amoroso e compreensivo, interessado nos meus assuntos e nos possíveis namorados. Não sei por que tanto alarde por tão pouco.

– Como você mesma disse, ele é um homem antiquado e deve temer que façam mal a sua única filha.

– Vinício poderia ter explicado tudo. Se ao menos tivesse ido procurar-me...

– Ele bem que pensou em ir, mas Sandra o convenceu de que você o procuraria no momento certo, quando tudo estivesse resolvido.

– Ela disse isso? – estranhou. – Sandra deve ter entendido mal. Eu não falei nada disso.

– É, vai ver que ela entendeu tudo errado.

– Provavelmente. Sabe como às vezes podemos nos enganar.

– É bom que pense assim, pois é você que pode estar se enganando, amiga.

– Não vamos falar mais de Sandra, está bem? – pediu Marisa, um tanto quanto transtornada. – Vim aqui para falar com você e Vinício porque gosto muito dos dois. Você é minha amiga, e ele... acho que já percebeu o quanto estou apaixonada por ele.

– Já sim. E ele, por você.

– Oh! Lídia, tem certeza?

– Ele não fala em outra coisa, a não ser você.

– Preciso falar com ele.

– Por que não o espera chegar?

– Ele vai demorar?

– Deve estar em casa lá pelas sete horas.

Marisa consultou o relógio, e respondeu desapontada:

– Creio que não vou poder mesmo esperar. Já saí sem dizer aonde ia e não quero abusar.

– Seu pai vai saber aonde você foi, de qualquer jeito.

– Isso é verdade – ela hesitou por alguns minutos, mas acabou decidindo-se: – Quer saber, Lídia? Vou esperar. Meu pai já deve mesmo estar zangado. Um pouquinho a mais ou a menos não vai fazer diferença.

– Assim é que se fala! – Lídia sorriu e apertou sua mão. – Quer que eu ligue para Vinício e avise que você está aqui?

– Não, gostaria de fazer-lhe uma surpresa.

– Ele vai adorar essa surpresa. Vem sonhando com ela há dias.

As duas sorriram e se abraçaram, e Lídia ficou satisfeita. Torcia muito para que Marisa e Vinício se entendessem, mas longe daquela víbora da Sandra. Por mais que Marisa confiasse nela, Sandra não a enganava. Tinha certeza de que ela estava de olho em Vinício e faria de tudo para conquistá-lo.

***

Enquanto isso, Antônia se preocupava. Dera pela falta de Marisa pouco depois que ela saíra, e João não gostaria nada de saber disso quando voltasse do trabalho. Por volta das quatro e meia, não resistiu mais. Apanhou o telefone e ligou para Sandra.

– Alô, Sandra? Por acaso Marisa está aí com você?

– Não, d. Antônia, por quê?

– Ela saiu logo depois que você foi embora e ainda não voltou. Pensei que talvez tivesse ido à sua casa.

– Não, por aqui ela não apareceu.

O silêncio do outro lado da linha demonstrava nitidamente a

perplexidade de Antônia, que não sabia bem o que fazer. Após alguns minutos, ela agradeceu e desligou, deixando Sandra deveras aborrecida. Será que Marisa havia ido procurar Vinício? Precisava descobrir. Apanhou as Páginas Amarelas e encontrou o número do Ministério da Marinha, onde Vinício trabalhava, e ligou para lá, pedindo para falar com ele. Deram-lhe um outro número, depois outro e mais outro, até que ela conseguiu localizá-lo. Quando ele atendeu, ela esperou alguns instantes, para se certificar de que era ele mesmo, e desligou assim que teve certeza de que era a sua voz.

Mais que depressa, trocou de roupa e saiu. Tomou o ônibus e desceu em frente ao ministério. Quando Vinício saiu, ela esperou até que ele se afastasse um pouco e cruzou o seu caminho, apressada, esbarrando nele como se não o visse.

– Vinício! – exclamou, fingindo surpresa. – O que faz aqui?

– Eu é que lhe pergunto. Trabalho logo ali, e você?

– Vim apenas visitar uma amiga que trabalha aqui por perto.

Meio sem jeito, ele acenou com a cabeça e retrucou lacônico:

– Bem, adeus, então.

– Já vai? Por que a pressa? Tem algum encontro?

Ele franziu o cenho e tornou mal-humorado:

– A única mulher com quem desejo encontrar-me está impedida de me ver. Por esse motivo, não tenho encontro com ninguém.

Ótimo, pensou Sandra, era tudo o que queria. Vinício não ia encontrar-se com Marisa e, mesmo que ela estivesse em sua casa, estava claro que ele não sabia.

– Por que está tão zangado? – indagou ela, fingindo-se ofendida.

– Não estou zangado.

– Será que não podemos esquecer o que houve entre nós e ser amigos? – retorquiu ela, estendendo-lhe a mão.

Ainda hesitante, Vinício tomou-lhe a mão e a apertou com uma certa insegurança, para depois apertá-la com mais intensidade. Sem que ele percebesse, Sandra foi caminhando pela rua, sem destino, até que alcançaram um café e se sentaram.

– Você tem razão – concordou ele, após pedirem uma bebida. – Não há motivo nenhum para não sermos amigos.

– Ainda mais porque você e Marisa são namorados, e eu sou a melhor amiga dela. Você e eu vamos ter que aprender a conviver pacificamente. De minha parte, não haverá nenhum problema. Espero que, da sua, também não.

– Não, claro que não... isto é, se você não confundir as coisas.

– Você insiste em retornar a esse assunto. Para mim, o que passou, passou, foi bom, mas acabou. Já lhe disse que me enganei e não tenho interesse algum em você. Você é um rapaz muito bacana, mas não é nem o meu tipo. Agora, se você não acredita nisso ou se tem dificuldades para aceitar, então, é melhor mesmo que não nos encontremos mais.

– Não... – tornou confuso – ...não se trata disso. É que você falou tantas coisas...

– Já lhe disse que foi tudo ilusão, eu estava envolvida por aquele momento. Agora que já passou, posso raciocinar com mais clareza e cheguei à conclusão de que não é isso o que eu quero.

– Como assim?

– Você não é o homem ideal para mim, já disse. Sem querer desfazer de você, é claro. Você é um excelente rapaz e daria um marido exemplar, do tipo certinho, mas não é isso o que quero para mim. Gosto de ser independente e procuro homens que correspondam a esse meu anseio.

– E por que eu não corresponderia?

– Porque você é um pouco antiquado – notando o seu desagrado, tentou consertar: – Quero dizer, você não é o tipo de homem que saiba valorizar as conquistas de uma mulher.

– Como pode dizer isso, Sandra? Tenho o maior respeito pelas mulheres.

– Não disse que não. Mas você não vê as mulheres como iguais, vê?

– E são?

– Certamente! Veja eu, por exemplo. Em minha busca de

liberdade, pretendo formar-me e cursar uma universidade – mentiu. – Não quero contentar-me em ser boa esposa e boa mãe. Quero ser boa profissional.

– Universidade? O que pretende cursar, pedagogia?

– Não. Isso é muito óbvio para as mulheres, não acha? Quero ser engenheira ou arquiteta.

Sandra mentia deslavadamente. Cursar uma universidade jamais esteve em seus planos. O que queria era casar-se com um homem rico que lhe proporcionasse uma vida tranqüila e luxuosa, sem preocupações com dinheiro ou com trabalho. Tiraria a mãe daquele emprego medíocre e a levaria para viver com eles, e ela nunca mais teria que trabalhar para Marocas ou qualquer outra dondoca de sociedade.

– Não sabia que suas pretensões eram tão altas – observou ele, agradavelmente surpreso.

– Por quê?

– Sinceramente, Sandra, não pensei que você fosse esse tipo de mulher.

– Eu o surpreendi?

– Muito.

Ela deu uma gargalhada e olhou por cima do ombro de Vinício, para o relógio na parede do café. Já passava das sete, e ele ainda nem se dera conta de que estava conversando com ela havia quase uma hora. Mas seu trabalho ainda não estava terminado. Tinha quase certeza de que Marisa estava em sua casa e não pretendia dar a Vinício a chance de encontrar-se com ela.

Estavam conversando sobre assuntos variados quando ela percebeu a entrada de um rapaz no bar. Era alto, louro e muito bonito. O rapaz cumprimentou o balconista e foi se sentar a uma mesa do outro lado, pedindo uma dose de uísque. O garçom o serviu, e ele pôs-se a bebericar, olhando distraidamente ao redor. Seus olhos percorreram todo o ambiente, até que encontraram os de Sandra, que os desviou, pretensamente envergonhada. Vinício percebeu os olhares e se virou para trás, e o rapaz disfarçou e olhou para o outro lado.

Vinício virou-se novamente para Sandra, mas não disse nada. Estava óbvio que ela e aquele moço estavam flertando, e ele não tinha nada com isso. Não estava interessado nela, e sim em Marisa, e o que Sandra fazia de sua vida não era problema dele.

– Vamos embora? – falou ele por fim, consultando o relógio de pulso.

– Se você quiser...

Ele estalou os dedos, chamando o garçom, e pagou a conta. Ao se levantarem, notou que o rapaz olhava admirado para Sandra, embora se esforçasse ao máximo para não dar na vista. Ela, por sua vez, fingiu um certo desinteresse, mas devolveu-lhe o olhar de forma discreta, perguntando-se se aquele rapaz seria freqüentador assíduo. Imaginou que sim, porque ele havia cumprimentado o barman e o garçom com certa intimidade, o que demonstrava que não era a primeira vez que entrava ali.

– Vou chamar um táxi para nós – falou ele, fazendo sinal para um carro.

– Você não veio de automóvel?

– Não. Meu carro está na oficina.

– Então, não precisa incomodar-se. Posso muito bem ir para casa de ônibus.

– Não, faço questão de levá-la em casa. Já é tarde, e as ruas são perigosas.

– Não pensou assim quando me deixou sozinha naquela rua, na noite em que fizemos amor – revidou em tom sarcástico.

Ele sentiu a agressão em seu tom de voz e enrubesceu. Aquilo era algo de que realmente se arrependia, porque nunca antes havia sido tão rude com uma mulher.

– Gostaria que me perdoasse por aquela noite – disse, olhando-a fundo nos olhos. – Fui um idiota, deixei-me levar pela raiva do momento.

Ela suspirou e contestou com voz melíflua:

– Não foi nada, já passou.

– Já mesmo?

– Sim. Do contrário, não estaria aqui com você, hoje.

Ele abriu a porta do táxi que os aguardava e deu o endereço da casa de Sandra. Quando chegaram, ele apertou a sua mão de leve e deu-lhe um beijo no rosto.

– Amigos? – perguntou com um sorriso.

– Amigos.

Sandra saltou e foi-se encaminhando para sua casa, feliz da vida com o resultado daquele encontro. Vinício podia ainda gostar de Marisa, mas ela tinha quase certeza de que conseguiria o que pretendia. Ainda mais se o que pensava fazer desse certo. Lembrou-se do rapaz que avistara no café e ficou imaginando o quanto ele poderia ajudá-la. Seu interesse por ela estava claro, e ela pretendia provocar um novo e casual encontro com ele. Aquilo lhe daria a vitória. Vinício ficara com ciúmes, podia sentir, ainda mais porque ela o estava rejeitando. E ele, como todos os homens, não sabia lidar bem com a rejeição. Era com isso que contava para o sucesso de seu plano.

***

Quando chegou a casa, Vinício foi surpreendido pela irmã, que o aguardava na varanda.

– Olá, minha irmãzinha querida – cumprimentou ele, beijando-a na testa e nem notando o quanto ela estava emburrada.

– Posso saber onde é que você esteve? E por que tanta alegria?

– Eu... – titubeou, não querendo contar-lhe que estivera com Sandra. – Fui tomar uma cerveja com uns amigos do trabalho, por quê?

– Por quê? Porque você perdeu a maior chance da sua vida.

– Como assim?

– Perdeu a chance de encontrar-se com Marisa.

– Com Marisa? Ela esteve aqui?

– O que você acha? Esteve aqui até há pouco, mas quando deu oito e meia, ela se foi. Eu lhe disse que você costumava chegar às sete, mas você não apareceu.

Vinício sentiu o remorso corroê-lo por dentro. Se tivesse imaginado que Marisa o estava esperando, jamais teria perdido tempo com Sandra. Maldito acaso, que a colocara em seu caminho naquela noite! Já era a segunda vez que perdia a oportunidade de encontrar-se com Marisa porque estava com Sandra. Arriou o corpo junto à irmã no sofazinho e enfiou o rosto entre as mãos, maldizendo o encontro que tivera com Sandra. Será que ela fizera de propósito? Não, claro que não. Ela não sabia que Marisa estava em sua casa. Ou será que sabia?

– Alguém me telefonou? – sondou ele.

– Hein? Não, ninguém. Por quê? Esperava o telefonema de alguém?

– Não.

Sequer se lembrou do telefonema mudo que recebera no ministério, quando estava ocupadíssimo, debruçado sobre um projeto. Não deu importância ao fato, porque era comum as pessoas desistirem das ligações quando ficavam muito tempo aguardando ou quando aparecia algo urgente que requeresse sua presença imediata.

Ele suspirou tristemente e se voltou para a irmã.

– Como ela estava? – perguntou ansioso.

– Louca de vontade de falar com você.

– Será que já chegou a casa?

– Não sei, mas não convém você ligar agora. Pode arranjar-lhe alguma encrenca.

– Por quê?

– Caso não saiba, ela enfrentou os pais para vir até aqui hoje. Seu João deve estar furioso.

– Furioso? Mas Sandra disse que Marisa só me procuraria quando tudo estivesse resolvido.

– Sandra diz muitas mentiras. Essa deve ter sido mais uma delas.

– Ela não faria uma coisa dessas.

– Ah! Mas é claro que faria. Ela gosta de você e estou certa de que faria qualquer coisa para atrapalhar o seu namoro com Marisa.

– Dessa vez, Sandra não teve culpa de nada.

– Dessa vez? Por que dessa vez?

– Bem... é que a encontrei por acaso, na saída do trabalho, e ficamos conversando. Nem vi a hora passar.

– Você nem viu a hora passar? Porque estava conversando com Sandra? Ora, Vinício, francamente!

– Sandra não é tão má assim como você pensa.

– Não, é bem pior.

– Diz isso porque não a conhece.

– E você, por acaso a conhece bem? – ele não respondeu, e ela insistiu: – Conhece?

– Um pouco...

Pelo seu ar de mistério, Lídia notou que ele lhe escondia algo, e ela bem podia imaginar o que seria.

– Vinício, não vá me dizer que você e Sandra...

– Isso não é problema seu!

– Não acredito! Você teve coragem de envolver-se com ela? Vocês?

– Já disse que não é problema seu, Lídia. Você é muito criança para entender dessas coisas.

– Tenho a mesma idade que Sandra e Marisa.

– Mas é diferente. Sandra é mais madura, mais... mulher...

– Você dormiu com ela! Como pôde? Traiu Marisa...

– Não traí ninguém! Marisa ainda não era minha namorada.

– Então é verdade!

– Pare com isso, Lídia. Não se intrometa no que não lhe diz respeito.

– Vai brigar comigo por causa daquela vagabunda?

– Não vou brigar com você. Só peço que não se intrometa nos meus assuntos. Sou adulto e sei muito bem o que faço.

– Estou entendendo. Dormiu com Sandra e não quer que ninguém fale mal de sua amante – ele tentou contestar, mas ela não lhe deu chance. – E Marisa? Será que sabe disso? É claro que não sabe.

– Espero que não seja você a contar.

– Não sou fofoqueira nem falsa.

– Ouça, Lídia, sei que está chateada, e eu também estou. Gosto muito de Marisa e lamento não ter estado aqui quando ela veio. Mas não foi culpa minha nem de Sandra. Nós não sabíamos que ela viria.

– Duvido muito.

– Sandra não fez de propósito. Encontrou-me por acaso.

– Como você é tolo, Vinício! Será que não percebe o jogo dela? Não vê que ela está fazendo de tudo para afastar você de Marisa?

– Ela não seria capaz de uma coisa dessas.

– Você gosta dela!

– Não vou mentir que não goste de Sandra. Ela é uma garota diferente, mas é boa pessoa.

– Ela é uma piranha!

– Você está sendo preconceituosa, como todo mundo. Eu a conheço, sei o que estou dizendo. Senti a sinceridade em suas palavras. De qualquer forma, não é a ela que amo, mas Marisa.

– Só que vai acabar perdendo-a, se não tomar uma atitude, e depressa.

– Acha mesmo isso? Acha que Marisa vai terminar o namoro comigo?

– Acho que se você não se afastar de Sandra, é isso mesmo o que vai acabar acontecendo.

– O que acha que devo fazer?

– Por que não vai procurá-la?

– Será que é aconselhável?

– Acho que é a única coisa a fazer e é o que ela espera. O tempo todo, esperou que você fosse a sua casa para explicar-se com o pai dela, mas você caiu na conversa de Sandra e ficou esperando a solução cair do céu.

– Não foi nada disso!

– Foi sim. Muito bem, a solução caiu do céu. Marisa foi bem mais corajosa do que você e veio até aqui para falar-lhe pessoalmente. Contra tudo e contra todos, esperou por você até de noite, mesmo assumindo o risco de ter uma briga feia com o pai. E você, onde estava? Divertindo-se com a melhor amiga dela!

– Eu não estava me divertindo com Sandra! – já era a segunda pessoa que o acusava de não ser corajoso, o que o incomodou sobremaneira. – Quer saber de uma coisa? Amanhã mesmo vou falar com o pai de Marisa. Vou acabar logo com essa história.

– Que bom que resolveu tomar uma atitude.

Ele não respondeu. Já estava ficando farto de ser acusado de covarde, o que não era. Se era uma atitude radical que esperavam, era essa atitude que iria tomar. No dia seguinte, passaria aquela história a limpo. Iria à casa de Marisa e esclareceria tudo com seu pai. E Marisa voltaria àquela casa mais uma vez. Como sua namorada.

9

Quando Marisa entrou em casa, um verdadeiro furacão a aguardava. O pai estava furioso e foi logo perguntando onde ela estivera. Marisa olhou-o com frieza e respondeu calmamente:

– Em casa de Vinício.

– O quê? – esbravejou, andando de um lado a outro na sala. – E ainda tem a ousadia de me contar?

– Você não perguntou? Queria que eu mentisse para você ir correndo perguntar ao Damião? Pois estou poupando-lhe esse trabalho e poupando a ele o constrangimento de ter que me delatar.

A indignação foi tamanha que ele não conseguiu responder a princípio. Marisa sempre fora uma menina doce e gentil, mas agora estava ficando atrevida e malcriada. Passado o primeiro impacto, João retomou o controle de si mesmo e voltou a esbravejar:

– Pensei ter-lhe dito que não a queria com ele!

– Você disse, mas eu não obedeci.

– Como se atreve a me desrespeitar dessa maneira?

– Quem está me desrespeitando é você. Trata-me como se eu fosse uma doidivanas, e Vinício, um marginal. Tenho dúvidas sobre quem não presta aqui.

Descontrolado, ele levantou a mão para bater-lhe, mas o grito agudo de Antônia o impediu:

– Por Deus, João, você nunca levantou a mão para nossa filha!

A palavra filha teve um efeito poderoso sobre ele. Sim, Marisa era sua filha. Não do jeito que ele desejava que tivesse sido, mas era a filha que abrigara em seu coração, a única por quem fora capaz de abandonar uma vida de saques e de crimes. Por um momento, ficou olhando-a com os olhos cheios d'água e pensou que fosse desabar ali mesmo, na sua frente, e contar-lhe o porquê de sua angústia. Rapidamente, porém, recompôs-se e falou com voz gélida:

– Vá para o seu quarto e só saia quando eu mandar. Sem jantar!

– Eu já jantei em casa de Vinício... – respondeu acintosamente, para provocá-lo.

– Suba! – gritou ele, quase fora de si.

Ela passou por entre ele e a mãe com toda a dignidade que podia sustentar, morrendo de medo de que ele lhe batesse, mas não o deixou perceber. Subiu os degraus um a um, pausadamente. Quando ouviu o barulho da porta do quarto se fechando, João se virou para Antônia e foi arriando na poltrona, o corpo sacudido pelos soluços, quase em desespero.

– Estou perdendo a minha filha – lastimou. – Sinto que a estou perdendo.

Antônia se aproximou e enlaçou a sua cabeça, alisando os seus cabelos com ternura.

– Você não a está perdendo – procurou consolar –, apenas ainda não encontrou a melhor maneira de lidar com essa situação.

– O que posso fazer, Antônia? Ela não me respeita mais.

– Ela o respeita, sim. Só está magoada porque ama esse rapaz.

– Amar? Como ela pode amar o filho de meu maior inimigo?

– Ela não sabe disso.

– Está sugerindo que lhe conte?

– De jeito nenhum! Se você fizer isso, ela nunca vai perdoá-lo. Nem a mim.

– O que devo fazer então, Antônia? Diga-me, o que devo fazer para manter o amor de minha filha?

– E se a mandássemos para a Europa?

– Europa?

– Muitos pais fazem isso quando querem afastar os filhos de problemas. Ela poderia completar seus estudos em Londres ou Paris.

– Não sei se agüentaria viver tanto tempo longe dela.

– Talvez seja a melhor solução. Longe do rapaz, ela acabaria por esquecê-lo.

– E se ela não quiser ir?

– Use sua autoridade de pai. Ela vai ter que obedecer.

João estava em dúvida. Com o pensamento cheio de dúvidas e medos, foi dormir. No outro dia, bem cedo, assim que João saiu para a loja, Antônia foi acordar Marisa. Cutucou-a gentilmente, e ela abriu os olhos, relutando em deixar a cama.

– Ah! Mãe, estou com tanto sono – reclamou. – Deixe-me dormir mais um pouco.

– Levante-se, querida, já está na hora de ir para a escola.

Ela ergueu o corpo na cama e se recostou nos travesseiros, esfregando os olhos para espantar o sono.

– Será que estou sendo libertada do cárcere para levar minha vida normalmente?

– Chega de ironias. Vista-se e venha tomar o seu café.

Antônia deu uns tapinhas de leve em sua bochecha e saiu. Meia hora depois, ela desceu e apanhou uma maçã na cozinha, onde a mãe não estava à sua espera, como sempre fazia. Antônia estava parada na porta da sala, falando alguma coisa com o caseiro.

– O que foi, mãe? – perguntou curiosa, notando que o caseiro gesticulava muito e que ela estava bastante nervosa.

Antônia se virou para ela e não respondeu e, na mesma hora, Marisa percebeu que Vinício deveria estar no portão. Aflita, soltou a maçã em cima da mesa e passou correndo por eles, saindo desabalada pelo jardim, em direção ao portão da frente.

– Não sairei daqui enquanto não falar com ela! – escutou, logo que chegou mais perto.

– Por favor, meu jovem, tente entender – desculpava-se o jardineiro, que o recebera.

Marisa não esperou por nada. Empurrou o empregado para o lado e atirou-se nos braços de Vinício, que levou um susto com sua chegada repentina. Ela o abraçou comovida e o beijou nos lábios, e Vinício pôde sentir todo o amor que emanava do coração de Marisa.

– Meu querido – murmurou ela em lágrimas. – Como esperei

por você! Cheguei a pensar que não me amasse, que tudo não tivesse passado de ilusão.

– Como ilusão? – retrucou ele, embevecido. – Meu amor por você é tão real que eu quase adoeci de saudades. Por que não me deixou procurá-la?

– Foi você quem não quis me procurar.

– Isso não é verdade. Queria vê-la no instante mesmo em que recebi aquele recado.

– E por que não veio? Eu o estava esperando, mas você não apareceu, e eu me senti sozinha, rejeitada, abandonada. Depois de tudo o que houve entre nós, pensei que merecesse um pouco mais de consideração.

– Minha querida, por mim, teria invadido sua casa no dia seguinte. Acontece que Sandra me disse que você me pedira para esperar...

– Eu não disse isso. Sandra se confundiu.

Ele ficou confuso e afagou os seus cabelos. Nada mais importava. Para ele, só o que tinha importância era que estava ali, junto dela, pronto para tomá-la nos braços e fugir, se necessário fosse.

– Deixe isso para lá – balbuciou, beijando os seus lábios com ternura. – O que importa é que eu estou aqui e vim para falar com seu pai. Ou ele nos entende, ou seqüestro você e nós nos casamos assim mesmo.

– Você faria isso?

– É claro que faria. Sou capaz de qualquer coisa por você.

– Você me ama?

– Ainda duvida?

– Tive medo de que não me amasse.

– Pois você é muito tola de pensar assim. Se não a amasse, não estaria aqui agora, disposto a enfrentar até o inferno para tê-la de volta.

Ela o abraçou comovida e retrucou com emoção:

– Veio falar com meu pai?

– Entre outras coisas, sim. Primeiro, vim porque a amo e não posso mais viver sem você. Você é a única coisa que realmente importa nesse mundo.

– Oh! Vinício! Como o amo também!

Vinício estreitou-a com carinho e, abraçado a ela, começou a caminhar para dentro de casa. O criado, sem saber o que fazer, chegou para o lado, dando-lhes passagem, e eles entraram no jardim. Da janela da frente, Antônia os observava e comentou entre os dentes:

– O idiota teve coragem de vir até aqui!

Em silêncio, viu os dois subirem os degraus da frente e se voltou estupefata, lançando-lhes um ar de reprovação, assim que eles cruzaram os umbrais da porta.

– Mamãe – anunciou Marisa firmemente –, Vinício veio aqui para falar com vocês.

– Vamos esperar seu pai chegar – respondeu ela com voz severa. – Já liguei para a loja e deixei recado para que voltasse para casa imediatamente.

***

A caminho de volta para casa, João ia chorando. O pior havia acontecido, e ele assistia, horrorizado, sua vida desmoronar. Estava a um passo de perder a filha adorada, e aquilo era algo que jamais poderia permitir. Tentou afastá-la daquele moço, mas eles não entendiam. Não sabiam o perigo a que se expunham. E agora isso. O rapaz era audacioso e se atrevera a ir até sua casa. Precisava de uma lição, e João seria enérgico e duro com ele. Era preciso mostrar quem é que mandava ali. No entanto, eles estavam apaixonados. E se não adiantasse?

Teria que ser firme. Se Vinício não quisesse ouvi-lo por bem, tinha que tomar providências. O que poderia fazer? A única solução seria mesmo mandar a filha estudar na Europa. Sentiria sua falta, mas a felicidade de sua família valia qualquer sacrifício.

E se ela não obedecesse? Se, a despeito de todas as suas ameaças, se recusasse a sair de perto do rapaz, o que faria? Nesse caso, não lhe restaria escolha. O pai dele era muito perigoso. Tomaria uma providência. Com o doutorzinho fora do caminho, não teria com que se preocupar. Não! Não podia voltar a matar. Jurara a Antônia que jamais pegaria numa arma novamente. Como quebrar uma promessa que fizera há tanto tempo? Como passar por cima da palavra empenhada e empunhar de novo aquele trabuco maldito que tantas vidas já tirara? Não, decididamente não. Prometera a Antônia...

A seu lado, sem que ele percebesse, Kedar se agitava e gritava em seu ouvido:

– Deixe de ser cretino! A promessa que fez a Antônia não é nada se comparada àquela que fez a mim! Antônia não pode destruí-lo, mas eu posso!

Mentalmente, julgando que falava com a sua consciência, João ia respondendo:

– Ninguém pode destruir-me. A não ser Conrado... só ele sabe o meu segredo.

– Conrado tem que morrer! Você não pode arriscar!

– Não posso arriscar-me. Preciso detê-lo. Mas como? Como impedir que ele me destrua sem destruí-lo primeiro?

– Só matando!

– Só matando-o estarei seguro.

– Isso mesmo! Você precisa matá-lo. Tem que saldar a dívida que tem para comigo!

– Sei que tenho muitas dívidas. Muitas famílias foram destruídas pelas minhas mãos. Mas ninguém está aqui para me cobrar nada.

– Só Conrado!

– Só Conrado, sim. Ele é um perigo, realmente. Mas será que vai descobrir quem sou eu?

– Se a sua filha se casar com o filho dele, vocês vão ter que se encontrar. Ele vai fazer perguntas...

– Quanto tempo não levaria para ele descobrir? Se Marisa se casar com Vinício, ele vai fazer perguntas. Será que conseguirei enganá-lo por muito tempo?

– E se ele lembrar-se de você?

– E se ele lembrar-se de mim? E se, ao deparar comigo, lembrar-se de meu rosto? Não, acho que não. Foi há tanto tempo!

– O tempo não apaga o rosto de um assassino.

– Será ele capaz de se lembrar do rosto de um assassino? Mesmo que se lembre, não poderá provar nada. Tudo aconteceu há muitos anos, muito longe daqui.

– Nem o tempo, nem a distância serão suficientes para saciar-lhe a sede de justiça! Conrado vai querer fazer o que não conseguiu naquela época.

– Será que ele vai querer fazer justiça? Será que vai tentar prender-me?

– Você não vai gostar da vida na prisão.

– Não vou gostar da vida na prisão. Já estou ficando velho.

– Mate-o, velho! Senão, vai terminar seus dias apodrecendo na cadeia.

– Preciso matá-lo. Mas Antônia...

– Esqueça Antônia!

João sentiu um calafrio, como se pudesse mesmo ouvir o que o espírito dizia. Havia, porém, chegado a casa e estacionou o automóvel na garagem. Saltou, sentindo no corpo o peso dos anos e o cansaço diante daquela batalha. Foram anos vivendo com medo, escondendo-se de tudo e de todos, evitando as rodas sociais e os lugares mais movimentados e freqüentados pela sociedade. Tudo para se manter protegido, a ele e sua família. E agora, o fantasma do passado retornava na forma de um rapaz para cobrar sua vingança.

Pensando em Vinício, estufou o peito e respirou fundo. Faria o que tivesse que fazer. Trataria de expulsá-lo de sua casa e avisá-lo para que nunca mais voltasse. Colocaria seguranças em sua residência e em companhia de Marisa, e ele não poderia mais aproximar-se. Só o que não podia era matar. Não que não quisesse. Simplesmente não podia.

Entrou decidido e logo notou o rapaz ao lado de Marisa. Assim que abriu a porta, Vinício se levantou com ar respeitoso e o encarou.

– Seu João – começou Vinício a dizer, antes mesmo que ele se aproximasse o suficiente –, acho que o senhor não me conhece. Meu nome é Vinício de Moraes Bentes...

– Sei quem é o senhor – cortou de mau humor –, e muito me espanta sua presença aqui nesta casa.

Vinício sentiu o rosto arder, mas não voltou atrás. Ergueu os olhos e fixou-os no homem à sua frente, sentindo toda a força que emanava dele.

– Sei que não devia ter vindo sem a sua permissão – continuou, os olhos ainda presos nos de João –, mas não posso mais deixar prosseguir esse mal-entendido.

– Creio que não há mal-entendido nenhum. Sei muito bem quem o senhor é e o que fez a minha filha.

– Perdão, mas o senhor não me conhece. Quanto a fazer algo com sua filha, só fiz aquilo que nossos corações mandaram e, com todo respeito, não foi nada de mais.

– Quem é o senhor para decidir o que é ou não de mais para minha filha?

– Não estou querendo decidir nada. O senhor é que é o pai dela. Não acha que deveria dar-lhe algum crédito?

– Sei o que é melhor para ela, dr. Vinício, e não é o senhor. Por isso, não me venha dar conselhos.

– Novamente peço que me perdoe. Não quero parecer atrevido ou desrespeitoso, mas o senhor já se perguntou por que sua filha e eu estávamos juntos? E mais, por que estamos juntos agora?

– Isso não me interessa.

– Pois devia. Sua filha e eu nos amamos...

– Cale-se! O senhor não sabe o que diz!

– Sei o que digo e sei o que sinto, assim como sei o que sua filha sente também. Nós nos amamos, e não há nada que o senhor faça que possa impedir o nosso amor.

João fitou a filha com o semblante carregado de desgosto, e ela aquiesceu:

– É verdade, papai. Vinício e eu nos amamos mais do que qualquer outra coisa no mundo.

– Não quero mais ouvir esse absurdo! – esbravejou ele, olhos chispando de ódio. – Você também não sabe o que diz!

Vinício pigarreou e tentou contemporizar:

– O senhor está zangado, posso compreender. Reconheço que nos comportamos mal entrando na floresta sozinhos. Mas posso assegurar-lhe que nada houve de que pudéssemos nos envergonhar. Ou ao senhor.

– Deixe que eu mesmo diga o que me causa vergonha.

– O que deveria causar-lhe vergonha é a atitude que está tendo com sua própria filha. Não entendo por que tanta intransigência.

O senhor é muito insolente!

– Ser insolente é dizer a verdade?

– Não seja arrogante, rapaz, ou coloco-o para fora daqui a pontapés!

– Papai! – horrorizou-se Marisa. – Nunca o vi falar desse jeito.

– Esse rapaz está me faltando com o respeito! – exasperou-se. – Ele é que não deveria falar comigo nesse tom!

– Peço que me perdoe se lhe faltei com o respeito – desculpou-se Vinício. – Mas o senhor não está querendo entender...

– Já está tudo mais do que entendido.

– Sua filha e eu nos amamos. Por que não entende isso?

– O senhor se comportou feito um canalha. Um homem digno jamais se aproveitaria da ingenuidade de uma mocinha!

Aquelas palavras soaram rudes demais até para Vinício. De um salto, ele se acercou de João e disparou indignado:

– Considero uma provocação as suas palavras! Sou um homem honrado e jamais iria me aproveitar de sua filha ou de qualquer outra moça!

– O senhor está em minha casa – prosseguiu João calmamente. – É um intruso aqui. Veio sem ser convidado e contra a minha vontade. Não tem o direito de se sentir provocado.

– Tem razão. Não fui convidado e desafiei a sua autoridade só para ver Marisa. Não acha que isso é prova mais do que suficiente do meu amor e da dignidade das minhas intenções?

– Não acho nada.

– Ora, vamos, o senhor não pode ser assim tão turrão. Meus sentimentos para com sua filha são sinceros. Sei que o senhor não é um homem frio. É um homem bom e compreensivo, e nós todos poderíamos viver em paz, como uma família.

– Por favor, papai – interveio Marisa. – Sabe o quanto o amo, assim como eu sei o quanto você me ama. Por que não quer ver-me feliz?

– Não pode ser feliz ao lado dele.

– Por que não? – rebateu Vinício. – O que há de errado comigo? Sou engenheiro naval, capitão-tenente da Marinha, tenho vinte e sete anos, sou saudável e solteiro. Por que não sirvo para sua filha?

– Qualquer pai ficaria orgulhoso de ver a filha com um rapaz feito Vinício, papai – ponderou Marisa. – Não é possível que com você seja diferente.

Os argumentos de João estavam se esgotando, e ele não sabia mais o que dizer. Apelou para a mulher com os olhos, mas Antônia parecia alheia a tudo, com medo até de pensar, como se Vinício pudesse ouvir os seus pensamentos. João estava num dilema. Ao mesmo tempo em que queria odiar Vinício, sentia que não podia. Vinício era um bom rapaz e seria o sonho de qualquer pai. Além disso, tomou a atitude mais acertada para um homem honrado, procurando o pai da namorada para explicar-lhe tudo. Aquela atitude cativou João imensamente, e ele chegou a lamentar o fato de não poder ceder. Qualquer outro, no lugar de Vinício e naquelas circunstâncias, teria imediatamente conquistado o seu respeito e a sua simpatia. Menos Vinício. João precisava sufocar qualquer sentimento de admiração que pudesse ter pelo rapaz.

– Deixem-me em paz – gemeu, quase em lágrimas. – Não suporto mais essa pressão, não suporto!

– Não o estamos pressionando – garantiu Vinício. – Queremos apenas que o senhor entenda que nos amamos.

– Já entendi. Mas não aceito. O senhor não é homem para minha filha. E agora, por favor, saia de nossa casa. Não é mais bem-vindo aqui.

– Papai, você não pode! Não pode fazer isso com Vinício!

– *Seu* João, tente entender. Quero ser seu amigo...

– Não quero a sua amizade. Quero-o fora da minha casa e da vida de Marisa.

– Papai, não...

– Assunto encerrado. Despeça-se desse moço agora e vá para o seu quarto.

– O senhor não nos pode impedir de nos amarmos – protestou Vinício.

– Posso impedi-los de se verem. E agora, meu rapaz, se é tão honrado como diz, há de respeitar a casa alheia. Por favor, peço que se retire.

– Não! – choramingou Marisa. – Se ele for, vou com ele.

– Se passar por aquela porta, nunca mais precisa voltar. Não será mais minha filha.

Marisa levou a mão à boca, abafando um grito de perplexidade. Jamais esperaria ouvir aquilo de seu próprio pai. Vinício, aturdido, não sabia que atitude tomar, e até Antônia parecia embasbacada, quase não acreditando no que acabara de ouvir.

– Tomé! Miguel! – gritou ele para os empregados, que apareceram correndo. – Mostrem a esse moço a porta da saída!

Os homens se acercaram de Vinício, que puxou os braços energicamente, impedindo-os de o segurarem. Os dois, porém, postaram-se um de cada lado do rapaz e começaram a empurrá-lo para fora.

– Papai, você não pode! – objetou Marisa, ameaçando ir em sua direção, mas sendo detida pelas mãos firmes da mãe.

– Muito bem – concordou Vinício entre os dentes, vendo que não tinha saída. – Vou embora, mas apenas em respeito a Marisa e para provar ao senhor que não sou o marginal que pensa que sou. Mas esteja certo de que voltarei.

– Não, pai! – suplicou Marisa, aos prantos. – Não faça isso!

– Não se preocupe, querida – contornou ele –, não a abandonarei. Já disse a seu pai o que tinha a dizer. Vou apenas dar-lhe um tempo para pensar e amanhã mesmo estarei de volta. Quer ele queira, quer não.

– Saia, insolente! – vociferou João, cheio de ódio.

Escoltado pelos empregados, Vinício saiu da casa de João. Nunca se sentira tão humilhado em toda a sua vida. Tinha vontade de matar aquele sujeito e só não o fazia por amor a Marisa. Mas aquilo não ia ficar assim. Se João pensava que poderia intimidá-lo com seus capangas, estava muito enganado. Ele iria voltar. E da outra vez, não conversaria mais. Voltaria para levar Marisa com ele, ainda que tivesse que passar por cima de seu pai.

10

Conrado entrou em casa naquela tarde e foi guardar o presente de Malvina. No sábado seria seu aniversário, e tinha certeza de que ela adoraria a jóia que lhe comprara. Foi para o gabinete estudar uns processos e, ao cair da noite, ouviu batidas na porta, que se entreabriu vagarosamente.

– Posso entrar? – era Vinício, que acabara de chegar do trabalho, ainda em sua farda da Marinha.

– É claro, meu filho, entre. Estava aqui estudando alguns casos, nem vi a hora passar.

Vinício passou para o lado de dentro e fechou a porta com cuidado, indo sentar-se na poltrona diante dele.

– Aconteceu alguma coisa? – perguntou Conrado, notando o seu ar sério e preocupado.

– Na verdade, aconteceu sim.

– É com Marisa?

– É, pai. O senhor sabe que o pai dela está criando dificuldades para que nos encontremos, não sabe?

– Sei. Mas não deve ser nada sério. Na certa, está com ciúmes da menina.

– Foi o que pensei a princípio. Mas as coisas tomaram um rumo inesperado, e *seu* João está se mostrando irredutível.

– Como assim?

Vinício torceu o nariz e narrou ao pai tudo o que acontecera, desde a tarde em que parara na floresta com Marisa até o episódio daquela manhã.

– Não sei mais o que fazer, pai. Já me utilizei de todos os argumentos, mas ele está irredutível.

– Isso é lamentável, meu filho! – protestou em tom de indignação. – Quem esse senhor pensa que é?

– Não se aborreça, papai, por favor. Vim aqui pedir a sua ajuda, não para que se zangue.

– Minha ajuda? Mas como? O que quer que eu faça?

– Pensei se não seria boa idéia convidá-los para o aniversário de mamãe. A Marisa e toda a família. Conhecendo-o, talvez ele mude de idéia a meu respeito.

– Mas nós não daremos nenhuma festa! Sabe que sua mãe só quer um jantar em família.

– Mesmo assim. Marisa é a mulher que eu amo, e pretendo que entre para a família em breve.

– Hum... não sei não, meu filho. Não me agrada receber em minha casa um homem que faz esse juízo de você, que é um rapaz tão honesto e digno. Ele não tem esse direito.

– Por favor, pai, faça isso por mim. Já estou ficando desesperado. Amo-a profundamente e sei que ela também me ama. Não é justo que fiquemos separados por culpa da incompreensão de um velho teimoso e antiquado. Cheguei até a pensar em ir à sua casa e seqüestrá-la, mas sei que não é uma boa idéia.

Conrado soltou a caneta que tinha na mão e se levantou pensativo, aproximando-se da janela.

– Não sei, Vinício – contestou, sentindo, de repente, uma inexplicável antipatia por aquele homem que nem conhecia. – Talvez seja melhor deixá-lo onde está. Não o conheço e não sei se ficaria bem um convite assim tão inesperado.

– Mas pai, o senhor não entende? Marisa e eu estamos apaixonados! Pretendemos nos casar e nos casaremos de qualquer jeito. Se ele teimar em não consentir, aí sim, fugiremos.

– Não diga tolices! Quer estragar a sua vida? Essa moça ainda não fez vinte e um anos, está sob a guarda do pai.

– Eu sei, pai, eu sei – tornou angustiado, passando as mãos pelos cabelos. – Mas é que eu já estou ficando desesperado. Não sei mais o que fazer. Ele não me ouve nem a Marisa. Por tudo isso pensei no senhor. É um homem influente, ministro do Supremo Tribunal Federal. Não é possível que ele não se impressione com o senhor e não atenda a um pedido seu.

– Isso é tão importante assim para você?

– O senhor sabe que sim. Por favor, eu lhe peço, ajude-me, ajude-nos! Marisa e eu estamos muito apaixonados e só o que queremos é ficar juntos.

Ele fixou os olhos castanhos nos do filho e deu-lhe um tapinha no ombro, falando com uma certa contrariedade:

– Está certo, meu filho. Se é o que quer, vou telefonar para ele ainda hoje.

– Obrigado, pai. Sabia que podia contar com o senhor.

– Bom, pai é para essas coisas, não é?

– Posso ligar para ele?

– Agora?

– Por que esperar? Já é noite.

– Está certo. Ligue, que falarei com ele.

Vinício estava muito eufórico quando discou o número da casa de Marisa. Quem atendeu foi a empregada, e ele pediu para falar com João.

– Quem gostaria? – indagou a criada.

– Diga-lhe que é da parte do dr. Conrado de Moraes Bentes.

– Um minuto, por favor.

Quando a empregada deu o nome da pessoa que estava ao telefone, João quase desfaleceu. O que aquele homem poderia querer com ele? Será que andava desconfiado e queria certificar-se de que era ele mesmo?

– Não seja tonto! – repreendeu Antônia, assim que despachou a criada com a incumbência de pedir que Conrado aguardasse. – Acha que ele pretende um reconhecimento por telefone?

– Mas o que esse homem pode querer comigo? Nós nunca nos falamos!

– Vai ver que foi o filho quem lhe pediu para ligar.

– Por quê?

– Você só vai descobrir depois que atender.

– Antônia, não posso permitir que ele ouça a minha voz.

– Se você não falar com ele, vai ser pior. Quer chamar a atenção dele?

– Por que, meu Deus? Por que o fantasma desse homem insiste em me perseguir?

– Ele não sabe quem é você. Não se traia, João, vá falar com ele.

– Não! De jeito nenhum! Nunca!

Antônia deu um suspiro e se levantou da poltrona, acrescentando calmamente:

– Muito bem. Se você não vai, vou eu.

João ficou olhando-a afastar-se, cheio de horror. Ela se encaminhou para a sala onde ficava o telefone, e ele acabou seguindo-a. Antônia respirou fundo, apanhou o fone e forçou uma voz natural:

– Alô?

– Desculpe-me – tornou Conrado, do outro lado da linha. – Pedi para falar com *seu* João. Estou aguardando-o há alguns minutos.

– Ah! Sinto muito, mas ele não pode atender agora. Está no banho.

– Sei. Com quem falo, por favor?

– Com a esposa dele, Antônia.

– Meus cumprimentos, minha senhora. Creio que ainda não nos conhecemos. Sou o pai de Vinício e de Lídia, que estuda com sua filha no Instituto de Educação.

– Como vai?

– Bem, obrigado. Estou ligando a pedido de minha filha. É que sábado é o aniversário de minha esposa e vamos dar um jantarzinho aqui em casa. Lídia ficaria muito feliz se vocês viessem. Ela gosta muito de Marisa.

Antônia olhou para João, que permanecia parado, olhos fixos nela, tentando imaginar o que aquele homem poderia querer com eles.

– Olhe, dr. Conrado, agradeço o convite, mas não sei se será possível. Sábado, temos um compromisso.

– Que pena. Bom, de qualquer forma, o convite está de pé. Se viessem, dar-nos-iam imenso prazer. Poderíamos, inclusive, conversar sobre algumas coisas, esclarecer alguns mal-entendidos.

– Agradeço muito o seu interesse, doutor, mas, como disse, temos um compromisso no sábado. De qualquer forma, transmitirei a meu marido o seu convite.

– Está bem. Obrigado.

– Até logo, dr. Conrado.

Antônia desligou e encarou João espantada.

– O que ele queria? – indagou João perplexo. – De que convite falavam?

– Você não vai acreditar. Ele nos convidou para o aniversário da esposa, no sábado. Disse que Lídia ficaria muito feliz e que poderíamos esclarecer alguns mal-entendidos.

– Mas será possível? Será que ele não percebe que queremos distância dessa família?

– Acho que não. Ele não conhece os nossos motivos e deve estar indignado com a sua reação. Afinal, o homem é um magistrado, e o filho, um oficial da Marinha. Vinício é o sonho de qualquer mãe, não acha?

– Em condições normais, sim. Não fosse o acaso que nos uniu no passado, eu seria o primeiro a incentivar esse namoro. Mas Marisa não pode juntar-se a Vinício. A ele, não. Qualquer outro seria bem-vindo a esta casa. Menos Vinício!

– Será que posso saber por quê? – era Marisa que, a caminho da cozinha, escutara a voz da mãe ao telefone e se aproximara da sala, a tempo de ouvir praticamente toda a conversa.

– Marisa! – exclamou João. – Desde quando fica escutando atrás das portas?

– Não estava escutando atrás das portas. Ia para a cozinha beber água e ouvi nitidamente quando mamãe falou o nome do dr. Conrado.

– Isso é muito feio, Marisa! – recriminou João. – Não se deve ficar por aí escutando a conversa dos outros.

– Acho que essa conversa me diz respeito, papai. A mim, mais do que a ninguém. Pelo que percebi, o convite era para nós todos.

– Mas que convite?

– Ouvi perfeitamente mamãe dizer que o dr. Conrado estava convidando-nos para o aniversário de d. Malvina.

– Isso é um absurdo!

– Absurdo é vocês ficarem me escondendo as coisas.

– Não seja atrevida, menina! Vá para seu quarto, e não falemos mais nisso.

– Por que, pai? Por que não posso juntar-me a Vinício? E que acaso foi esse que os uniu no passado? Vocês já se conheciam?

– É claro que não! – tornou perplexo. – Mas que idéia.

– Não é o que parece. Você falou como se já conhecesse o dr. Conrado de outros tempos. De onde o conhece? Por acaso é do Maranhão? E se é, por que não falou disso antes?

– Quem foi que lhe disse que eu o conheço?

– Você. Disse que um acaso os uniu no passado. Que acaso é esse? Quando foi que vocês se conheceram? É por esse motivo que não quer que eu namore Vinício? O pai dele lhe fez alguma coisa no passado? O que foi? O que ele lhe fez de tão grave que impede até que eu me aproxime de Vinício?

– Pare, Marisa, pare! Chega de perguntas. Você é muito criança e não sabe de nada.

– Não sei de quê? O que foi que houve entre vocês que eu não posso saber?

– Nada. Não houve nada entre nós.

– Então, por que não posso encontrar-me com Vinício? Por que não podemos aceitar o convite do dr. Conrado? Por que se está escondendo dele? Aliás, por que passou a vida inteira se escondendo de tudo e de todos? Há alguma coisa em seu passado que ninguém pode saber? Seja o que for, diga-me. Posso compreender.

Antônia e João trocaram significativo olhar, e a mulher pôde perceber duas brilhantes lágrimas nos olhos do marido.

– Não é nada disso, meu bem – interveio Antônia. – Você entendeu errado. Seu pai e o dr. Conrado jamais se encontraram antes.

– Mas eu o ouvi dizer que o acaso os uniu no passado...

– Não foi isso o que ele quis dizer.

– Mas o que foi então? O que ele quis dizer?

– Não sei, não me lembro dele ter dito isso. Você deve ter escutado mal.

– Vai querer convencer-me de que eu não ouvi o que tenho certeza de que ouvi?

– Não quero convencê-la de nada, mas todos podemos enganar-nos, não podemos? Você estava nervosa, não entendeu direito. Isso acontece.

– Não, tenho certeza! Sei o que ouvi. E mais, ouvi-o dizer que, não fosse por esse acaso, ele até incentivaria meu namoro com Vinício. Mas, por causa disso, posso namorar qualquer um, menos Vinício. Por quê? O que vocês me estão escondendo?

– Já disse que não lhe estamos escondendo nada. Quanto a seu pai desaprovar Vinício, por certo que aprovaria qualquer outro nas condições dele. Qualquer outro que não tivesse feito o que ele fez.

– Vocês se prendem a esse fato ridículo como se isso fosse motivo para tanta antipatia. Só que agora não me convencem mais. Sei que há alguma coisa a mais por detrás dessa história e vou descobrir o que é.

– Minha querida, não há nada para descobrir.

– Vocês estão mentindo para mim. Pela primeira vez em minha vida, sinto que vocês mentem para mim. Não sei por que, mas pretendo descobrir o motivo. Vocês vão ver.

– Minha filha – ponderou João, quase em desespero –, ninguém está mentindo para você. É que esse moço é um aproveitador... não confiamos nele.

– Nem depois que o pai dele, em pessoa, ligou para falar com vocês? Que rapaz pediria ao pai para interceder por ele se não estivesse coberto de boas intenções?

– Não sei, Marisa – respondeu Antônia. – Mas os pais costumam fazer de tudo por seus filhos.

– Não um homem feito o dr. Conrado. Parece que vocês ainda não entenderam que ele é ministro do Supremo Tribunal Federal. Isso não é para qualquer um. Ou será que vocês pensam que ele não é uma pessoa decente?

– O cargo dele não quer dizer nada – continuou João. – Não é porque é juiz que ele é, necessariamente, um homem de bem.

Marisa olhou o pai com profundo desgosto. Quando falou, havia tanto desprezo em sua voz que João sentiu o corpo estremecer, e Antônia empalideceu:

– Começo a desconfiar de que não é ele que não é um homem de bem. Pelo menos, ele não fica se escondendo de tudo e de todos, como se tivesse medo de ser descoberto.

– Nós não nos escondemos!

– Ah! Não. A vida toda vocês passaram enfiados aqui, no meio do mato. Não saem, não vão a festas nem a lugares públicos. Quando muito, vão a um cinema ou outro. Teatro, jamais os vi freqüentar. A restaurantes então, acho que nunca foram. Por quê? Porque têm algo a esconder, não é?

– Não diga besteiras, Marisa! – censurou João, veemente. – Você não sabe o que diz.

– Talvez não saiba mesmo, mas é porque vocês estão me escondendo algo.

Foi Antônia quem tomou a iniciativa de terminar com aquela discussão. A conversa já estava indo longe demais, e alguém acabaria falando além do que desejava. Afastar Marisa de Vinício daquela forma, naquele momento, poderia ser desastroso. Levantaria ainda mais suspeitas, e ela poderia começar a investigar. Se o fizesse, aí sim é que tudo estaria perdido. Poderia trocar informações com Conrado, e logo ambos descobririam quem era João... João Januário.

– Muito bem – arrematou a mãe. – Quer ir a esse jantar? É esse o seu desejo? Continuar encontrando-se com Vinício e com essa gente? Pois bem, faça isso. Se é o que realmente quer, tem a nossa permissão para ir ao aniversário da mãe de Vinício.

– Antônia! – protestou João, mas ela o deteve com um gesto de mãos.

– Não, João, Marisa está certa. Temos sido intransigentes e mesquinhos. Ela gosta do rapaz, muito bem. Pode namorá-lo, se quiser. Mas depois não diga que não a avisamos.

– Avisaram-me de quê?

– De nada. Vá à casa dele, namore-o e depois agüente as conseqüências.

– Mas que conseqüências? Do que é que você está falando?

– Não faça mais perguntas, Marisa. Já conseguiu o que queria. Agora, volte para seu quarto e amanhã telefone para seu namorado. Diga-lhe que pode ir à sua casa. Só não nos peça para irmos juntos.

Sem saber o que dizer, Marisa rodou nos calcanhares e subiu para seu quarto. Não entendia bem o que dera na mãe para passar por cima da autoridade do pai, mas não iria discutir. Achou aquela história toda muito mal contada, mas não era o momento de questionar mais nada. Estava feliz por poder reencontrar-se com Vinício, e isso era tudo o que importava. Quanto àquele possível segredo do passado, deixaria para mais tarde. Talvez, como a mãe dissera, ela houvesse entendido mal as palavras do pai. De qualquer sorte, pensaria nisso depois.

***

– Você ficou louca? – esbravejou João, trancado no quarto com Antônia. – Quer acabar conosco de vez?

– Não, João, pense. Do jeito como as coisas vão, não é prudente insistir em afastar Marisa desse rapaz. Isso só servirá para aumentar ainda mais o seu desejo de estar junto dele. E agora, aguçará também a sua curiosidade. Ela escutou demais, o que é extremamente perigoso. Se a impedirmos de encontrar-se com ele, ela vai começar a fuçar nossa vida e, aí sim, vai acabar descobrindo algo.

– Você acha?

– Tenho certeza. Viu como ela ficou transtornada. Deixando-a namorar com ele, ela vai esquecer-se da conversa que ouviu, acreditando ter escutado mal. Mas, se nós continuarmos proibindo-a de vê-lo, ela vai ficar cada vez mais curiosa, certa de que existe algo comprometedor em nosso passado. Não, João, nós vínhamos adotando a tática errada. Não devemos impedi-la de namorar Vinício. Devemos permitir que o faça, para que ela se decepcione com ele mais tarde e nunca mais queira vê-lo.

– Posso saber como é que ela vai decepcionar-se com ele?

– Não sei ainda. Pensaremos em alguma coisa depois. Quem sabe o destino não nos favorece, e Sandra consegue conquistá-lo?

– Sandra?

– Ela está interessada nele.

– Como é que você sabe?

– Sou mulher, entendo dessas coisas. Só Marisa é que não vê.

– E daí? Digamos que isso seja verdade. Quem nos garante que ele vai interessar-se por Sandra?

– Precisamos arriscar. Por ora, vamos consentir no namoro.

– Não quero esse rapaz na minha casa.

– Eles não precisam encontrar-se aqui.

– Não me agrada nada ver minha filha andando pelas ruas em companhia de um desconhecido. E se ele abusar dela?

– Ele não vai fazer nada disso. Não reparou na dignidade de seus gestos? Vinício é um cavalheiro e nunca faria nada que a desrespeitasse.

– E se eles resolverem... você sabe... só para Marisa engravidar e apressar o casamento?

– Não creio. Conheço a filha que criei e conheço moços do tipo de Vinício. Ele vai querer fazer tudo certinho para nos conquistar, você vai ver.

João passou a mão pelos cabelos, visivelmente nervoso, com medo até de pensar no que aconteceria se Marisa engravidasse de Vinício. Jamais aceitaria vir a ser avô do neto de seu maior inimigo.

Aquilo seria o seu fim, o aniquilamento de toda uma vida dedicada à família. Olhando para a mulher com ar feroz, João fez um esgar de ódio e finalizou convicto:

– Está bem, Antônia, vou fazer como me pede. Vou dar um voto de confiança a esse rapaz. No entanto, não quero ter que lidar com ele nem o quero em minha casa. E se alguma coisa acontecer a Marisa, esteja certa de que tomarei minhas providências.

– Como... como assim?

– Você sabe. Resolverei tudo do meu jeito.

Antônia não contestou. Esperava que tudo desse certo e que Marisa e Vinício não fizessem nenhuma besteira. Mais tarde, daria um jeito de aproximar Sandra dele. Tinha certeza de que Sandra daria uma excelente aliada, ainda que não tivesse nem conhecimento daquela aliança.

***

Enquanto isso, depois de haver desligado o telefone, Conrado fitou o rosto ansioso de Vinício.

– E aí, pai, como é que foi? – indagou eufórico. – Eles aceitaram?

– Falei com a mulher dele, e ela me disse que eles têm um compromisso no sábado. Não sabe se poderão vir.

– Por que será que *seu* João não atendeu?

– Ela me disse que ele estava no banho.

– O que o senhor acha, pai? Será que eles vão aceitar o nosso convite?

– Não sei, meu filho. Precisamos esperar para ver.

No dia seguinte, Vinício recebeu um telefonema de Marisa logo cedo, contando-lhe a novidade. Os pais haviam cedido e resolveram permitir que ela fosse ao jantar de Malvina. Com aquilo, pareciam terminadas as suas desconfianças. Vinício exultou. A tentativa com o pai dera certo, e João amolecera. Na certa, ficara sem graça ao receber aquele telefonema e acabara caindo em si. Que rapaz pediria ajuda ao pai se não tivesse intenções sérias com uma moça?

Combinaram de encontrar-se no fim da tarde. Vinício estava ansioso para vê-la, mas precisava trabalhar. No fim do expediente, daria uma passada em sua casa e conversariam. Por volta das sete horas, estacionou o carro no portão de Marisa, e ela saiu para recebê-lo pessoalmente. Ele abriu a porta do carro e estendeu os braços para ela, que imediatamente se aninhou entre eles.

– Finalmente – desabafou ele. – Pensei que seu pai nunca fosse ceder.

– Foi minha mãe. Foi ela quem o convenceu.

– Puxa! A conversa com meu pai foi boa, hein?

– Devo imaginar que seja coisa de advogado.

– É mesmo. Desde que se formou, meu pai tem sido um excelente jurista. De advogado a juiz, passando por delegado, sempre foi muito competente em tudo o que fez.

Ambos riram e se beijaram, e Vinício a estreitou com ternura.

– Como senti a sua falta! – murmurou ela, enquanto se aconchegava em seu abraço.

– E eu! Pensei que não fosse resistir por mais tempo. Se seu pai se mantivesse irredutível, acho que teria fugido com você.

– Ainda bem que não precisamos chegar a tanto. Felizmente, eles caíram na realidade e permitiram que eu o encontrasse.

– Não acha que eu devo entrar e falar com eles? Cumprimentá-los, ao menos?

– Por enquanto não. Vamos dar tempo ao tempo e esperar que eles se acalmem. Meu pai cedeu, mas ainda está um pouco renitente. Não creio que vá fazer-lhe bem encontrar-se com você neste momento.

– Vamos dar uma volta.

– Não, ele não quer que eu saia. Só tenho autorização para sair nos fins de semana.

– Depois que nos casarmos, teremos todo o tempo do mundo só para nós. Tiraremos férias juntos e viajaremos pelo mundo. Só nós dois.

– Fala sério? Pretende mesmo casar-se comigo?

– Por que acha que estou tendo todo esse desgaste? Por orgulho ou capricho? Claro que não, minha querida. É porque a amo e a quero por esposa.

Emocionada, Marisa beijou-o docemente nos lábios, e ele correspondeu com ardor. Estavam muito apaixonados e tinham certeza de que conseguiriam concretizar seus planos. De tão feliz, ela nem pensava mais na conversa que escutara. O passado dos pais já não lhe parecia mais tão importante assim. Muito menos misterioso ou suspeito. Só o que lhe interessava naquele momento era desfrutar da companhia de Vinício.

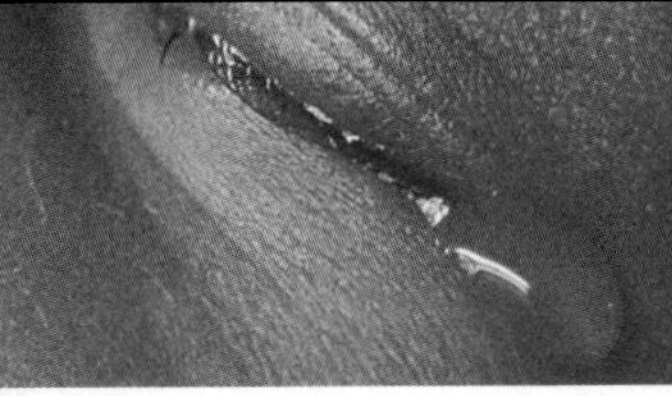

11

No dia do jantar, Marisa se arrumou toda, apesar da mal disfarçada contrariedade de João. Sandra, fingindo uma atenção excessiva, esmerava-se em ajudá-la com o vestido e o penteado, dizendo que ela seria a moça mais bonita naquela noite.

– Estou muito feliz por você, Marisa – disse com fingida admiração.

– Oh! Sandra, não é maravilhoso? Finalmente meus pais abriram os olhos.

– Já não era sem tempo – fez uma pausa e anunciou: – Também tenho uma novidade para lhe contar.

– O que é?

– Estou namorando.

Marisa abaixou a esponja com que passava o rouge e a fitou pelo espelho.

– O quê? – interessou-se, com alegria. – Quem é o felizardo?

– Chama-se Leandro, é lindo e muito charmoso.

– E rico...

– Não é não, viu, sua maldosa?

– Não!? – indignou-se. – O que deu em você, Sandra? Será que está criando juízo?

– É o amor, minha amiga. Estou apaixonada.

– Não diga! Isso sim é que é novidade. Você, apaixonada por um rapaz que não nada em dinheiro...

– Leandro é *bookmaker*. Não é rico, mas também não é nenhum pobretão.

– *Bookmaker*? – espantou-se Marisa, mal ocultando a indignação.

– É, por quê? Tem alguma coisa contra? É uma profissão tão honesta como outra qualquer.

– Mais ou menos, não é, Sandra? *Bookmaker* não é nem uma profissão...

– Como não? Todo mundo aposta em cavalos.

– Mas nem todos fazem apostas clandestinas.

– Leandro não é desonesto!

– Não quis dizer isso. Mas ele tem uma profissão um tanto quanto perigosa. Quantos anos ele tem?

– Trinta e dois.

– Não acha que é muito velho para você?

– Deixe de bobagens, Marisa. Vinício também é bem mais velho do que você.

– Nem tanto. E depois, Vinício é oficial da Marinha.

– E daí? Por que o preconceito? Acha que, só porque Leandro não tem um cargo importante, não presta?

– Não foi isso o que eu quis dizer.

– Pois é o que parece.

– Não é nada disso, Sandra, só fiquei preocupada.

– Agradeço, mas não precisa. Leandro é um bom rapaz e sei que me ama.

Apesar da preocupação, Marisa preferiu não dizer mais nada. Um rapaz feito aquele Leandro, na certa, era muito malandro e esperto, e facilmente enganaria uma menina tola feito Sandra. No entanto, não tinha o direito de se meter e achou melhor calar-se.

Sandra, por sua vez, exultava. Conseguira prender o interesse de Marisa, que dividiria seus temores com Vinício, despertando-lhe a atenção e a curiosidade. Um *bookmaker*, com certeza, não era uma pessoa comum. Quantos *bookmakers* se conhecia pessoalmente ao longo de uma vida? Sua mãe não conhecia nenhum, e João, certamente, também não. Definitivamente, era alguém que merecia atenção.

Lembrou-se de como o conhecera. Era noite quando Sandra chegou ao mesmo café em que o vira no dia em que forjara o encontro casual com Vinício. Sentou-se sozinha a uma mesa e pediu um copo de vinho, olhando ao redor à procura do homem louro. Logo o encontrou, no meio de uma roda de amigos. Alto, bonito, bem vestido.

Reparou que estava desacompanhado e encarou-o discretamente. Não demorou muito, e o rapaz percebeu os seus olhares. Durante um tempo, permaneceu estudando-a, a fim de se certificar de que ela estava mesmo flertando com ele. Em dado momento, seus olhares se cruzaram, e ele ergueu o copo de uísque que tinha nas mãos. Sandra sorriu e ergueu sua caneca de vinho, levando-a aos lábios num gesto sedutor e encarando o moço com olhos brilhantes. Na mesma hora, ele cochichou alguma coisa ao ouvido do homem a seu lado, que se voltou para Sandra e riu, dando tapinhas nas costas do outro.

O homem se levantou e se encaminhou para a mesa a que Sandra estava sentada. Parou diante dela e, com um sorriso encantador, começou a puxar conversa. Sandra correspondeu com uma fala macia e sedutora, e logo Leandro estava sentado a seu lado, rindo e bebendo à vontade. O fato de ela ser normalista do Instituto de Educação deixou-o encantado. As moças com quem saía eram, em sua maioria, coristas, vedetes e senhoras casadas, cansadas da indiferença dos maridos. Nunca, porém, tivera uma namorada estudante. Dali a pouco, já estavam se beijando e saíram juntos, indo para o apartamento dele. Foi assim que começaram a namorar.

Marisa desconhecia esses detalhes. Terminou os últimos retoques na maquiagem e foi esperar Vinício na sala. Do pai, nem sinal. Aceitara aquela situação por insistência de Antônia, mas não concordava nem um pouco com ela. Em poucos instantes, Vinício chegou, e Marisa saiu em companhia de Sandra. As duas entraram no carro, e Marisa pediu-lhe que desse uma carona à amiga até sua casa. Vinício não gostou muito, mas não disse nada.

No caminho, enquanto conversavam, Marisa lhe contou sobre o novo namorado de Sandra. Vinício fitou os olhos brilhantes da moça pelo espelho retrovisor e sorriu meio sem jeito. Queria parecer natural e indiferente, mas uma pontada aguda de ciúme espetou seu coração. Então, logo depois de se amarem, ela arranjava outro. Seria ele o homem com que sempre sonhara? Corajoso, livre e despido dos rigores da etiqueta e do preconceito? Intimamente, sentiu raiva. Seria possível que ela já o houvesse esquecido em tão pouco tempo?

Dissera que não o amava, que se enganara em seus sentimentos. E aquele Leandro? Teria conquistado seu coração? Além de tudo, era *bookmaker*, na certa cheio de ginga e de malandragem. Seria disso que Sandra gostava?

Não podia deixar transparecer seus sentimentos nem para Sandra, nem para Marisa. Apertou a mão da namorada a seu lado e lhe sorriu com ternura. Marisa deveria ser a única a importar-lhe.

***

O jantar transcorreu da forma esperada e, além da família, somente Marisa estava presente. Malvina e Conrado mostravam-se muito satisfeitos com a presença da moça, a quem já consideravam uma pessoa da família.

– Por que seus pais não vieram? – perguntou Malvina, interessada.

– Eles tinham um compromisso – desculpou-se Marisa. – Pediram-me que lhes transmitisse suas desculpas e que lhe desejasse votos de felicidades, d. Malvina.

– Muito obrigada. Foi muito gentil da parte deles.

Marisa não queria contar-lhes que os pais haviam dito que jamais colocariam os pés na casa daquela gente, até porque, não via nenhum motivo para tanto. Todos riram e continuaram conversando animadamente, falando sobre os assuntos mais variados. Mais tarde, depois que o jantar terminou, foram para a sala escutar um pouco de música, e Lídia pôde conversar mais reservadamente com Marisa.

– Você não imagina o quanto estou satisfeita de vê-la aqui novamente!

– E eu! Pensei que papai nunca fosse voltar atrás. Foi graças ao dr. Conrado que ele cedeu. E à minha mãe, que o convenceu.

– Mas que coisa! Olhe, Marisa, gosto muito de você, mas acho que seu pai não foi nada justo com Vinício. Que ele se zangasse no dia, eu até entendo. Mas ficar tão relutante do jeito como ele ficou, foi muito esquisito. Parece até que Vinício fez alguma coisa a ele, embora nunca nem se tenham encontrado.

– Agora que falou, Lídia, ocorreu-me uma coisa.

Marisa estava com um ar pensativo que despertou a curiosidade de Lídia.

– O que foi?

– No dia em que seu pai ligou, ouvi uma conversa muito estranha entre eles.

– Que conversa?

Marisa fitou o rosto curioso de Lídia, estreitou a vista e apertou os lábios, como se estivesse puxando pela memória.

– Você acha possível que nossos pais se tenham conhecido no passado?

– Conhecido no passado? Não sei... quero dizer, impossível, nada é, embora ache pouco provável.

– Por quê?

– Bom, você disse que seus pais vieram do Maranhão, e nós somos do Ceará. E meu pai conheceu muito poucas pessoas de lá.

– Mas não será possível que, dentre essas poucas pessoas, meu pai não esteja incluído?

– Possível, sempre é. Mas por que diz isso? O que foi que você ouviu?

– Foi muito estranho, Lídia. Meu pai e minha mãe estavam conversando, e ouvi claramente quando ele disse que um acaso os havia unido no passado, e, não fosse esse acaso, Vinício seria muito bem-vindo em nossa casa.

– O quê? Mas que acaso é esse?

– Não sei, mas gostaria de descobrir. Quando viemos para o Rio, eu ainda era bebê e... – calou-se repentinamente, fitando Lídia com ar aterrado.

– O que foi, Marisa? Em que está pensando?

– Meu Deus! Será que Vinício e eu somos irmãos?

– Mas que idéia absurda é essa?

– Será que é isso, Lídia? Será que meu pai e sua mãe...

– Em que está pensando? Que minha mãe teve um caso com seu pai antes de casar-se com o meu?

– Não sei. Como você mesma disse, tudo é possível. Isso justificaria o medo que têm de namorarmos.

– Não diga bobagens, Marisa. Se fosse isso, eles jamais permitiriam que vocês namorassem. E minha mãe também ia lembrar-se, não acha? Qual a mulher que se esquece dos homens com quem dormiu?

– Tem razão...

– Não, Marisa, não é nada disso. Seja lá o que for, é algo que envolve nossos pais. Seus pais e os meus.

– Será que eles não foram, ao menos, amantes?

– Isso, pode até ser.

– É. E você há de concordar comigo que isso não é coisa que se fique espalhando por aí, não é mesmo?

– E todos teriam o maior interesse em ocultar esse fato. O estranho é que nem meu pai, nem minha mãe deixaram transparecer nada. Podiam, ao menos, ficar ressabiados.

– Talvez eles não tenham ligado os fatos. Afinal, seus pais nunca se encontraram com os meus.

– Sim, mas só o fato de virem do Maranhão... então meus pais não iam lembrar-se?

– Não sei. Tudo pode ter acontecido há muito tempo.

– Ou pode não ser nada disso. Pode ser algum outro segredo, algo terrível que se queira esquecer.

– Mas que segredo seria esse?

– Seja o que for, diz respeito muito mais aos seus pais do que aos meus. Somente eles ficaram transtornados, preocupados e com medo.

– Sim. Seus pais parecem até não saber de nada.

– Meu pai deve saber. Isso explicaria a atitude dos seus e o comentário que você ouviu. Um acaso que os uniu no passado... o que poderia ser?

– Por que não sonda com seu pai? Talvez ele se lembre de algum fato estranho ocorrido no Maranhão.

– Meu pai nunca falou sobre ninguém do Maranhão. Quando

era delegado em Pedra Branca, conheceu vários jagunços e coronéis. Com esses, pode-se dizer que teve um relacionamento conturbado, e muitos deles, meu pai não conseguiu prender. Mas no Maranhão...

– Meu pai nunca nem deve ter ouvido falar em Pedra Branca, logo, não podem conhecer-se de lá. Ele e minha mãe saíram do Maranhão direto para o Rio de Janeiro.

– De que lugar do Maranhão eles eram?

– Não sei bem ao certo.

– Devia perguntar a ele.

– Ele e minha mãe ficaram bastante transtornados quando viram que eu ouvi a conversa que tiveram. Pensando bem, creio mesmo que foi por causa disso que mamãe conseguiu convencê-lo a deixar-me ver Vinício.

– Por quê?

– Para despistar, ora essa. Consentindo em meu namoro com Vinício, ela sabia que eu desviaria minha atenção da conversa que ouvi, e foi mesmo o que aconteceu. Se você não tivesse tocado no assunto, talvez eu nem me lembrasse mais, tamanha a felicidade que fiquei por poder encontrar-me livremente com seu irmão. Mas agora... não sei, aquela conversa me voltou à memória. Lembro-me da cara de espanto de meu pai, do medo estampado em seus olhos, do suor que lhe escorria pela testa apesar do frio. E minha mãe, então? Conseguiu manter-se equilibrada e contornou a situação, mas seu nervosismo era bem visível. Se eles me estão escondendo algo, não tocarão mais nesse assunto e, quanto mais eu perguntar, mais eles vão fechar-se. Seja lá o que for que tenha acontecido, se é que aconteceu mesmo, deve ter sido algo bem grave.

– Será que aconteceu mesmo alguma coisa?

Ela deu de ombros e retrucou em dúvida:

– Minha mãe disse que eu ouvi demais, que não foi nada disso que meu pai falou. Contudo, não me disse o que realmente haviam conversado nem o que queriam dizer com aquela conversa. Apenas disfarçou e mudou de assunto, falando de Vinício para desviar minha atenção.

– Estranho... você contou a Vinício?

– Ainda não. Só agora me lembrei desse episódio. Minha felicidade foi tanta que me esqueci de todo o resto.

– Pois conte a ele. Se Vinício souber, talvez possa ajudar.

– Ajudar em quê? – era Vinício, que acabava de juntar-se a elas.

– Uma coisa muito estranha que Marisa ouviu de seus pais. Vamos, Marisa, conte a ele.

Marisa contou. Vinício, porém, ao contrário de Lídia, não viu nada de mais naquela conversa.

– Sua mãe tem razão – observou. – Você anda ouvindo demais.

– Não acredita em mim?

– Acredito que você ouviu alguma coisa, mas não creio que tenha sido bem assim. Você deve ter entendido mal, porque estava chateada com eles e achava que só poderia mesmo escutar coisas ruins. Um acaso que os uniu no passado? A ele e a meu pai? Impossível!

– Por que os homens são tão céticos? – revidou Lídia, irritada.

– Porque somos objetivos e práticos, e não costumamos ter a mente fantasiosa que vocês, mulheres, têm.

– Ora essa, Vinício, que preconceito bobo!

Vinício deu uma gargalhada jocosa e puxou Marisa pela cintura, indo dançar com ela no meio da sala, sob os olhares aprovadores dos pais. Não adiantava nada falar com ele. Vinício era mesmo muito objetivo para acreditar em suposições e evidências. Não poderiam contar com ele. Fosse o que fosse que tivessem que descobrir, teriam que fazê-lo sozinhas.

***

João e Antônia não desgrudavam os olhos da janela do quarto, ansiosos pela chegada de Marisa. Desde que ela começara a sair com Vinício, os dois não tinham mais sossego. João, então, vivia assustado, com medo de que Conrado o descobrisse. Quanto mais Marisa se envolvia com seu filho, mais ele odiava o pai. Enquanto João pensava, Kedar o observava com os olhos chispando de ódio. Já não agüentava mais a teimosia dele. Em dado momento, aproximou-se e gritou em seu ouvido:

– Só vai livrar-se de Conrado no dia em que o matar!

João sentiu um leve mal-estar e se apoiou na cômoda para não cair.

– João! – assustou-se Antônia. – O que houve? Está sentindo alguma coisa?

– Não sei... foi um mal-estar passageiro. Não se preocupe, já passou.

Nem de longe João desconfiava de que o mal-estar que havia sentido devia-se à sintonia de ódio que se estabelecera entre ele e Kedar. O espírito, sequioso de vingança, não via a hora de poder colocar as mãos em Conrado e levá-lo para as profundezas do astral inferior. Em sua ignorância, julgava-o o inimigo de outrora e não conseguia entender que o magistrado, acompanhando a lei de evolução que rege todas as coisas, também se havia conscientizado da necessidade de evoluir. Pensava apenas que ele era protegido dos seres de luz, como costumava chamar os espíritos esclarecidos, embora não entendesse o porquê daquela proteção. Pelo que se lembrava de Conrado, ele era um homem cruel e fora o responsável por todo o seu infortúnio e pelos longos anos de escravidão que fora obrigado a viver nas trevas. Não conseguia entender por que ele era digno de tanta atenção.

A insensatez e a ignorância o haviam cegado a tal ponto que ele não percebia que Conrado havia mudado. Fora um homem ruim no passado. Hoje, porém, consciente de seus desencontros consigo mesmo, assumira a responsabilidade de mudar. Não queria mais ser ambicioso nem era mais um traidor.

Kedar não acreditava nisso. Sentia o ódio dominá-lo cada vez mais e pensava que, matando Conrado, ultimaria sua vingança. Julgava-se merecedor daquela vingança e atribuía a si mesmo o poder de escravizar o seu espírito após o seu desenlace. Pensava nisso naquele momento, embebido em seu ódio, e não percebeu que um ser de luz se aproximava dele.

– Não vai conseguir o que deseja – disse o espírito. – Conrado está protegido.

Kedar deu um pulo de susto e se escondeu atrás de uma cortina.

– O que quer aqui? – replicou entre os dentes. – Veio castigar-me?

– Não sou a sua consciência para lhe infligir nenhum castigo.

– Como assim, a minha consciência? – tornou desconfiado.

– Somos nós que nos castigamos, Kedar. Nossa consciência é o maior juiz de nossos atos.

– Quem é você? Como sabe o meu nome? Espere... você é aquele que acompanha o delator!

– Ele não é delator. Não mais.

– Ele é um fingido, isso sim!

– Conrado agora é um homem decente e digno, como você poderia ser, se quisesse.

– Homem decente... besteira! Conrado não sabe o que é isso, nem eu. Somos homens do mundo, meu senhor, não temos decência nem dignidade.

– Engano seu, Kedar. Para ser digno e decente, basta querer modificar-se.

– Até parece que Conrado quis modificar-se.

– Tanto quis que hoje é outro homem.

– Ele é um delator, isso sim! Entregou-nos para salvar a pele.

– Quem de nós talvez não tivesse feito o mesmo? Ou pior?

– Isso não é desculpa. Agora chegou a hora de ajustarmos as contas!

– Posso saber como é que pretende fazer isso?

– Tenho um aliado de peso.

– Tem um aliado tão digno de piedade quanto você. Como pensa que um cego pode ajudar outro cego?

– Ouça aqui, senhor – rugiu enraivecido. – Não pedi os seus conselhos. Volte para o lado dos bonzinhos e me deixe em paz. Seu lugar não é aqui.

– Nem o seu.

– Era só o que me faltava! – revidou em tom de mofa. – Onde pensa que é o meu lugar? No céu?

– Quem sabe?

– Não sabia que os espíritos lá de cima eram irônicos também. Onde aprendeu a ser galhofeiro? Com seus amigos purinhos é que não foi. Já sei. Deve haver um prostíbulo lá onde você vive. É isso, você aprendeu a ser engraçadinho com suas piranhas lá do céu. Quem diria, hein? Um santinho, todo vestido de branco, com o membro duro por debaixo da túnica. Espere só até São Pedro descobrir as suas artimanhas. Vai expulsá-lo do paraíso!

Soltou uma gargalhada estridente e diabólica, encarando o espírito de luz com olhar zombeteiro. O espírito, porém, parecia não se importar com a sua linguagem vulgar nem com a sua falta de respeito. Ao contrário, fitava-o com ar de indescritível bondade, o que irritou Kedar ainda mais.

– O que foi? – continuou com seus impropérios. – Está pensando com qual prostituta de asas vai dormir hoje?

– Não – respondeu o espírito calmamente. – Estou apenas pensando em como é triste a sua ilusão.

– Mas que ilusão? Ilusão é a sua, de pensar que pode demover-me de minhas intenções.

– Não. Você é quem se ilude ao pensar que a vingança vai lhe dar prazer. Depois de concretizar suas intenções, se as concretizar, vai ver o quanto é dolorosa a dor do arrependimento.

– Não vou me arrepender! Nunca! Estou há anos esperando por isso!

– Tem razão. Quem está há tantos anos esperando para se vingar pode muito bem esperar outros tantos para ser feliz.

Kedar encarou-o confuso e retrucou pensativo:

– Acha que não sou feliz?

– Não sei. Diga-me você.

Ele pensou por uns instantes e respondeu hesitante:

– Sou feliz... tenho uma posição importante no lugar em que

vivo... tenho as mulheres que quero... recebo até presentes para fazer uns servicinhos...

– É a sua dádiva de ilusão, mas não é felicidade.

– Está enganado, senhor! Sou feliz.

– Não precisa me chamar de senhor. Meu nome é Mateus. Quanto a ser feliz, pergunte ao seu coração. Se ele lhe responder com serenidade, sem dor, culpas ou medos, então acreditarei que você é feliz.

Passou a mão de leve sobre a cabeça de Kedar, que sentiu como um choque elétrico, porém prazeroso e revigorante, e virou as costas para ele, sumindo pela parede do quarto. Kedar levou algum tempo para se recuperar e, quando voltou à realidade, não sabia mais ao certo por que estava ali. Rodou nos calcanhares e também sumiu.

***

Logo após o café da manhã, Lídia se aproximou do pai, que lia tranqüilo o seu jornal, sentado num sofazinho de vime na varanda. Sentou-se ao lado dele e ficou olhando para o jardim que havia na frente da casa, balançando as pernas suspensas no ar.

– Quer alguma coisa, minha filha? – indagou Conrado.

Ela suspirou e olhou para ele, respondendo com ar nostálgico.

– Sinto saudades de casa.

– Esta é a sua casa, Lídia.

– Não, pai. Sinto saudades de Fortaleza.

Conrado pousou o jornal no colo e fixou os seus olhinhos brilhantes. Tomou as mãos dela entre as suas e considerou:

– Não gosta daqui?

– Gosto. Mas isso não me impede de sentir saudades da terra onde nasci, impede?

– É claro que não. Para falar a verdade, também sinto falta do Ceará. Passei a minha vida toda lá...

Aquela era a deixa que Lídia esperava para sondar o pai sobre o pai de Marisa, então questionou:

– O senhor nunca saiu do Ceará?

– Não. Passei alguns anos em Pedra Branca, como delegado, e depois fui para Juazeiro do Norte, como juiz. De lá, para Maranguape e, por fim, Fortaleza. Não se lembra?

– Lembro-me de Juazeiro do Norte e de Maranguape. De Pedra Branca, não guardo nenhuma recordação.

– Você era ainda um bebezinho quando saímos de lá. Seu irmão já era maior e deve lembrar-se.

Não se lembrava. Não do que eles pretendiam descobrir. Ela e Vinício já haviam conversado sobre o tempo em que passaram em Pedra Branca, mas o irmão não se lembrava de nada que pudesse ajudar. Mesmo porque, suas investigações se dirigiam para o Maranhão, onde acreditavam que João havia nascido.

– E antes disso, pai? Onde foi que o senhor morou?

– Em Fortaleza. Foi lá que conheci sua mãe.

– Vocês namoraram pouco tempo, não foi?

– Cerca de dois anos. Logo nos apaixonamos e nos casamos. Como eu era um advogado recém-formado e promissor, filho de um desembargador, seu avô, pai de sua mãe, não opôs nenhum obstáculo ao casamento.

– Onde foi que passaram a lua-de-mel?

– Em Buenos Aires. Foi um presente de meu pai.

– E seus amigos? De onde eles são?

– De vários lugares. Conheço gente em todo canto.

– Conhece muitas pessoas no Maranhão?

– No Maranhão? Deixe ver... – pousou o dedo sobre os lábios, puxando pela memória, e começou a enumerar: – Conheço a família do ministro Antonio Carneiro, que é toda de lá. Gente muito direita. Também tive um colega de faculdade que era de lá. Como era mesmo o nome dele? Oliveira, é isso. Carlos Oliveira. Morreu num acidente de trem antes de completar o curso. A família ficou chocada.

Parou de falar e fez um ar pensativo e triste, de quem se recorda de um acontecimento antigo e funesto.

– Não conheceu nenhum João?

– João? Que me lembre, não conheci nenhum João. Por quê?

– Por nada. Curiosidade.

– Nunca vi curiosidade com esse nome. Por que pergunta de João? Quem é João? João de quê?

– Ninguém, pai. Uma pessoa que conheci.

– Por acaso não é o pai de Marisa, é? – ela assentiu. – Ora, Lídia, já lhe disse que não o conheci. Como é mesmo o nome dele todo?

– João da Silva.

– Ainda mais com esse nome. Faz idéia de quantos Joões da Silva deve haver espalhados por este país?

– Por isso mesmo, pai. É um nome tão comum! Não será possível que o senhor tenha conhecido algum João da Silva e se esquecido dele?

– Bom, possível, sempre é. Mas não creio.

– Ele não era ninguém importante, apenas um administrador de fazenda.

– Não conheci nenhum lá pelas bandas do Maranhão. Conheci um coronel uma vez, que vinha a ser parente do Carlos, mas não me lembro o nome.

– Por favor, pai, tente lembrar-se. Não era João?

– Não me lembro, já disse. Conheci-o no velório do Carlos, mas isso foi há muitos anos. Eu ainda nem era casado. Como espera que me lembre do nome de alguém que conheci há trinta anos e, assim mesmo, apenas rapidamente? De qualquer forma, o homem não era administrador de fazendas. Era fazendeiro.

– Será que ele não possuía nenhum administrador chamado João?

– Posso saber por que tanta curiosidade sobre esse homem de repente?

– É que Marisa pensou ter ouvido que ele o conhecia – declarou com cautela, não querendo revelar tudo o que Marisa lhe havia contado.

– A mim!? – surpreendeu-se. – De onde?

– Não sei. Por esse motivo estou-lhe perguntando.

– Olhe, minha filha, não me lembro de nenhum João da Silva. Pode ser que ele tenha ouvido falar de mim, porque fui delegado e juiz. Mas nunca atuei por aqueles lados. Só no Ceará.

– Mas é que ele falou com tanta certeza...

– Por que não pergunta a ele então? Se ele se lembra de mim de algum lugar, deve saber de onde é.

– Não posso perguntar a ele. O pai de Marisa é um homem muito reservado e quase não sai nem fala com ninguém.

– O que é mesmo que ele faz?

– É dono de uma rede de lojas de material de construção.

– Ainda mais nesse ramo. Não, não conheço ninguém nesse ramo – notando o seu desapontamento, perguntou curioso: – Por que tantas perguntas, minha filha? Se ele é assim tão reservado, por que Marisa mesma não lhe pergunta de onde me conhece? Se é que ele me conhece mesmo.

Lídia estava num dilema. Queria contar ao pai sobre a conversa que Marisa ouvira entre João e a mulher, mas temia comprometê-los. Não sabia que segredo era aquele que os envolvia no passado e tinha receio de que fosse algo muito grave e perigoso. Ainda assim, resolveu insistir, mas mudou um pouco a abordagem:

– E mamãe? Será que não o conhece?

– Sua mãe? Ora, Lídia, mas que disparate! De onde é que sua mãe iria conhecê-lo?

– Do Maranhão.

– Sua mãe nunca foi ao Maranhão. Todas as vezes em que lá estive, fui sozinho. Aliás, eu nem era casado quando fui lá pela última vez. Faz anos que não piso no Maranhão.

– Será que ela e seu João não se conheceram em Fortaleza? Antes de vocês se casarem, quem sabe?

– O que está insinuando, Lídia? Que sua mãe e o pai de Marisa já se conheciam e tiveram algum tipo de relacionamento? É isso? – ela corou, e Conrado mesmo respondeu: – Se é isso, é um absurdo. Fui o primeiro e único namorado de sua mãe e posso assegurar-lhe que ela nunca se apaixonou por outro homem além de mim. Mas por que todo esse interesse repentino?

– Por nada. Eu apenas... – calou-se temerosa, não sabendo mais o que dizer para justificar tanta curiosidade.

– Apenas o quê?

– Nada, pai. Como disse, Marisa pensou que o pai houvesse insinuado que já o conhecia. Eu apenas fiquei conjeturando de onde é que poderia ser.

– De lugar nenhum. Ao menos que eu saiba. Nunca vi esse João em toda a minha vida. Se cruzar com ele na rua, não sei quem é. Falei com a mulher dele apenas uma vez ao telefone. Não acha que se ele me conhecesse, teria vindo falar comigo? Oportunidades não lhe faltaram. Ainda mais porque nossos filhos são namorados...

Agora foi a vez de Conrado se calar, desconfiado, perguntando-se por que aquele João não gostava de seu filho. Vinício lhe contara o ocorrido na floresta da Tijuca, e ele achara um exagero aquela reação, mas aceitara a explicação de que João era um matuto antiquado e pouco sociável. Mas agora, com as insistentes perguntas de Lídia, pusera-se a pensar. Teria mesmo sido exagero aquela reação violenta e despropositada daquele homem, que tratara seu filho quase como um marginal? Ou o teria mesmo conhecido em outros tempos? Mas de onde?

Conrado estava certo de que conhecia poucas pessoas no Maranhão, e nenhuma com quem tivesse tido algum tipo de relação difícil. Os inimigos que granjeara eram todos do Ceará. Muitos bandidos que condenara quando fora juiz criminal em Juazeiro e Maranguape, além dos jagunços que perseguira e prendera em Pedra Branca. Seria isso? Seria o tal João algum criminoso que ele mandara para a cadeia no Ceará e que por esse motivo o odiava? Mas quem? E quando teria sido aquilo?

Se o que Marisa contava do pai fosse verdade, aquela possibilidade era bem remota. João saíra do Maranhão para dar uma criação melhor à filha e, segundo ela, nunca estivera no Ceará, portanto, não poderiam ter-se encontrado. Vivia no Rio de Janeiro há dezoito anos, logo, não podia tê-lo conhecido na magistratura. Se o conhecia, era do tempo em que fora delegado, e ele somente fora delegado em Pedra Branca, jamais no Maranhão. Teria sido João algum jagunço que ele ajudara a prender ou que fugira? Mas Marisa dissera que o pai jamais estivera no Ceará e, aparentemente, era um homem honesto e trabalhador. A não ser que ele estivesse mentindo.

Conrado fitou Lídia misteriosamente. A moça permanecera calada, pensativa como ele, e Conrado aproveitou para afastar-se. Deu-lhe um beijo na mão e se levantou, deixando-a a sós com seus pensamentos.

12

Era o último mês do último ano letivo na escola normal do Instituto de Educação, e as meninas viviam agora certa euforia, na expectativa da tão sonhada formatura. Muitas já estavam noivas e comprometidas, outras até já se haviam casado. Algumas poucas sonhavam com a faculdade, outras queriam dar aulas, outras apenas estudavam para complementar a educação que toda boa esposa deveria ter.

Marisa pensava em dar aulas depois de formada e fazer faculdade de pedagogia. Lídia, por sua vez, queria estudar Direito, ao passo que, para Sandra, a conclusão da escola normal deveria coincidir com o fim de sua vida de solteira pobretona. Sandra queria terminar a escola e se casar com um homem rico, que realizasse todos os seus sonhos.

Eram esses pensamentos que povoavam o Instituto de Educação naquele fim de semestre, e Lídia, que fora a primeira a chegar naquela manhã, sentara-se em sua cadeira de sempre, rabiscando num caderninho seus planos para o futuro.

– Olá – disse uma voz jovial atrás dela, que se voltou e sorriu.

– Ah! Marisa, bom dia!

Mais que depressa, Marisa sentou-se a seu lado e, com voz de cochicho, indagou:

– Como foi? Conseguiu descobrir alguma coisa com o seu pai?

– Nada. Ontem mesmo procurei sondá-lo, mas ele afirma que nunca conheceu seu pai.

– Tem certeza?

Em breves palavras, Lídia narrou a conversa que tivera com o pai, mas, antes que Marisa pudesse fazer qualquer comentário, a professora entrou na sala para a primeira aula, e elas tiveram que se separar. Marisa tomou o seu lugar e estranhou a carteira vazia a seu lado.

No mesmo instante, Sandra entrou correndo pela porta, sob o olhar reprovador da professora, indignada com o fato de terem permitido que entrasse atrasada. Ela chegou esbaforida e sentou-se apressada, atirando o material sobre a mesa.

– O que houve com você? – repreendeu Marisa, cenho franzido.

– Fui dormir tarde ontem.

Um psiu! zangado chegou aos ouvidos das duas, e elas se calaram, ante a cara de recriminação da professora. Abriram os cadernos e tentaram prestar atenção à aula. Marisa não ocultava o seu ar de reprovação, e Sandra exultava por dentro. Leandro estava ficando cada vez mais interessado – ou seria apaixonado? – e logo seu plano daria certo. Tinha que dar.

Durante o resto do dia, mal tiveram chance de conversar sobre aquele namoro. Sandra evitava tocar no nome de Leandro, e Marisa não via meios de introduzir o assunto. Ao término das aulas, quando estavam saindo, Marisa não conseguiu conter o desagrado. Parado do outro lado da rua, Leandro esperava Sandra em seu conversível, sorrindo e acenando para ela.

– Adeus, meninas – falou Sandra rapidamente, atravessando a rua às pressas e se atirando nos braços do namorado.

Marisa permaneceu olhando-os e seguiu o carro do rapaz até sumir na primeira esquina.

– Não gosto desse sujeito – comentou contrariada. – Sandra não devia envolver-se com gente desse tipo.

– Acho que ela se envolve com o tipo de gente que se afiniza mais com os seus princípios – observou Lídia em tom malicioso.

– O que está querendo dizer com isso, Lídia? Que Sandra tem mau caráter?

– Quis dizer apenas que ela gostou de Leandro porque ambos possuem os mesmos valores.

– Que valores?

– Talvez nenhum.

As duas silenciaram, e Marisa foi ao encontro de Damião, que abriu a porta do carro para ela entrar, enquanto Lídia se dirigia para seu próprio automóvel. No caminho de casa, Marisa seguiu sem trocar uma palavra com o motorista, como costumava fazer sempre. Não conseguia parar de pensar em Sandra e no novo namorado. Preocupava-se muito com a amiga, embora ela mesma parecesse não se importar.

Durante quase todos os dias das semanas que se seguiram, Sandra se atrasou, e Marisa já não sabia mais o que fazer. Embora tentasse chamá-la à razão, a moça não se emendava. Marisa chegou a comentar o assunto com Vinício, que não demonstrou muita preocupação, embora, interiormente, nutrisse um certo rancor por Leandro. Não havia o que fazer, porém. Marisa sabia que, quanto mais recriminasse a atitude de Sandra, mais ela agiria daquela forma.

Ao entrar em casa naquela tarde, Antônia já esperava Marisa com o almoço pronto. Ela lhe deu um beijo amistoso no rosto e se espantou quando viu o pai entrando na sala de jantar.

– O que foi, pai, está doente? – indagou ela preocupada.

– Não, minha filha, por quê?

– É que hoje é segunda-feira, e eu não imaginava que estivesse em casa a essa hora.

– Sabe de uma coisa? – retrucou ele, sentando-se pesadamente e colocando o guardanapo sobre o colo. – Resolvi aposentar-me. Já dei muito duro e decidi que é hora de parar.

– Vai deixar as lojas sozinhas? – tornou incrédula.

– Ora, minha filha, para que é que servem os administradores? Tenho gente boa trabalhando para mim.

– Mas, e se seus administradores o roubarem?

– Duvido muito. Têm que me prestar contas mensais, e eu não sou nenhum tolo.

Marisa também duvidava. O pai podia ser um matuto ignorante, mas era muito esperto no que se referia aos negócios. Começaram a comer em silêncio, Marisa fitando o pai pelo canto do olho, imaginando o quanto de mistério poderia haver em sua vida. Não queria interrogá-lo sobre aquele assunto, mas acabou não conseguindo controlar a curiosidade.

– Quanto tempo faz que saímos do Maranhão? – sondou.

A pergunta pegou João e Antônia de surpresa, e eles trocaram significativo olhar, fitando Marisa com ar de espanto. Antônia, porém, rapidamente se recuperou e respondeu com aparente naturalidade:

– Faz dezoito anos que saímos, Marisa, e você sabe muito bem disso.

– Tínhamos parentes por lá?

– Você sabe que não. Seus avós morreram, e nem eu, nem seu pai temos irmãos.

– Que pena... teria sido bom ter uma família, primos com quem me corresponder.

– Por quê? – perguntou João.

– Ora, porque seria divertido. Tenho amigas na escola que escrevem para parentes e amigos em outros Estados. Lídia mesma se corresponde com primos e antigos amigos de Fortaleza.

– Isso é lá com ela – rebateu João, com visível irritação. – Nós aqui não possuímos ninguém.

– Pois é... mas que é uma pena, é.

Silenciaram novamente, Antônia e João ainda trocando aqueles olhares que tanto intrigavam Marisa.

– Gostaria muito de conhecer o Maranhão – prosseguiu a moça, evitando encarar o pai. – Dizem que há lugares lindíssimos por lá, não é mesmo, mamãe?

– É, sim – respondeu Antônia prontamente.

– E quanto ao Ceará, pai? Você já esteve lá alguma vez?

– Já disse que não – falou mal-humorado. – Meus negócios eram no Maranhão.

– Vocês conheciam muita gente por lá? No Maranhão, quero dizer.

– As pessoas de sempre – adiantou-se Antônia. – Alguns fazendeiros, comerciantes, gente que vivia da terra e do plantio.

– E o dono da fazenda onde papai trabalhou?

– O que tem ele?

– Não ficou chateado quando você foi embora, pai?

Ele a fitou com uma certa indignação e retrucou de má vontade:

– Já lhe contei essa história, Marisa, e não entendo por que quer retomar esse assunto.

– É que gostaria de saber. Vocês nunca falam do passado e...

– Não há nada para falar – cortou João rispidamente, provocando olhares de censura em Antônia. – Nossa vida no Maranhão era muito aborrecida e sem graça, e estamos muito melhor aqui no Rio de Janeiro. Ou será que não gosta daqui e dos seus amigos?

– Não é isso, papai – tornou Marisa em tom mais conciliador. – É só que fiquei imaginando...

– Imaginando o quê? – retorquiu Antônia, também demonstrando insatisfação com aquela conversa.

– Bom, é que outro dia mesmo vocês disseram que conheciam Vinício.

– Eu nunca disse disso – protestou João, lançando para Antônia um olhar de súplica e desespero.

– Disse sim – insistiu Marisa. – Eu ouvi.

– Acho que você anda ouvindo demais.

– Não ouvi, não. Vocês falavam de Vinício no outro dia.

João estremeceu por dentro. Lentamente, porém, pousou o garfo sobre o prato e fitou Marisa bem no fundo dos olhos.

– Você está imaginando coisas, minha filha. Eu nunca disse nem sugeri que pudesse conhecer esse moço.

– Por que é então que no outro dia você disse que qualquer rapaz seria bem-vindo a nossa casa, menos Vinício, por causa de um acaso que os havia unido no passado? O que quis dizer com isso?

– Eu não disse isso – insistiu João irritado. – Você está imaginando coisas.

– Mas eu ouvi. Ouvi perfeitamente quando você disse...

– Por que não pára com essa bobagem, Marisa? – interrompeu Antônia. – Já não conseguiu o que queria? Não está namorando esse rapaz? Por que ficar perguntando coisas que não têm resposta?

– Como assim, não têm resposta?

– Ora, seu pai não conhece Vinício de lugar nenhum nem poderia, porque o rapaz deveria ser apenas um garotinho quando nós viemos para cá.

– Mas e o pai dele? E a mãe? Vocês nunca se encontraram?

– Absolutamente! O dr. Conrado e a mulher são perfeitos estranhos para nós.

– Têm certeza? – Antônia aquiesceu. – Mas eu ouvi...

– Você não ouviu nada. Ou pelo menos, o que pensa ter ouvido. Você entendeu mal as palavras de seu pai porque seus pensamentos só estavam voltados para aquele rapaz. Qualquer coisa que tivéssemos dito, você entenderia relacionada a Vinício.

Marisa não disse nada, mas não acreditou. A mãe estava tentando confundi-la, fazer com que ela se convencesse de que não ouvira o que tinha certeza de ter ouvido. Era um absurdo! Mas por quê? Por que os dois continuavam com aquele mistério que parecia escabroso? Quanto mais eles negavam, mais ela suspeitava. Não insistiu mais no assunto, porém. O pai já estava ficando aborrecido e era bem capaz de proibi-la de se encontrar com Vinício de novo, só para puni-la. Terminou o jantar em silêncio e esperou até que os pais se recolhessem para subir ao seu quarto.

Deu boa-noite a ambos e foi dormir. Assim que ouviu o ruído da porta do quarto dos pais se fechando, ela saiu do quarto e colou o ouvido à porta deles. Não precisou esperar muito até que vozes abafadas começassem a vir lá de dentro. A princípio, não conseguiu distinguir o que diziam, mas aos poucos, a irritação de João foi elevando o tom de sua voz, até que ela entendeu quase que perfeitamente o que diziam.

– Ela está desconfiada – sussurrou ele, o pânico dominando sua voz.

– Tenha calma, João – era Antônia, em tom mais baixo. – Se você se desesperar, vai colocar tudo a perder.

– Como quer que me sinta? Que fique tranqüilo com essa ameaça pairando sobre nossas cabeças?

– Não precisa exagerar, basta apenas afirmar que ela entendeu errado o que você disse.

– Mas ela queria saber o nome do coronel Agostinho! – retrucou com assombro.

– Psiu! – zangou-se. – O que deu em você, ficou louco? Quer que alguém o ouça?

– Ela nunca antes havia perguntado isso – prosseguiu ele, ignorando as censuras da mulher. – Nunca antes se havia interessado por coronel Agostinho.

– Não torne a repetir o nome desse homem em nossa casa! – objetou Antônia, quase em pânico. – As paredes têm ouvidos.

Do lado de fora, Marisa ouviu passos se aproximando da porta e correu o mais que pôde, fechando a sua rapidamente e atirando-se na cama. Antônia entreabriu a porta e espiou para fora, só que não viu ninguém. Podia jurar que ouvira um barulhinho no corredor, mas devia ser impressão. Ainda pensou em ir ao quarto da filha verificar, mas achou a idéia tola. A última coisa que Marisa seria capaz de fazer era ficar ouvindo atrás das portas.

Em sua cama, Marisa ofegava, mais de medo que pela corrida. Puxou a colcha e atirou-a no chão, cobrindo-se até a cabeça com o lençol, e esperou. No entanto, a mãe não foi ao seu quarto, e ela foi-se acalmando. Esperou mais alguns minutos e se levantou. Trocou a roupa e tornou a se deitar. Seria muito arriscado voltar ao quarto deles depois daquele susto.

Já ouvira o suficiente, pelo menos para começar. Ouvira nitidamente quando o pai falara em um tal coronel Agostinho. Quem seria? Ela nunca ouvira aquele nome em toda a sua vida. Na certa, era o dono da fazenda para quem o pai trabalhara. Mas por que o mistério? O que havia de tão estranho em saber o nome do antigo patrão de seu pai? E por que a mãe o recriminara tanto, parecendo mesmo aterrorizada com aquele nome? Que ameaça seria aquela que pairava sobre sua cabeça? Quem era aquele homem misterioso de quem ela nunca ouvira falar? Com esses pensamentos na cabeça, acabou fechando os olhos e adormeceu.

***

Foi quase derrubando as cadeiras que Marisa entrou na sala de aula naquela manhã, correndo ao encontro de Lídia. A moça, como sempre, havia chegado cedo e ajeitava seu material na carteira quando Marisa se aproximou.

– Tenho uma novidade! – exclamou eufórica, nem esperando resposta da amiga. – Descobri o nome do homem para quem meu pai trabalhava no Maranhão. É um tal de coronel Agostinho. Já ouviu falar?

– Coronel Agostinho? Hum... acho que não.

– E tem mais. Meu pai está com medo das minhas desconfianças e acha que tem uma ameaça pairando sobre a cabeça dele.

– Ele disse isso? Estranho...

– E minha mãe teme que ele ponha tudo a perder.

– Essa história está ficando mesmo esquisita.

– Você precisa perguntar ao seu pai, Lídia! Talvez ele tenha conhecido algum coronel Agostinho.

– Pode ser, Marisa, não sei. De qualquer forma, mais tarde falarei com ele.

A entrada repentina da professora as fez calar, e Marisa voltou ao seu lugar. Notou que Sandra, como sempre, ainda não havia chegado, e franziu as sobrancelhas. Não estava gostando nada daquele comportamento da amiga. Desde que começara a namorar Leandro, nunca mais fora a mesma. Sandra entrou poucos segundos depois da professora, de modo que apenas mereceu um olhar de censura, e foi logo sentar-se ao lado de Marisa.

– Bom dia! – cumprimentou animada.

– Bom dia – sussurrou a outra. – Posso saber por que se atrasou de novo?

Ao invés de responder, Sandra deu a Marisa um olhar malicioso e levantou os ombros. A aula começou, e elas voltaram suas atenções para a professora. Durante o resto da manhã, Sandra não tocou no nome de Leandro, embora parecesse um pouco alheia e sonhadora demais.

Foi assim até a hora da saída, quando o rapaz foi buscá-la na escola, como de costume. Ela entrou toda sorridente em seu conversível último tipo, deu-lhe um beijo escandaloso e partiu com ele a toda velocidade.

– Esse rapaz não trabalha não, é? – perguntou Marisa, indignada.

– Ele é *bookmaker*, meu bem, não se lembra? Não deve ter horário para nada – Lídia fez uma pausa e comentou: – Sandra está indo de mal a pior. As garotas já estão comentando.

– Ninguém tem que comentar nada – retrucou Marisa, com zanga. – Sandra é apenas desmiolada, mas é uma boa moça.

– Se você diz...

Marisa olhou de má vontade para Lídia. Não queria dar razão à amiga, mas tinha que reconhecer que Sandra estava começando a passar dos limites. Onde já se viu encontrar-se com aquele rapaz bem na porta da escola e, ainda por cima, dar-lhe um beijo daqueles? Não havia quem não comentasse.

13

As coisas agora pareciam chegar a um ponto crítico. Assustado com os acontecimentos, temendo não conseguir realizar seu intento, Kedar iniciou uma espécie de campanha de guerra contra João, utilizando-se de todos os métodos de que dispunha para convencê-lo a liquidar Conrado. Todas as noites, desligado pelo sono, João passou a encontrar o espírito, que vivia a lhe cobrar a antiga promessa de acabar com o inimigo. A princípio, João pensou tratar-se de apenas mais um pesadelo, mas depois, quando Kedar cumpriu a promessa de soltar as antigas vítimas ao seu redor, João se transformou num homem realmente transtornado.

Começou a ver coisas pela casa. Antigas pessoas que matara pareciam ter ressurgido dos túmulos para assustá-lo. Da primeira vez que isso aconteceu, João deu a si mesmo a desculpa de que estava vendo coisas, mas, com o passar do tempo, a quantidade de espíritos revoltados foi aumentando, e vultos sombrios passaram a circular pela casa diuturnamente.

Estavam à hora do café, e João tomava seu leite calmamente quando algo do outro lado da mesa chamou sua atenção. Ergueu os olhos da xícara e olhou para a outra cabeceira, soltando um gemido de pavor.

– O que foi, João? – quis saber Antônia, acompanhando com os olhos a direção do seu olhar. – Está sentindo alguma coisa?

Fascinado com o que vira, João não conseguiu responder. Sentado na outra ponta da mesa, um homem o fixava com olhar de ódio, o rosto aberto numa ferida sangrenta. Estava irreconhecível, e João não soube dizer quem era. Em seu íntimo, porém, uma voz gritou: Severino Malta, e ele teve um sobressalto, na mesma hora em que a figura desaparecia.

– Aconteceu alguma coisa, pai? – era Marisa, que também não entendia o que havia acontecido.

João não respondia. Continuava olhando fixamente para a outra ponta da mesa, onde o espírito estivera até há pouco. Em seu rosto, uma expressão de terror o tornava pálido e sem vida.

– Fale, João – insistiu Antônia. – O que você tem? É o coração?

– Papai, está nos assustando!

– Pelo amor de Deus, João, fale conosco! João!

Nessa hora, João voltou a si de seu torpor. O espírito havia sumido, e ele já nem estava mais bem certo se houvera mesmo alguém ali. Lembrou-se vagamente de Severino Malta, que ele matara havia muitos anos. Teria resolvido voltar para se vingar agora, mais de vinte anos depois? Riu de sua tolice. Espíritos não voltavam dos túmulos. Fitou a esposa e a filha e respondeu com tranqüilidade:

– Não precisam ficar gritando, não tenho nada.

À noite, o espírito voltou. Assim que adormeceu, João sonhou com Severino Malta. O espírito se aproximava dele brandindo as mãos e exigindo vingança, mostrando a família morta numa poça de sangue. João acordou assustado e esfregou a testa suada. Fora apenas um sonho, nada mais.

No dia seguinte, acordou bem disposto, sem sombra do pesadelo da noite anterior. Durante o resto do dia, não se lembrou de mais nada. No outro dia, Severino Malta não apareceu, nem no outro, e João disse para si mesmo: Como é que ele vai aparecer se já está morto há tanto tempo? Sentiu-se mais tranqüilo e concentrou-se na leitura do jornal.

Na semana seguinte, porém, teve outra visão assombrosa. Havia acabado de estacionar o carro na garagem quando viu uma mulher correndo em sua direção, segurando no ventre algo vermelho e viscoso. Estreitou a vista e, quando a mulher se aproximou, estacou horrorizado. Ela segurava o ventre aberto e em sangue, tentando reter lá dentro o corpo mutilado de um bebê. João cobriu o rosto no exato instante em que o nome Josefa Maria Ribeiro assomou a sua mente, e, quando reabriu os olhos, a imagem horripilante havia sumido. À noite, como da outra vez, a mulher reapareceu em seus sonhos, exigindo-lhe compensação pelas vidas que lhe tomara, a sua e a do filhinho.

Nas semanas seguintes, uma a uma, João foi revendo suas vítimas de relance, para sonhar com elas à noite. Algumas, furiosas, ameaçavam-no e investiam contra ele, enquanto outras apenas choravam desesperadas. Apavorado, João tinha até medo de dormir e sonhar com aqueles espíritos terríveis. Acordava gritando e suando frio, balbuciando coisas ininteligíveis, deixando Antônia deveras assustada.

– Eles voltaram, Antônia, eles voltaram! – exclamou ele certa noite, parecendo completamente fora de si.

– Quem? – retrucou a mulher, sem nada entender. – Quem voltou?

– Eles! Fantasmas! Centenas deles!

– Mas que fantasmas?

Ele abaixou a voz e respondeu num sussurro quase inaudível:

– Aqueles... que eu matei...

Antônia recuou aterrada. Não acreditava em fantasmas, nunca havia visto nenhum.

– Você anda vendo muitos filmes de terror – censurou ela, depois de algum tempo.

– Não, não, Antônia, sei o que estou falando. Eles voltaram e exigem reparação.

– Reparação? – continuou ela, incrédula. – Reparação de quê? Estão mortos, João, não podem pedir mais nada.

– Ah! Mas estão pedindo.

– Você sonhou.

– Eu os vi, Antônia. Andam pela casa. Às vezes, vejo-os de relance, mutilados, sangrando, queimados. Sonho com eles quase todas as noites. Vejo vultos circulando pela casa, vultos negros e maléficos. E me dizem seus nomes... gritam seus nomes bem dentro da minha cabeça!

Antônia ficou algum tempo olhando para ele, refletindo no que lhe dissera. Seria possível? Mas por que eles voltariam depois de tanto tempo?

– Não acha que, se eles quisessem vingança, já não o teriam procurado há mais tempo? Por que esperar vinte anos para voltar?

– Não sei. Talvez estivessem presos... não entendo nada de espíritos.

– Os pais da menina... também estavam em seus sonhos?

Curiosamente, João não os havia visto e pareceu retomar um pouco de confiança.

– Não... nem Zé Mário, nem Edilene... e alguns outros também. Alguns espíritos, poucos, não voltaram. Por que, Antônia, por quê?

Ela o fitou penalizada. Ainda não acreditava muito naquela história de fantasmas. Talvez João estivesse ficando caduco.

– Acho que é melhor você consultar um médico – sugeriu ela.

– E o que vou dizer-lhe? Que estou sendo atormentado pelos fantasmas das pessoas que assassinei no passado?

– Hum... é, não pode. Mas você não precisa dizer que são vítimas. Diga apenas que são... vultos. Diga que vê vultos pela casa. Talvez ele lhe dê uns remédios.

– Você acha que estou ficando louco, não é? Ou gagá? – ela abaixou os olhos, constrangida. – Pois está errada, Antônia. Se tivesse que ficar louco, com tantas atrocidades que já cometi, teria ficado antes. Não ia esperar minha vida se acalmar para enlouquecer, você não acha?

– Querido – tornou ela aturdida, acariciando o seu rosto –, não estou dizendo que você esteja ficando louco. Mas você tem passado por enorme pressão ultimamente. Duvido que isso não esteja afetando seus nervos.

– Está, claro que está. Mas não a ponto de ressuscitar os mortos. A única pessoa que realmente temo está bem viva, Antônia, e você sabe quem é.

– Eu sei, e é por esse motivo que lhe estou falando. Talvez todo esse problema com Conrado...

– Se eu o matasse... se acabasse com ele...

– Pare com isso, João, eu o proíbo de falar isso novamente! Você não vai matar ninguém. Você prometeu!

Ele se calou. Sim, havia prometido, mas as coisas pareciam estar fugindo ao seu controle. Não entendia por que aqueles fantasmas todos o estavam perseguindo, não depois de tantos anos, e pensou se não teria algo a ver com Conrado. Talvez quisessem a alma dele para realizar suas vinganças. Com um suspiro, virou-se para o lado e tentou dormir. Esperou para ver se Antônia tocaria no assunto novamente, mas ela também silenciou. Na certa, não gostara do que ele dissera. Muito tempo depois, ele adormeceu.

Teve outro sonho esquisito. Kedar estava diante dele, apontando para uma multidão tenebrosa parada mais atrás, contida por vários homens sem rosto, com chicotes nas mãos.

– Eu não lhe disse? – gargalhou. – Não lhe avisei?

– Por que está fazendo isso? Por que não os leva daqui?

– Eu os soltei, João. Disse que ia soltá-los, mas você não quis acreditar.

– Por favor, leve-os embora... – choramingou.

– Só se você fizer o que eu lhe pedi.

– Não posso! Antônia não quer. Você ouviu o que ela disse.

– Antônia não é sua dona. Que espécie de homem é você que se deixa dominar por uma mulher? Afinal, você é ou não é um matador?

– Eu amo Antônia... ela e Marisa são tudo o que tenho.

– Tudo? Não. Você tem a eles – apontou para a horda sangrenta que vociferava mais atrás, e João se encolheu. – Quer que eles lhe façam companhia também?

– Não!

– Pois então, faça como lhe digo. Mate o traidor e tudo voltará ao normal.

– Não posso! Eu prometi a Antônia.

– E daí? Depois que o covarde estiver morto, o que ela poderá fazer?

– E se ela me deixar? O que será de mim?

– Ela está só blefando. Não acredito que faça isso. E se fizer, você não vai estar perdendo nada, vai? Ela não é assim tão boa.

– É a mulher que eu amo.

– Besteira! Quero ver se ela vai continuar ao seu lado depois que você enlouquecer. Sim, meu amigo, porque é isso que vai acontecer se você não matar aquele infeliz! Seus inimigos vão acabar enlouquecendo-o e aí – passou um dedo pela garganta, como se a estivesse cortando – já era! Você vai ver o que é a vida num hospício, onde se rompem as frágeis fronteiras entre o mundo visível e o invisível.

A um sinal seu, os espíritos desapareceram. Kedar soltou uma gargalhada sinistra e esvaneceu no ar também, deixando o ambiente impregnado de vibrações pesadas e malignas. João acordou suando novamente, mas não despertou Antônia. Lembrava-se vagamente do sonho, daquele homem que sempre lhe aparecia. Sabia que o conhecia, embora não se lembrasse de onde. Ele não fora uma de suas vítimas, mas ele já o vira antes. Várias vezes. Quem seria ele?

***

Fazia uma noite escura, coberta por nuvens espessas e cinzentas que se esparramavam pelo céu. Em poucos instantes, a chuva começou a cair, grossa e refrescante, respingando nas bordas da varanda e umedecendo de leve os tornozelos de Conrado. Ele pousou no colo a revista jurídica que estava lendo e inspirou o cheiro de terra molhada. Viu uma sombra se aproximando e voltou o rosto para a filha, que acabara de chegar e se sentava na poltrona ao lado.

– Adoro chuva – comentou ela. – Principalmente quando refresca desse jeito.

– É o verão que está chegando – observou Conrado.

Durante alguns minutos, ficaram escutando os pingos batendo forte no chão e sentindo no rosto a brisa suave que vinha acompanhando a chuva. Não havia relâmpagos nem trovões estourando no céu, e o único som que se ouvia era o da água respingando no chão. Lídia virou-se para olhar o pai, que permanecia com a revista abaixada, o olhar fixo na chuva que caía do lado de fora.

– Pai – chamou ela –, posso fazer-lhe uma pergunta?

– Pode. Que pergunta?

– Por acaso, quando esteve no Maranhão, o senhor não conheceu nenhum coronel Agostinho?

Ele ergueu as sobrancelhas e tornou surpreso:

– De novo com essa curiosidade sobre minhas idas ao Maranhão? Ainda não se convenceu de que eu não conheço os pais de Marisa?

– Bem, é que o pai dela falou no nome desse coronel Agostinho, para quem trabalhou. Pensei se o senhor não o teria conhecido.

– Não, não conheci. Não conheci nenhum coronel Agostinho.

Foi terminando a frase pausadamente, a memória trabalhando rápido, atirando aquele nome de encontro a algo que lhe fazia eco. Agostinho, Agostinho... onde é que já ouvira aquele nome?

– Conheci um coronel Agostinho uma vez – prosseguiu ele, estreitando a vista para se lembrar.

– Conheceu? Onde? No Maranhão?

– Não me lembro direito... mas acho que não foi no Maranhão. Será que foi em Juazeiro? Não, acho que não. Engraçado, esse nome não me é estranho.

– Por favor, pai, pense. Onde foi que já o ouviu?

– Não consigo lembrar-me. Já faz tantos anos!

– Marisa disse que o pai dela foi administrador na fazenda desse tal coronel Agostinho. E o mais curioso é que a mãe dela ficou horrorizada só de ouvir falar nesse nome.

– Ficou? Por quê?

– Não sei – ela não queria revelar que Marisa escutara atrás da porta, o pai certamente não aprovaria.

– Estranho... mas não me lembro. Conheci muitas pessoas lá no Ceará, mas, como disse, poucas no Maranhão. E, certamente, nenhum coronel Agostinho. Bem, agora vamos dormir, minha filha. Já é tarde, e você tem que acordar cedo para ir à escola.

Embora a contragosto, Lídia obedeceu. Não adiantava mesmo ficar forçando a barra com ele. De qualquer sorte, ele se lembrara daquele nome, o que já era um começo. Lídia mal podia esperar a aula no dia seguinte para contar a novidade à Marisa.

Em seu quarto, Conrado não conseguia dormir direito. Ao som daquele nome, havia sentido um leve estremecimento. Não se lembrava direito de onde é que já o escutara, mas sabia que não o estava ouvindo pela primeira vez. Quem fora coronel Agostinho? Repassou em sua mente todos os que conhecera no Maranhão, mas ninguém com nome parecido. Não, decididamente, não conhecera nenhum coronel Agostinho. Não no Maranhão. Conrado tinha certeza de que o nome não lhe era estranho e, se não o conhecia do Maranhão, aquilo só podia significar uma coisa: conhecia-o do Ceará. Mas de onde?

Sem conseguir dormir, sentindo no peito uma opressão estranha, um perigo iminente, levantou-se da cama e pôs-se a caminhar de um lado a outro do quarto. Aquele nome não lhe saía do pensamento. Sabia que o conhecia, cada vez mais se certificava disso. Cada vez que aquele nome lhe assomava, seu coração quase pulava pela garganta, e novamente a sensação de perigo o assaltava. O que estaria acontecendo?

Por volta das duas da manhã, vencido pelo sono, tornou a deitar-se e adormeceu. Ao despertar, teve uma leve lembrança de que sonhara na noite anterior com alguém, um velho de olhar sereno e bondoso, que lhe dizia para ter cuidado. Cuidado com o quê? Seria algo relacionado ao tal coronel Agostinho? Só podia ser. Mas quem lhe estaria dando avisos? Seria alguma espécie de anjo protetor que o avisava do perigo?

Resolveu não pensar mais naquilo. Tinha muitos processos para julgar e não podia perder tempo em divagações sobre o passado. Fosse quem fosse o tal coronel Agostinho, já não fazia mais parte de sua vida atual, e não devia mais se preocupar com ele.

***

Não era só ele que sentia coisas estranhas. Em sua casa, João também se revirava na cama. Tivera novamente o mesmo sonho das outras noites. Sonhara com pessoas que o perseguiam, mutiladas, brandindo os punhos para ele e exigindo justiça. João tentou correr e se esconder, mas não havia paredes no lugar onde se encontrava, de modo que estava sempre visível. A horda horrorosa se aproximava dele e estendia as mãos para pegá-lo, mas então, surpreendentemente, ouviu o estalar de vários chicotes, e homens vestidos de negro apareceram e afastaram a súcia furiosa. Pouco depois, Kedar surgiu à sua frente, rindo e gargalhando com uma cara de demônio.

– Está vendo isso? – perguntou irônico. – Você está vendo isso? Eles vão pegá-lo, João. Estão cada vez mais próximos.

– Não, não quero! – gritou ele, apavorado. – Afaste-os de mim!

– Eles vieram cobrar-lhe, João.

– Não lhes devo nada!

– Deve-lhes a vida, João, a **sua** vida.

– Deixe-me em paz!

– Você quer paz? Então faça o que lhe digo: Mate! Mate! Mate! Mate!

Acordou com um grito desesperado e a mulher sacudindo o.

– Você precisa fazer alguma coisa com esses pesadelos – disse Antônia, assustada com a freqüência com que se repetiam.

– Ah! Antônia – chorou ele –, não sei mais o que fazer. Estou ficando louco.

Ela o fitou sem dizer nada. Já estava mesmo começando a duvidar de sua sanidade. João vivia vendo fantasmas e vultos pela casa, e os pesadelos estavam tornando-se cada vez mais reais. Ele se levantou todo trêmulo e foi ao banheiro. Abriu a torneira da pia e jogou água em abundância no rosto, para espantar o sono e os fantasmas. Olhou-se no espelho e deu um suspiro. Estava ficando magro e com olheiras, parecia doente.

Vestiu-se às pressas e desceu para o café, mal conseguindo tocar na comida. Sentia-se enjoado, o estômago parecia recusar-se a aceitar qualquer coisa.

– Você precisa alimentar-se – repreendeu Antônia. – Senão, vai acabar ficando doente.

– O que você tem, pai? – indagou Marisa preocupada.

Ele a fitou com profundo desgosto e prorrompeu num pranto sentido e amargurado, assustando-a imensamente. Marisa o abraçou confusa e olhou para a mãe, que não sabia o que fazer ou dizer.

– Sou um homem condenado – desabafou com angústia. – Não tenho mais salvação.

– O que é isso, pai? – Marisa estava realmente assustada. – O que está dizendo?

– Tudo o que fiz foi por você – continuou ele, sem dar atenção ao espanto da filha. – Será que algum dia vai poder perdoar-me?

– Perdoar o quê? Você só tem me dado carinho e amor.

Ele chorava descontrolado, até que Antônia, preocupada com o que ele pudesse falar, intercedeu com a voz trêmula:

– Seu pai não se tem sentido bem ultimamente, Marisa. Acho que precisa descansar.

João pensou em protestar, mas uma voz começou a gritar em sua cabeça: Mate! Mate! Mate! Ele levou a mão aos ouvidos, soltando uma espécie de urro dolorido.

– Mas, o que é isso? – espantou-se Marisa ainda mais. – O que você tem? Pai, fale comigo, pai!

À beira do desespero, Marisa se levantou da mesa e o abraçou com tanto amor que os espíritos que o cercavam, Kedar entre eles, momentaneamente se afastaram. Enquanto ela o estreitava, derramando sobre ele um sentimento de puro amor, os espíritos não puderam aproximar-se e recuaram acabrunhados, sentindo uma espécie de choque percorrer seus corpos fluídicos. O próprio Kedar recuou o suficiente para não ser atingido por aquela onda de calor que emanava do corpo de Marisa e começava a espalhar-se por todo o ambiente, envolvendo tudo o que se encontrava ao redor. Os espíritos, indignados, desapareciam pelas paredes, até que só ficou ele, estupefacto, encurralado a um canto. Por mais que quisesse, não conseguia mexer-se.

Pouco depois, João se acalmou, e Marisa e a mãe o retiraram da mesa e o conduziram até o quarto. Kedar ficou olhando, ainda sem se mexer, amaldiçoando aquela estranha força que o prendia sem o amarrar.

– Sabe por que está grudado aí? – era Mateus, que falava a seu lado.

Kedar virou-se bruscamente e, ao dar de cara com o espírito, envolto em um halo de luz branca e brilhante, fez cara de nojo e cuspiu no chão.

– Está tentando amaldiçoar-me, é?

– Será que existe maldição maior do que essa que você infligiu a si mesmo?

– Não diga asneiras!

– Você insiste nesse propósito mesquinho de se vingar. Sabe o que acontece com aqueles que teimam na vingança? Ela se volta contra eles mesmos, porque a vingança é como um bumerangue. Sabe o que é um bumerangue? – ele assentiu. – Pois é, sempre que você o atira, ele vai e volta, atraído pelo magnetismo da mão que o lançou.

– Besteira...

– Pode ser. Mas você já deve ter percebido que, cada vez que você joga para cima de João o seu ódio, o seu incontrolável desejo de se vingar de Conrado, essa energia toda retorna para você e consome a sua felicidade.

– Não comece com essa história de felicidade de novo!

– Não vou começar, porque ela já começou há muito tempo. Começou no dia em que você resolveu que não desejava mais ser feliz.

– Você não entende, não é mesmo? Não entende o que é viver todos esses anos naquele lugar, à espera do dia em que poderei finalmente colocar as mãos no causador do meu infortúnio!

– Isso vai libertá-lo de lá?

– Vai levá-lo para junto de mim, onde poderei infligir-lhe o mesmo sofrimento que venho atravessando há séculos.

– Você está se iludindo, Kedar. Conrado jamais vai para o seu lado. Ele não é mais o mesmo homem.

– Ele é um traidor!

– Só você é que ainda o vê assim. Nem João consegue mais encará-lo desse jeito.

– João vai fazer o que eu quiser!

– Talvez. Ele tem o seu livre-arbítrio, e não serei eu quem vai impedi-lo.

– Suma daqui, velho idiota! Não preciso dos seus conselhos.

– Você é quem sabe...

– Mas antes, solte-me!

– Não o prendi. Foi o sentimento de Marisa que o afastou, e foi por medo dele que você se paralisou aí.

– Eu?! Ora essa, se tivesse tido a oportunidade de fugir, pensa que ainda estaria preso aqui?

– Sabe, Kedar, acho que alguma coisa no amor de Marisa atingiu o seu coração. Do contrário, você não teria ficado fascinado pela vibração que se desprendeu de seu corpo. Foi agradável, não foi?

Ele não respondeu. Experimentou mover as pernas, e elas o obedeceram. Kedar olhou para Mateus com desdém e virou-lhe as costas, atravessando a parede como seus comandados, há pouco, haviam feito.

14

Como o tempo ainda não havia melhorado, a sala da casa de João estava escura, mal iluminada por causa das cortinas que cerravam as janelas. João atravessou a sala e abriu a porta, vagarosa e silenciosamente, saindo para o jardim. Correu para a garagem e entrou em seu automóvel. Quando já estava quase atravessando o portão, viu, pelo retrovisor, Antônia correndo em sua direção. Ela chegou esbaforida e apoiou-se na janela do carro.

– Aonde vai com esse tempo, João? – indagou ela, ofegante.

– Vou dar uma volta. Estou endoidando dentro de casa.

– Não vá fazer nenhuma besteira.

– Não faço besteiras, mulher! – rosnou agressivo, e Antônia recuou assustada.

Rapidamente, arrancou com o carro e começou a descer a ladeira que o conduziria à estrada principal. João foi guiando em silêncio, remoendo em seu íntimo os pensamentos mais atrozes. O passado não lhe saía da cabeça, e a lembrança de suas antigas vítimas o atormentava diuturnamente. Não suportava mais os vultos, os sonhos, os fantasmas mutilados que avançavam para ele. Estranhamente, sabia a solução para tudo aquilo. Precisava matar o calhorda. João não sabia bem por que, mas algo dentro dele lhe dizia que Conrado era o único responsável por aquele tormento. Fora ele que, de alguma forma, abrira a porta do inferno e soltara as almas dos seus inimigos, e somente a sua morte poderia cerrá-la novamente.

Estacionou o carro numa rua distante e foi caminhando debaixo da chuva que começara a cair. Esquecera-se da capa, mas não fazia mal. Um matador feito ele não se deixaria intimidar por uma chuvinha à toa. Já enfrentara temporais e vendavais, e não seria uma garoinha daquela que o impediria de fazer o que pretendia. Apalpou a cintura levemente, e o volume do velho trabuco o tranqüilizou. Fizera bem em mantê-lo limpo e lubrificado por todos aqueles anos. Não esperava realmente usá-lo e conservava-o para a defesa da família, naquela floresta quase deserta. Agora, porém, tornaria a ser útil, como nos velhos tempos.

Enquanto caminhava, João ia repassando a sua vida. Há dezoito anos, mudara completamente. De jagunço passara a comerciante, uma profissão monótona, sem qualquer aventura, e a maior emoção que tivera naqueles anos foram as ameaças que fizera para convencer um cliente caloteiro a lhe pagar o que devia. Fora isso, João era um comerciante honesto e confiável, que sempre honrava seus compromissos e jamais enganara ninguém. Uma chatice. Só agora se dava conta do tédio que fora a sua vida naqueles dezoito anos.

Estava tão envolvido pela vibração de Kedar que nem a filha, nem a mulher desviaram os seus pensamentos. Os dias felizes que vivera com elas, os primeiros passos de Marisa, as primeiras palavras, a primeira vez em que a escutara dizer papai, tudo isso parecia haver sumido de sua mente. A única coisa em que João pensava era no quanto gostava de matar.

Em poucos segundos, chegou à sede do tribunal e pôs-se à espera, atrás de uma árvore, do outro lado da rua. Como da outra vez, viu os ministros descerem as escadas, vestidos pomposamente, alguns ainda trajando as togas de magistrado. João sentiu-se enojado e cuspiu para o lado. Continuou onde estava, sem se mover, sentindo a chuva que começava a pingar em seus olhos, mas ele não se importava. Estava a um passo de liquidar o inimigo, o causador de todo o terror em que se transformara a sua vida.

Esperou mais um pouco, até que avistou quem desejava. Conrado apareceu na porta e fez menção de descer as escadas, mas estacou. De onde estava, João podia vê-lo hesitando diante da chuva, mas nem percebeu que sua hesitação se devia a alguém que acabara de estacionar um carro defronte ao tribunal e saltava com um guarda-chuva na mão. Era um rapaz todo vestido de branco, uma farda da Marinha. Ele galgou os degraus apressado, enquanto João apoiava o trabuco sobre o braço esquerdo e fazia pontaria, mirando bem entre os olhos de Conrado, alheio ao rapaz que subia ao seu encontro.

Foi só quando Vinício surgiu em seu campo de visão que ele abaixou a arma, soltando um gemido de indignação. Na mesma hora, seu coração parecia ter dado uma batida mais rápida, e ele sentiu que não poderia arriscar-se a acertar o homem por quem a filha se apaixonara. Por mais que não quisesse admitir, nem para si mesmo, o amor paterno o impedia de fazer a filha sofrer.

Não conseguiu mais agir, quase que hipnotizado pelo moço, acompanhando os seus gestos com um certo ar de respeito e admiração. Viu quando o rapaz abraçou o pai e desceu com ele as escadas, apertando-o de encontro ao seu próprio corpo, para protegê-lo da chuva. Em segundos, alcançaram o automóvel, e Vinício abriu a porta para que ele entrasse, seguindo apressado para o lado do motorista. João viu quando ele se sentou no banco do automóvel, com as pernas para fora, fechou o guarda-chuva e puxou as pernas, batendo a porta do carro. Mais uns segundos e o ronco do motor se fez ouvir. O automóvel se colocou em movimento e logo sumiu no fim da rua.

– Idiota! – gritava Kedar a seu lado. – Idiota, mil vezes idiota!

Sua fúria era tão grande que Kedar apertou o pescoço de João, que sentiu uma repentina falta de ar. João tossiu várias vezes e sentiu um calafrio percorrer o seu corpo. Começou a espirrar de repente e percebeu que estava todo ensopado, ainda segurando na mão o trabuco que havia baixado ao longo do corpo. O frio foi aumentando, e ele experimentou a própria testa. Parecia ferver. Será que estava com febre?

Com um cansaço fora do comum, João se arrastou de volta ao carro, estacionado numa rua distante. Caminhou com dificuldade, lutando para não cair. À medida que caminhava, percebia os vultos saltando ao seu redor. Vozes ecoaram em sua mente, berrando coisas sem sentido, xingando-o de nomes feios, acusando-o de assassino. Balançou a cabeça, para espantar aqueles pensamentos, mas os pensamentos não pareciam dispostos a abandoná-lo. Com muito custo, alcançou o carro. Entrou afogueado e virou a chave na ignição. O automóvel deu um solavanco, mas João conseguiu controlá-lo. Vagarosamente, foi tomando a direção do Alto da Boa Vista. Nem sabia como estava conseguindo dirigir. Parecia que mãos invisíveis empurravam as suas, fazendo força para tirá-lo da estrada. O carro derrapava pelas curvas sinuosas, mas João, olhos apertados, continuou guiando pelo caminho, agora escuro, até que vislumbrou a estradinha que levava a sua casa. Entrou nela cautelosamente e seguiu mais alguns metros. Pouco depois, os faróis iluminavam os portões, e João freou o carro aliviado. Encostou a cabeça no volante, arfando e tossindo, e meteu a mão na buzina, só parando quando Damião veio ver o que estava acontecendo.

– Leve o carro para dentro – ordenou ele a meia-voz. – Não me estou sentindo bem.

Rapidamente, Damião abriu o portão, empurrou-o para o outro lado e entrou no carro, seguindo com ele pelo caminho da garagem. Antônia estava parada na porta da cozinha, o olhar mais aflito que ele já vira, e correu para o automóvel no momento em que ele parou. Ajudada por Damião, retirou João do carro e levou-o para o quarto.

– Pode deixar comigo agora, Damião, obrigada – disse ela, fechando a porta depois que ele saiu.

Em silêncio e às pressas, Antônia correu a buscar toalhas e um pijama seco, e começou a despi-lo. Tirou-lhe as calças com muito sacrifício e sentiu um objeto sólido e pesado caindo ao chão com um baque surdo. Ela se abaixou e apanhou o trabuco negro, cujo cabo ofuscou em sua mão. Horrorizada, olhou para o marido e indagou chorando:

– O que foi que você fez, João?

Ele não respondeu. A febre o havia tomado completamente, e João parecia estar delirando. Falava coisas bem baixinho, que Antônia não conseguia ouvir, embora imaginasse o que fossem. Examinou o revólver com cuidado e suspirou aliviada ao constatar que não havia sido disparado. Depositou a arma de volta no armário e terminou de despi-lo, enxugando-o vigorosamente. Vestiu-lhe o pijama e acomodou-o na cama, cobrindo-o até o pescoço. Respirou exausta. João era um homem corpulento, e movimentar sozinha o seu corpo praticamente inerte não era tarefa das mais fáceis. Sentou-se ao lado dele, imaginando o que poderia ter acontecido, e ouviu batidas na porta.

– Mãe – era Marisa. – O que foi que houve? Papai está bem?

Antônia enxugou a testa e foi abrir.

– Seu pai apanhou uma gripe e está com febre.

– Ele saiu debaixo desse temporal? Ouvi o seu carro.

– Acho que ele está ficando meio confuso. Deve ser a idade.

– Mas mamãe, papai ainda é um homem jovem. Não tem nem setenta anos!

– Já tem quase setenta anos, você quer dizer. Idade bastante para ficar esclerosado.

– Não diga isso, mãe, vai magoá-lo.

– Olhe, minha filha, ninguém jamais cuidou de seu pai tão bem quanto eu. Não pense que me agrada vê-lo nesse estado, porque não me agrada nem um pouco. Mas ele anda muito esquisito, falando coisas sem nexo e saindo por aí na chuva. Isso lá é coisa de gente normal?

Marisa não respondeu. Passou pela mãe e aproximou-se da cama, sentando-se ao seu lado e colocando a mão na sua testa.

– Ele está ardendo em febre – constatou.

– Eu sei. Ia agora mesmo buscar um remédio para ele. Não quer me ajudar?

– Não acha melhor eu ficar aqui tomando conta dele?

Antônia a fitou em dúvida. Estava tentando afastá-la dali para que ela não ouvisse as besteiras que João dizia. Tinha medo de que ele dissesse algo que pudesse comprometê-lo, algo sobre o seu passado sombrio. Por esse motivo insistia com Marisa que ele estava ficando esclerosado, para que ela não se surpreendesse com qualquer coisa absurda que ele dissesse.

– Pensando bem – ponderou Antônia –, é melhor você ir buscar o remédio. Eu fico aqui com ele.

Sem desconfiar de nada, Marisa saiu e foi buscar a medicação. Voltou pouco depois com vitamina C, um xarope para tosse e um antitérmico, que lhe ministrou com o auxílio da mãe.

– Pronto – disse Antônia. – Agora é melhor que o deixemos dormir.

Depois que Marisa saiu, Antônia ficou fitando o marido, profundamente penalizada. Sabia o quanto ele devia estar sofrendo, ainda mais depois que o passado resolvera voltar para assombrá-lo. Antônia não tinha nenhuma explicação racional para aquelas visões de João, mas não acreditava que fossem realmente fantasmas. Além de não acreditar em espíritos, se alguma alma do outro mundo tivesse algo de que reclamar, já o teria feito antes. Não. Para Antônia, o aparecimento de Conrado e o namoro de Marisa com Vinício eram a causa de tudo aquilo. Ele andava submetido a muita tensão ultimamente, e não havia saúde que agüentasse tanta pressão. Por tudo isso, andava alucinado, imaginando coisas. Ela precisava arranjar um jeito de acabar com aquele namoro entre sua filha e aquele moço. Torcia para chegar logo o fim do ano letivo, quando então poderia levar Marisa numa viagem. Agora que João resolvera aposentar-se, quem sabe até não poderiam viajar os três? Seria maravilhoso, e Marisa acabaria esquecendo-se de Vinício e conhecendo outro rapaz.

Precisava cuidar para que nada saísse errado. João estava ficando desesperado e poderia ter cometido uma loucura. Aquela arma era a maior prova disso. Ele saíra armado de casa, coisa que não fazia desde que haviam chegado ao Rio de Janeiro, e só podia ser por um motivo. Em seu devaneio, João pensara em matar Conrado. Por que não o fizera? Graças a Deus não o fizera. Antônia não sabia se alguém o havia impedido ou se ele desistira a tempo. Fosse como fosse, era grata por aquilo.

Com a febre e a conseqüente facilidade de contato entre João e o mundo astral, os espíritos de seus desafetos se tornaram mais presentes e agressivos. Liberados por Kedar, investiam furiosamente contra João que, em seu torpor, sentia-se agarrado por mãos sangrentas e ávidas de vingança. João se contorcia aterrado, gemendo em sua letargia e ainda escutando, no meio de tantas vozes clamando por vingança:

– Mate-o! Você tem que matá-lo!

***

Apesar de preocupada com o pai, Marisa foi à escola no dia seguinte. A mãe insistira, alegando que João estava apenas gripado e não iria morrer por causa daquilo. Efetivamente, no dia seguinte, João já estava melhor. A febre havia passado e ele conseguira ingerir um caldo quente, que Antônia mandara preparar exclusivamente para ele.

– O que deu em você, João? – perguntou Antônia, logo que despachou Marisa para a escola. – O que fez ontem?

– Nada – respondeu ele de mau humor.

– Caso não perceba, João, eu estou do seu lado. Sou sua amiga, acima de qualquer coisa. Ou será que não acredita mais na minha fidelidade?

Ele a encarou com ternura e retrucou com a voz mais moderada:

– Desculpe-me, Antônia, sei que você é leal a mim. Aliás, você é a única pessoa no mundo em quem posso confiar. Mas é que ando apavorado...

– O que você fez ontem? Aonde foi com aquela arma?

– Você viu o trabuco?

– Graças a Deus que fui eu. Imagine se tivesse sido Damião. Ou Marisa! O que ia dizer a eles?

– Não sei... – sussurrou.

– Você precisa criar juízo. O que pensava que ia fazer? Matar o dr. Conrado? Era isso o que pretendia? – ele não respondeu. – Devo interpretar o seu silêncio como um sim?

– Eu não queria – começou a desculpar-se. – Mas estava desesperado. Fui atrás dele... no tribunal. Vi-o parado no alto da escada... fiz pontaria... mas não atirei.

– Posso saber o que o fez desistir?

Ele a encarou com ar de súplica e respondeu com indescritível angústia:

– Vinício... não pude correr o risco de acertar o rapaz.

Embora não entendesse bem aquele súbito rasgo de preocupação com alguém que ele dizia detestar, Antônia agradeceu a Vinício em silêncio. Não fosse por ele, talvez João estivesse preso àquela hora.

– Você está se arriscando muito, João – censurou ela. – Quer que alguém descubra?

– Não... não vou fazer mais isso...

– É o que espero. Marisa vai acabar desconfiando de algo, ainda mais se você continuar balbuciando aquelas coisas esquisitas por aí.

– Eu disse algo comprometedor?

– Quase. Ela não entende o que você fala, mas pode acabar desconfiando. Ainda mais depois do que ela ouviu naquele dia em que o dr. Conrado ligou.

João permaneceu em silêncio. Efetivamente, arriscara-se demais. Poderia ter sido preso, e aí não teria mais salvação.

– Fique tranqüila – tornou numa voz sem muita emoção. – Isso não vai acontecer de novo.

Com um sorriso murcho, Antônia retirou das mãos de João o prato que ele lhe estendia e foi cuidar de seus afazeres. Ele ainda estava meio fraco, por esse motivo, virou-se para o lado e dormiu. Dessa vez, porém, não havia fantasmas em seus sonhos.

***

Conrado abriu os olhos sonolento, agitando a cabeça de um lado a outro para espantar o sonho que acabara de ter. Sonhara novamente com aquele senhor a alertá-lo de um perigo. Embora não acreditasse realmente que estivesse correndo algum tipo de perigo, sentiu-se inseguro. Será que alguém estava pensando em fazer-lhe mal?

Levantou-se e olhou-se no espelho da penteadeira, e o nome do coronel Agostinho surgiu em sua mente. Onde é que já escutara aquele nome? Por mais que se esforçasse, não conseguia lembrar-se de ter conhecido nenhum Agostinho no Maranhão. Passados poucos minutos, Malvina acordou também. Espreguiçou-se gostosamente e sorriu para ele.

– Bom dia, meu querido. Dormiu bem?

– Muito bem... escute, Malvina, por acaso você se lembra de algum coronel Agostinho?

– Coronel Agostinho? Hum... deixe-me ver. Ele era parente da Constantina?

– Não, aquele era Augustino.

– Agostinho... Agostinho... não, não me lembro. Por quê?

– Por nada. É que esse nome me veio à cabeça e fiquei pensando onde é que já o havia escutado.

– Não sei, meu bem. Vai ver foi um dos jagunços que você prendeu.

– Não prendi jagunços no Maranhão.

– Maranhão, você disse? Não, acho que não conheci ninguém com esse nome, ainda mais no Maranhão, nunca estive lá – calou-se repentinamente e fitou o marido com ar de dúvida. – Mas espere um instante. Não havia um coronel Agostinho, ou coisa parecida, lá em Pedra Branca? O tal, em quem você não conseguiu pôr as mãos porque o cabra que trabalhava para ele havia sumido?

Conrado estacou abismado. Como não havia pensado nisso antes? Como o nome daquele coronel Agostinho fora escapar-lhe da memória? Agora se lembrava. Havia, em Pedra Branca, há muitos anos, um coronel com esse nome. Coronel Agostinho era um dos maiores fazendeiros da região e possuía incontáveis hectares de terras espalhados pelo município. Sua fortuna era imensa, e dizia-se que havia sido conquistada com o sangue de muitos inocentes.

– Será que pode ser o mesmo coronel Agostinho? – indagou, um estranho brilho de excitação no olhar.

– Bom, isso eu não sei. Mas por que pensar nisso agora? O homem já deve até ter morrido, já era um velho na época, se não me engano.

– Não é nele propriamente que estou pensando. Lembro-me de

que o coronel morreu assassinado há mais de quinze anos, saiu até nos jornais de Fortaleza. Um ex-empregado, dizem, mas creio mesmo que foi algum parente de uma de suas vítimas – fez uma pausa e correu para a mulher, cada vez mais excitado. – Lembra-se do homem que trabalhava para ele?

– Hum... não. Sei que ele tinha um jagunço perigoso, dizia-se que era um dos homens mais sanguinários e cruéis da região, mas não me lembro como se chamava.

– Fiquei louco atrás daquele cabra, tentando reunir provas contra ele e o seu coronel. Mas as pessoas não falavam, tinham medo, e sei que vários policiais foram comprados. De qualquer forma, fui nomeado juiz em Juazeiro e tive que deixar Pedra Branca. Mas aquele homem... nunca mais ouvi falar dele. Como era mesmo o seu nome?

– Não me lembro. Não me lembro mesmo.

– Ele havia matado uma família antes de sumir. Lembro-me de que encontramos dois cadáveres carbonizados, que haviam sido baleados antes. Ele matou o casal e tocou fogo na casa. Esse caso me ficou na memória, porque me lembro que havia um berço, e a mulher não estava grávida. Diziam que ela havia parido há pouco, mas o bebê havia desaparecido. Ao que tudo indica, o cabra carregou a criança...

Malvina sentiu lágrimas lhe assomarem aos olhos e encarou o marido. Agora se lembrava bem. O caso fora muito comentado na época, e ela havia ficado extremamente compadecida com o sumiço da criança. Era então uma jovem mãe, para quem os filhos significavam tudo na vida, e imaginar um bebezinho nas mãos de um assassino cruel e de sangue-frio lhe causou imensa comoção. Toda a cidade havia-se condoído, mas ninguém sabia do paradeiro do homem nem da criança.

– Ele fugiu, não foi? – tornou Malvina, emocionada. – Pegou a mulher e desapareceu. Deve ter matado o bebê.

– Foi o que pensamos, mas jamais encontramos o cadáver de nenhuma criança.

– Não deve ter sido difícil desfazer-se de um corpinho tão pequeno.

– Sim, Malvina, mas por quê? Por que o cabra se daria ao trabalho de matar a criança longe da cena do crime? Por que a tiraria do berço, provavelmente aos berros, para matá-la depois, em outro lugar, e ainda ter que se livrar do corpo? Por que não a matou onde estava, junto de seus pais, poupando-lhe maior trabalho e o risco de ser descoberto?

– O que está sugerindo, Conrado?

– Ainda não sei ao certo, mas creio que essa criança possa estar viva.

– Viva? Mas como? Por quê?

– Não sei. Tudo é muito estranho. Lídia andou me fazendo perguntas...

– Que tipo de perguntas?

– Sobre minhas idas ao Maranhão, e agora sobre um tal coronel Agostinho.

– É? – espantou-se. – Por quê?

– Disse que Marisa ouviu o pai dizer que me conhecia.

– Ele conhece você? De onde? Ele não é lá do Maranhão? – calou-se, um assomo de horror enevoando-lhe os olhos. – Você não acha que ele... que ele pode ser...

– O tal jagunço, sim. Até hoje, não havia sequer pensado nisso. Mas depois que me recordei de onde conhecia o coronel Agostinho, fiquei pensando... e se esse tal de João estiver mentindo para a filha, dizendo que veio do Maranhão quando, na verdade, veio fugido do Ceará, de Pedra Branca? E se ele matou aquela família, pegou a criança e fugiu com ela para cá?

– Por que ele faria uma coisa dessas?

– Diziam na cidade que ele morava sozinho com a mulher. Ele abandonou tudo, Malvina, casa, carro, tudo. Por que alguém faria isso se não estivesse no auge do desespero?

– Ele sabia que estava sendo procurado.

– Ele estava sendo procurado havia muito tempo e, no entanto, jamais havia pensado em fugir. Não. Para mim, ele fugiu sim, mas não foi propriamente da polícia. Fugiu de coronel Agostinho, porque quando o homem soubesse o que ele havia feito, mandaria outros jagunços atrás dele.

– Não sei, Conrado. Estou achando essa história fantástica demais.

– Pense bem, Malvina, tudo se encaixa. Um homem casado e sem filhos, diziam até que ele e a esposa já não eram muito jovens. Provavelmente, juntara uma boa renda. Quem sabe não pensou em se aposentar e dar à mulher o presente dos seus sonhos? Que mulher não pensa em ter filhos? Seria uma boa oportunidade, você não acha? Roubar uma criança recém-nascida e fugir para o Rio de Janeiro, muito distante da realidade do sertão, onde ninguém teria ouvido falar deles ou de seus crimes. Tudo parece perfeito. Comprou uma casa bonita, montou um negócio acima de qualquer suspeita e passou a viver como cidadão honesto. Isso explica até o fato de viverem afastados do centro. Marisa não vive reclamando que o pai é um matuto que não aprecia a vida social?

– Sim, mas daí a ser criminoso, vai uma grande diferença.

– Não sei. O que sabemos do passado desse homem? Nada. Pelo que parece, ele e a mulher são bem mais velhos do que Marisa. E depois, a idade dela se encaixa. A criança recém-nascida era uma menina e hoje deve estar com dezoito anos. Idade de Marisa e de Lídia.

– Meu Deus, Conrado! Se isso for verdade, nem quero imaginar o que pode acontecer.

– Pode até ser que eu esteja imaginando coisas, mas tudo parece se encaixar direitinho agora. Imagine a reação dele quando descobriu que a filha estava fazendo amizade justo com a filha do homem que tentou prendê-lo no passado. E, pior, imagine o desespero que deve ter sentido ao perceber que, além dessa amizade, ela estava também apaixonada pelo filho desse mesmo homem?

– Mas como ele teria sabido disso tudo?

– Ora, Malvina, nós nunca escondemos quem somos, não temos nada a ocultar. Eu mesmo contei a Marisa sobre Pedra Branca e os jagunços, na primeira vez em que ela esteve aqui. Talvez ela tenha comentado com o pai, e ele, com medo de ser descoberto, proibiu nossos filhos de se verem, com uma desculpa ridícula de que Vinício havia desrespeitado a filha dele.

– É, mas se fosse assim como você diz, ele jamais teria consentido no namoro dos dois.

– Isso não é estranho? Por que, de uma hora para outra, ele resolveu permitir esse namoro, embora Vinício, até hoje, não possa entrar em sua casa? O normal não seria que eles namorassem, inclusive, sob a supervisão dos pais? E por que eles ainda não se apresentaram a nós? Por que parecem evitar-nos? Não seria natural que quisessem conhecer-nos, visto que nossos filhos se gostam e parecem mesmo dispostos a se casar?

– O que você está pensando?

– O que penso, Malvina, é que talvez ele só tenha consentido no namoro dos dois para não chamar a atenção, mas fez isso em termos. Proíbe Vinício de entrar lá e não quer conhecer-nos, para que ninguém descubra quem realmente ele é.

– Mas por que, Conrado, com que propósito? Se ele fosse mesmo quem você diz que ele é, não acha que as últimas pessoas com quem ele gostaria de manter contato seríamos nós? Jamais teria permitido que Marisa fosse amiga de Lídia ou que namorasse Vinício.

– Nós não sabemos bem o que aconteceu. Só o que sabemos é que o homem proibiu o namoro e depois mudou de idéia. Por quê?

– Porque você falou com ele.

– Não falei com ele, mas com a mulher dele. Ela disse que ele estava no banho e não podia me atender. Acho que estava evitando falar comigo.

– Hum... não sei, não. Essa história toda é muito esquisita, fantástica demais.

– Não, Malvina, é real. O sertão foi real, os coronéis e os jagunços foram reais, aqueles crimes foram reais.

– Mas esse homem... – ela ainda hesitava – Esse João não me parece o tipo de homem que seja um assassino. Pode ter lá as suas manias, mas daí a ter sido jagunço...

– Nós não o conhecemos, Malvina, e tudo é possível.

– Como era o nome daquele tal cabra do coronel Agostinho? Você se lembra?

– Acho que era Januário. Isso, se não me engano, era Januário. Januário da Silva.

Os dois se entreolharam, pensando a mesma coisa, mas foi Malvina quem falou:

– Silva é um sobrenome muito comum.

– Foi o que disse a Lídia quando ela me perguntou se eu o conhecia.

Malvina correu até a janela e espiou para fora. Era sábado, a chuva se fora e o sol brilhava morno sobre a água da piscina, tornando-a ainda mais azul e brilhante.

– Temos que descobrir a verdade, Conrado – falou Malvina, sem tirar os olhos da piscina, onde agora a filha aparecia e mergulhava. – Pelo bem de nossos filhos, temos que descobrir quem esse homem é.

– Exatamente. Lídia também já está desconfiada de que há algo errado com eles. A própria Marisa também desconfia.

– Pobrezinha. Se isso for verdade, vai ser um choque para ela.

– Sei disso, mas não podemos evitar. Se esse homem é mesmo o tal Januário, jagunço do coronel Agostinho, eu tenho que descobrir.

– Como é que você pretende fazer isso?

– Ainda não sei bem ao certo. Por enquanto, precisamos agir normalmente, como se não suspeitássemos de nada.

– E Lídia? Você disse que ela também desconfia.

– Acho que não conseguirei esconder isso de Lídia por muito tempo. Ela é esperta e está desconfiada, mas não creio que vá contar logo a Vinício. Não quero que isso estrague o relacionamento dele e de Marisa, ainda mais se não for verdade.

– Tem razão. Marisa é uma boa moça e não pode ser responsabilizada pelo erros do pai. Se isso for realmente verdade, precisaremos dar-lhe todo apoio.

Conrado abraçou Malvina com uma estranha sensação a

oprimir-lhe o peito. Lembrou-se dos sonhos que tivera e sentiu uma apreensão inexplicável, quase como um temor fugidio. Mesmo antes de investigar, tinha certeza do que iria descobrir. Precisava ter cuidado, mas não podia deixar a verdade escapar. Não depois daquilo.

15

Naquela manhã, Sandra se espreguiçou gostosamente na cama, ouvindo a mãe a seu lado, chamando-a com carinho:

– Sandra, minha filha, acorde.

– Ah! Mãe, agora não. Hoje é sábado, deixe-me dormir.

– O namorado de Marisa está aí, pedindo para falar com você.

Ela se empertigou na cama, esfregou os olhos e falou:

– Vinício? O que ele quer?

– Não sei, não perguntei.

– Diga-lhe que espere.

Levantou-se apressada e correu para o banheiro. Lavou-se o mais rapidamente que pôde e escolheu um vestidinho amarelo e simples, mas que realçava as formas e curvas de seu corpo. Penteou-se e passou um batom de leve nos lábios, ajeitou-se diante do espelho e saiu, procurando não correr a caminho da sala.

Entrou caminhando calmamente, e Vinício levantou-se logo que a viu.

– Como vai, Sandra? – cumprimentou ele, apertando-lhe a mão.

– Bem, e você? – ele apenas balançou a cabeça, e ela continuou: – Não posso dizer que não esteja surpresa com essa visita. Posso saber o que o trouxe aqui?

Sentindo o acanhamento do rapaz, Albertina levantou-se mais que depressa, desculpando-se com seus afazeres na cozinha.

– Na verdade, Sandra... – começou hesitante, assim que ela saiu –, nem eu mesmo sei por que vim.

Ela se sentou perto dele e encarou-o com ar inocente.

– Alguma coisa com Marisa?

– Ah! Não, não. Marisa está bem.

– Que bom. Então, do que se trata?

– Sabe, Sandra, não quero que pense que sou intrometido ou coisa parecida. Mas é que gosto de você, sinto-me responsável pelo seu bem-estar.

– Agradeço muito, Vinício, mas não estou entendendo nada.

Ele estava visivelmente embaraçado e não conseguia ocultar o mal-estar por estar tendo aquela conversa.

– Bem, Sandra, é sobre o seu novo namorado.

– O que tem ele?

– Tem certeza de que é um rapaz decente?

Ela deu de ombros e respondeu displicente:

– Ele é legal. É alegre, divertido, descompromissado...

– Irresponsável, você quer dizer.

Mal contendo a satisfação, Sandra revidou:

– Por que se preocupa com Leandro?

– Não é com ele que me preocupo, é com você. Não merece alguém desse tipo.

– Ah! Não? E de que tipo mereço?

Ele engoliu em seco e respondeu fitando o chão:

– Merece um homem sério, decente, responsável...

– Um homem feito você?

Corando violentamente, Vinício conseguiu dizer:

– Ao menos, tenho uma profissão honesta.

– Por que se apressa em julgar Leandro? Você nem o conhece.

– Não preciso conhecê-lo para saber o tipo de gente que ele é.

Com um meio sorriso, e segura de seu poder, Sandra disparou:

– Por acaso você está com ciúme?

– Ciúme? Não sei... não. Estou só preocupado mesmo. Tenho por você um enorme carinho.

– Carinho? E Marisa sabe desse seu carinho?

– Ela não compreenderia.

– Disse a ela que viria aqui?

– Não. Não teria como explicar-lhe.

– Entendo...

– Ouça, Sandra, não quero que pense que estou com ciúmes,

porque realmente não estou. Mas o fato de já termos feito amor, ainda que uma única vez, faz-me sentir responsável por você.

– Será que não pode esquecer que fizemos amor?

– Não se esquece uma coisa dessas.

– Pois você deveria tentar. Sou amiga de Marisa e não quero estragar o namoro de vocês por causa de uma insensatez.

– Insensatez?

– O que mais poderia ter sido? Não quero reviver esse assunto, mas creio que não nos saímos lá muito bem, não é mesmo? Para mim, o que se passou naquela noite ficou para trás. Você deixou bem claro que não me amava, que estava apaixonado por Marisa. No fundo, senti o seu preconceito, porque eu sou uma moça liberal e independente, e você jamais me aceitaria. Pois bem. Superei a decepção e arranjei um namorado. Não era o que deveria fazer?

– Você podia ter arranjado coisa melhor. Uma moça feito você, envolvida com um *bookmaker*...

– O coração não costuma escolher por quem vai-se apaixonar, Vinício. Senão, não teria me apaixonado por você...

– Você ainda está apaixonada por mim? – tornou, mal disfarçando a ansiedade.

Sandra olhou para ele como nunca antes havia olhado. Ensaiara aquele momento diversas vezes em sua mente, e agora era chegada a hora de colocar em prova o seu talento para mentir e enganar. Com os olhos rasos d'água, fitou-o tristemente a princípio, para depois desviar o olhar e responder hesitante:

– Não...

– Você está mentindo – protestou veemente, aproximando-se dela. – Seus lábios dizem uma coisa, mas seus olhos dizem outra. Você ainda me ama. Diga que me ama.

– Não, não! – recuou desesperada. – Não diga isso! Não diga mais nada!

– É verdade. Você me ama, não ama?

Ele tentou segurá-la, mas Sandra se afastou bruscamente e colocou as mãos em seu peito, mantendo-o a uma distância segura.

– Não diga mais nada, Vinício, por favor! Não me faça falar coisas das quais irei arrepender-me mais tarde.

– Por quê? Por que vai arrepender-se?

– Por favor, vá embora. Não me obrigue a dizer mais nada.

A voz dela era quase um sussurro agora, e ele segurou gentilmente as suas mãos, puxando-a mais para perto de si.

– Você ainda me ama, não é mesmo? Sempre me amou.

– Não, não posso...

– Diga a verdade, Sandra. Por favor, diga que ainda me ama.

– Por que é tão importante para você? Não é de Marisa que você gosta? Por que quer torturar-me, prendendo-me a algo que jamais terá futuro para mim?

Aquelas palavras alcançaram seu coração, e ele a soltou bruscamente, passando a mão pelos cabelos, como que tentando desanuviar os pensamentos.

– É a ela que você ama, não é? – continuou Sandra, quase em desespero, ao que ele assentiu, hesitante. – Por que então me tortura desse jeito? Por que não me deixa em paz? Marisa é minha amiga, e eu não quero traí-la de novo. Naquela noite, quando fizemos amor, pensei que seria capaz de tudo para ficar com você. Mas as suas duras palavras abriram meus olhos para a realidade. Marisa é minha amiga, e é meu dever renunciar em nome dessa amizade.

Ela começou a derramar um pranto sentido e sufocado, e ele se aproximou novamente, mas não a tocou. Estava confuso, sem saber o que pensar ou sentir. Até então, sabia que amava Marisa e pensava que Sandra fora apenas um caso passageiro, por quem se sentia responsável. No entanto, vendo-a chorar fragilizada, revelando em suas lágrimas o amor que sentia, começou a duvidar de si mesmo. Achava que amava Marisa, mas agora não estava mais tão certo. Será que sempre amara Sandra e não conseguira enxergar? Será que ela tinha razão, e ele se afastara dela por puro preconceito? No fundo, não a julgara uma mulher fácil só porque se entregara naquela noite, sem qualquer tipo de pudor ou constrangimento? Não estaria ele preparado para assumir publicamente uma mulher moderna feito Sandra?

Teria sido o medo que o afastara dela, quando, na verdade, o que desejava era tê-la em seus braços para sempre?

Não sabia mais o que dizer ou pensar. Vinício jamais se sentira tão confuso. Que Sandra o amava, não tinha dúvidas. Mesmo que ela houvesse dito a Marisa que amava Leandro, ele não acreditava. O que ela queria era apenas se defender, proteger o seu coração dos sofrimentos que ele lhe infligia.

Mas ele não podia simplesmente tomá-la nos braços e jurar-lhe amor eterno. Havia Marisa, e ele não estava assim tão certo de seus sentimentos. Marisa era uma moça doce e corajosa, enfrentara os pais por sua causa, para que pudessem ficar juntos. Não fosse a sua determinação e eles hoje não estariam mais namorando. Jamais recuara diante da tirania do pai e logo assumira que estava apaixonada. Outra pessoa, no seu lugar, ou faria tudo às escondidas, ou terminaria o namoro. Marisa não. Tivera coragem suficiente para impor a sua vontade e afirmar-se diante da família como pessoa e como mulher. Era determinada e muito sensata, sem falar em sua generosidade. Sabia ser amiga e daria uma excelente esposa também.

Por mais que tentasse ser fiel a seus sentimentos, Vinício não sabia o que sentia de verdade. Estava confuso como nunca pensara estar em toda a sua vida. Depois da última decepção amorosa, jurara a si mesmo que jamais se apaixonaria outra vez. E agora se via num beco sem saída, oscilando entre o amor de duas mulheres tão diferentes e, ao mesmo tempo, tão maravilhosas.

Naquele momento, Vinício pensou que não saberia decidir entre as duas. Vendo a fragilidade de Sandra, poderia jurar que era com ela que queria ficar. Mas a imagem de Marisa, tão doce e sincera, logo invadiu seus pensamentos, e ele sentiu o coração disparar. Não, tinha certeza. Gostava de Sandra, achava até que estava apaixonado por ela. Mas amor mesmo, era por Marisa que sentia. Sandra era um vulcão de sensações, ao passo que Marisa era como a suave ondulação do mar, sempre pronta a acalentar e acolher. Por mais que Sandra mexesse com ele, sacudisse o seu corpo com vibrações de intensa paixão, Marisa era a única que conseguia alcançar o fundo do seu coração. Entre o amor e a paixão, preferia o amor. Era mais calmo, seguro e duradouro. Era mais verdadeiro.

– Sandra, eu... – murmurou meio sem jeito – lamento...

– Não se lamente. As coisas são como são, Vinício, não é culpa de ninguém. De agora em diante, vou tentar não pensar mais em você e peço-lhe que faça o mesmo. Pelo amor que ambos sentimos por Marisa, é melhor que não nos vejamos mais.

– Você está certa – concordou, com uma pontada no coração. – Por mais que isso seja doloroso, e só agora reconheço o quanto, é o melhor que temos a fazer. Não se preocupe, não pretendo mais vir aqui e prometo jamais voltar a tocar nesse assunto.

– Ótimo. Quanto a mim, nunca disse nada a Marisa e pretendo não dizer.

– Sei disso. Você é muito especial, Sandra, uma mulher decente e cheia de dignidade. Só que não posso mentir para mim mesmo. Amo Marisa mais do que tudo nesse mundo...

Ela colocou a mão em seus lábios, fazendo com que ele se calasse, e tornou sentida:

– Não precisa mais me dizer, eu já sei.

– Sinto muito...

– Não sinta. E não se preocupe comigo, eu ficarei bem.

– Com Leandro?

Com um sorriso enigmático, Sandra não respondeu, e Vinício não insistiu. O sorriso, para ele, teve um sabor amargo, e ele se despediu, naquele momento, sentindo imensa saudade de Marisa. Precisava vê-la, falar-lhe de seu amor. Só assim poderia esquecer aquela paixão avassaladora que sentia por Sandra.

Vendo-o afastar-se pela calçada, Sandra engoliu em seco e mordeu os lábios com tanta força que chegou a sentir um gosto amargo de sangue na boca. Podia esperar por tudo, menos por aquilo. Tanto esforço jogado fora, e tudo para quê? Para terminar como quando começara. Com nada. Dera sua última cartada e perdera. Blefara o tempo todo, certa de que Vinício sairia dali com Marisa fora de seu coração. Não fora o que acontecera. Ao contrário, ele parecia decidido por ela.

Somente muito depois que o carro dele se afastou foi que ela voltou para dentro. Se não sabia o que fazer para conquistar Vinício, ao menos sabia o que fazer com Leandro. Ele já não tinha mais nenhuma utilidade, não serviria mais para despertar ciúmes em Vinício. Foi até a cozinha, onde a mãe catava feijão para o almoço, e deu-lhe um beijo no rosto. Albertina ergueu os olhos para ela, desconfiada, e perguntou com voz de preocupação:

– O que é que ele queria?

– Nada de mais. Veio trazer um recado de Marisa.

– Você não está de olho no namorado dela, está?

– Mãe! É claro que não. Vinício e eu somos apenas amigos.

– Olhe lá, hein, Sandra? Não se vá envolver em nenhuma traição.

– Não se preocupe, mãe, não é de mim que ele gosta.

Deu-lhe um beijo na bochecha e foi apanhar a bolsa. Precisava terminar aquela farsa que era o seu namoro com Leandro. Foi procurá-lo no escritório de apostas e pediu para falar com ele. Foi breve. Em poucos minutos, tudo estava terminado. Também ele parecia cansado da sua falta de atenção e não demonstrou contrariedade com o rompimento. Melhor para ela. Sentindo-se mais livre, tomou o ônibus de volta para casa. Naquela noite, não iria sair. Ficaria em casa, fazendo companhia à mãe. Precisava pensar no que faria do seu futuro.

***

Depois que deixou Sandra, Vinício foi para casa sentindo-se mais aliviado. A conversa com ela fora difícil, mas servira para pôr em ordem os seus sentimentos. Agora tinha certeza do amor que tinha por Marisa. Sentia-se atraído pela liberdade, a sensualidade e a inteligência de Sandra, mas Marisa possuía algo que não encontrara em nenhuma outra garota: era verdadeira.

Em casa, o pai viu quando seu automóvel entrou na garagem

e foi até os fundos para encontrá-lo. Esperou até que ele saísse do carro e tomou-o pelo braço, caminhando com ele pelo quintal.

– Meu filho – começou ele –, estive pensando. Por que não convida os pais de Marisa para virem jantar aqui em casa hoje?

– Eu adoraria, pai, mas o senhor sabe como eles são. *Seu* João é um homem muito tímido e não gosta de mim. Nem me permite entrar em sua casa, e sou obrigado a me encontrar com Marisa no portão.

– Pois é. Já está na hora de acabar com essa bobagem. Entendo que ele seja um matuto ignorante, mas você e a filha dele pretendem casar-se. Não acha que deveríamos tentar aproximar-nos?

– Mas como, pai? Ele se recusa a me receber. Não fosse o amor que sinto por Marisa, confesso que já teria desistido.

– Isso seria um desperdício. A moça nada tem a ver com as esquisitices do pai.

– É o que penso também. Por esse motivo não me importo. Sei que, no dia do casamento, ele vai ter que estar presente. Duvido que não faça questão de entrar de braços dados com ela na igreja.

– Por que esperar tanto? Devemos conhecer-nos antes do casamento. Afinal, seremos todos da mesma família.

– Concordo com o senhor, pai, mas como pretende convencê-los a vir aqui?

– Vou telefonar para ele mais tarde. Creio que já deveria ter feito isso há mais tempo. Afinal, sou o pai do noivo, e ele não tem mais motivos para proteger a filha. Então, o que me diz? Posso telefonar para ele?

– É claro, pai. Se ele aceitar, vou ficar muito feliz. Assim acabamos logo com essa teimosia.

Entraram ainda conversando, e Conrado foi direto ao telefone. Pediu que Vinício lhe ditasse o número, e foi discando. Pouco depois, uma voz de mulher atendeu, provavelmente a empregada, e ele pediu para falar com João. Como da outra vez, quem atendeu foi Antônia.

– Alô?

– Quem fala, é d. Antônia?

– Sim, quem é?

– Ah! Bom dia, d. Antônia. Aqui quem está falando é Conrado, pai de Vinício.

Seguiu-se um breve silêncio, até que Antônia se recompôs e respondeu apreensiva:

– Ah... dr. Conrado, como vai?

– Vou muito bem, e a senhora e *seu* João?

– Vai-se indo. João é que não anda lá muito bem de saúde.

– Nada grave, espero.

– Não, não, apenas um resfriado.

– Fico feliz. Ouça, d. Antônia, estou ligando porque minha mulher e eu gostaríamos de convidá-los para um jantar em nossa casa hoje.

– Hoje? Não, creio que não será possível.

– Sei que está em cima da hora, mas será apenas um jantar em família. E como nossos filhos vão casar-se, pensei se não seria uma ótima oportunidade de nos conhecermos pessoalmente.

– Agradeço o convite, dr. Conrado, mas, como disse, meu marido não se sente bem. Quem sabe um outro dia?

– Tem certeza de que ele não pode mesmo vir?

– Certeza absoluta. Obrigada mesmo assim.

– Seria um imenso prazer recebê-los aqui, mas enfim, se *seu* João não se sente bem, fica para uma outra vez.

– Até logo, dr. Conrado.

– Até logo. Estimo melhoras a *seu* João.

Desligaram. Conrado olhou para Vinício desapontado e fez um muxoxo de decepção.

– Eles não vêm, não é?

– Não. *Seu* João não está passando bem. Será que é verdade?

– Marisa me disse que ele anda meio adoentado mesmo.

– Se é assim, meu filho, não há nada que possamos fazer. Pelo menos por enquanto. Na semana que vem, tentarei novamente. Não vou desistir até que nos encontremos pessoalmente.

– Posso saber por que o interesse repentino?

– Se meu filho vai casar-se com a filha desse sujeito, quero saber quem ele é. Isso é o normal em todas as famílias, não acha?

– É, tem razão.

– Estranha-me o fato de ele não querer conhecer-nos. O mal-entendido entre você e Marisa já foi esclarecido há muito tempo, e não há mais motivo para ele não estreitar relações conosco, não acha?

– *Seu* João é um homem estranho. Parece que vive com medo de alguma coisa.

– Medo de quê?

– Sei lá. Coisas de gente do interior, deve ser. Vai ver ele tem medo da vida em cidade grande.

– Mas ele já mora no Rio de Janeiro há dezoito anos, não é? Tempo suficiente para se acostumar.

– Quem é que vai entender as pessoas, pai? Cada louco com a sua mania.

Aquilo tudo era muito esquisito. Se João temia alguma coisa, o que poderia ser? Medo de cidade grande, ele não acreditava. Quanto mais pensava naquilo, mais Conrado se convencia de que deveria mesmo haver algo em seu passado que o aterrorizava. Se ele fosse mesmo o Januário da Silva que conhecera no sertão, aquilo seria motivo mais do que suficiente para fugir do passado e tentar esconder-se do mundo. Ele agora pretendia passar-se por um homem respeitável, negociante honrado, bom pai e bom chefe de família. Se o seu passado viesse à tona, toda a sua vida acabaria desmoronando, e ele perderia tudo por que lutara naqueles dezoito anos de vida fugitiva. Não seria isso motivo mais do que suficiente para recear o encontro com o passado?

***

Antônia estava realmente assustada. Jamais poderia esperar um convite daqueles assim, de uma hora para outra. O que aquele homem pretendia? Pensando bem, sua reação era até normal. Ele dizia que seus filhos iriam casar-se, e quaisquer outros pais teriam a mesma reação que ele teve: conhecer a família em que o filho escolhera ingressar. Mas ela não podia acreditar naquilo. Primeiro, um casamento entre Marisa e Vinício era o que menos podiam desejar. Segundo, não podia arriscar-se a colocar João frente a frente com o inimigo do passado.

– O que foi que houve? – perguntou João, que acabara de entrar na sala, vestido em um roupão. – Você está pálida. Aconteceu alguma coisa? Quem era ao telefone?

– Você não vai acreditar, João – respondeu ela, ainda atônita. – Era o dr. Conrado.

– O quê? O que ele queria?

– Convidar-nos para jantar.

– Jantar? Por quê?

– Disse que era para que nos conhecêssemos, já que nossos filhos vão casar-se.

– O quê?! Ele ficou louco? Quem foi que disse que Marisa e Vinício vão casar-se?

– Pelo visto, isso faz parte dos planos deles.

– Marisa não nos disse nada.

– Você esperava mesmo que ela dissesse? Aposto como esperaria até o último momento para nos dizer. Só quando tudo estivesse combinado é que nos contaria.

– Isso seria uma traição! Marisa não pode fazer isso conosco!

– Acho que pode sim. Ela e Vinício estão apaixonados, e vai ser difícil impedir o casamento.

– O que há com você, Antônia? Está desistindo de separá-los? E a tal viagem para a Europa? Talvez seja essa a hora.

– Não sei mais o que fazer. As coisas estão ficando fora de controle.

– Isso é porque você deu liberdade demais a essa menina. Não devia tê-la escutado quando me disse para deixar que ela namorasse Vinício. Veja só no que deu.

– Quer dizer que agora a culpa é minha?

– Não sei de quem é a culpa, mas que Marisa e ele não vão casar-se, isso não vão.

– O que podemos fazer, João? Negar-lhe a autorização para o casamento? Já me informei. Marisa só tem dezoito anos, não pode casar se nós não autorizarmos.

– De que adiantaria isso, Antônia? Ela acabaria fugindo com ele, e aí seria pior. Perderíamos a nossa filha para sempre.

– Tem de haver uma solução. Mas que solução, meu Deus?

O estranho brilho no olhar de João lhe dizia tudo, e ela se encolheu temerosa, sem coragem para contestar. Sabia em que ele estava pensando e sabia que as coisas estavam tomando um rumo inesperado. Se continuassem daquele jeito, João acabaria mesmo matando Conrado, e aí não haveria mais esperanças para ninguém.

– Deixe tudo comigo, Antônia – tranqüilizou ele, com o olhar meio ensandecido. – Sei muito bem o que fazer.

– Não, João, não! Vai estragar tudo!

– Você não vê que essa é a nossa única saída?

– Meu Deus! Você ficou louco, João? Perdeu o juízo de vez? E se descobrirem que foi você?

– Como? Ninguém imagina que tenho motivos para matar o doutorzinho. E, para todos os efeitos, farei parecer um roubo. Tirar-lhe-ei o dinheiro e jogarei a carteira fora. Quem vai desconfiar de mim, um velho inofensivo, que nunca fez mal a ninguém?

– Mas João, você prometeu...

– Isso foi em outros tempos, quando não estávamos ameaçados. Mas agora, a ameaça está se tornando cada vez mais real. Quanto tempo acha que levará até que ele descubra quem realmente eu sou?

– E se ele não se lembrar? Se não se lembrar nunca? Tudo aconteceu há tanto tempo...

– Dezoito anos não é tanto tempo assim. Ele vai lembrar-se, eu sei.

– Oh! João!

Antônia começou a chorar, e ele a abraçou, acariciando seus cabelos para consolá-la.

– Não fique assim, Antônia. Tudo vai dar certo, você vai ver.

– Por favor, João, não faça nada. Espere um pouco mais.

– Esperar o quê? Que ele nos pressione e nos encurrale cada vez mais, até que não tenhamos mais para onde fugir? Não, querida, não vou arriscar a nossa felicidade por causa da vida de um homem que não significa nada para nós.

Naquela noite, Kedar apareceu mais excitado do que nunca. Mantinha a horda de espíritos vingativos bem presa atrás de si, dominada por seu exército de sombras.

– Muito bem, João, muito bem! – orgulhou-se. – Agora estamos começando a nos entender.

– Mantenha-os longe de mim – disse João, referindo-se aos espíritos vingadores. – Vou conseguir o que você quer.

– Assim é que se fala, meu amigo! Como nos velhos tempos, hein? Eu e você, juntos, atrás do cano do revólver.

– Vai estar comigo no dia?

– Espero que sim. Não quero perder a oportunidade de pôr as mãos no traidor no momento de sua morte. Quando é que vai ser?

– Ainda não sei. Antônia pediu-me para esperar.

Kedar fez uma careta de contrariedade e aproximou-se de João com ar ameaçador:

– Ouça, João, não tente enganar-me. Sou muito mais esperto do que você. Posso até ler os seus pensamentos.

– Se é assim, vai ver que estou mesmo disposto a fazer o que você quer. Mas vai ser no meu tempo, não no seu.

– Não me venha com essa! Já esperei tempo demais.

– Pois pode esperar mais um pouco. Vou matar o sujeito, mas não quero indispor-me com minha mulher. Ela já está começando a me dar razão. Em breve, já a terei convencido, você vai ver.

– Você é quem sabe, João. Mas não se esqueça dos nossos amiguinhos ali – apontou para a súcia mal-encarada e continuou: – Vou segurá-los por um tempo. Mas agora que já experimentaram o gostinho da vingança, não sei por quanto tempo mais poderei contê-los. Se as coisas ficarem difíceis, vou ter que soltá-los novamente.

– Isso não será necessário! Já disse que vou fazer o que me pede.

– Em qualquer caso, vou deixar apenas unzinho para tomar conta de você. Só para garantir.

– Não faça isso!

Kedar estalou os dedos, e os soldados o seguiram, empurrando os espíritos que se atropelavam para tentar alcançar João. Ele acordou suando, sentindo falta de ar, e acendeu a luz do abajur.

– O que foi que houve, João? – perguntou Antônia, preocupada com o seu ar abatido. – Outro pesadelo?

– Foi. Mas já passou. Vamos voltar a dormir.

– Acho que você está ficando assombrado por causa dessa idéia de matar o dr. Conrado.

João não respondeu. Sentiu uma estranha presença junto de sua cama e virou os olhos de um lado a outro, mas não viu nada. Foi só quando fixou os pés da cama que soltou um grito aterrado. Sentado no colchão, as pernas dobradas, um rapazinho de seus dezenove anos o encarava com ódio. Tinha o peito dilacerado por uma bala e um lado do rosto queimado. João fechou os olhos para não ver, e a imagem fantasmagórica desapareceu. Lembrou-se vagamente do sonho que tivera e franziu a testa. Aquele era Miguel Pacheco Pires, tinha certeza. Matara-o havia cerca de trinta anos, fora uma de suas vítimas mais difíceis. O rapaz era forte e valente, e resistira até o último minuto. O que estaria fazendo ali?

Uma voz em seu íntimo fez a sua pele toda se arrepiar. Vingança, era o que dizia. E o que mais poderia um fantasma do passado querer com ele além de vingança? Já não agüentava mais aquelas perseguições do invisível. Quando é que aquele tormento iria acabar?

– Quando você matar o traidor – disse uma voz vinda do nada.

João apertou os ouvidos com as mãos e deitou a cabeça no colo de Antônia. Não queria mais ver, não queria mais escutar, não suportava mais tanta pressão. Era uma pressão insuportável das trevas, pressão de sua mulher e, agora, pressão também de Conrado, que cismara de encontrar-se com ele. Tudo isso lhe dizia apenas uma coisa: que precisava matar.

16

Durante os dias que se seguiram, Conrado ligava quase diariamente para João, sempre convidando-o para alguma coisa: um jantar, um almoço, um teatro, qualquer coisa que pudesse aproximá-los. Em nenhuma das vezes, João atendeu o telefone. Era sempre Antônia quem atendia e dava a desculpa de que ele não estava se sentindo bem. A cada negativa, Conrado ficava mais e mais desconfiado. Aquele homem, decididamente, possuía algo a esconder, e ele ia descobrir o que era.

Lídia também parecia desconfiada. Notara a mudança no comportamento do pai. Antes, sempre que perguntava algo sobre João, o pai conversava com ela naturalmente, mas agora, parecia esquivar-se. Era só ela tocar no nome de João para ele mudar de assunto. Não compreendia por que aquela mudança repentina, mas não conseguiu descobrir nada. Tentou sondar a mãe, mas ela também se mostrou arredia, dando respostas vagas e sem sentido às perguntas que fazia.

Os telefonemas de Conrado estavam deixando João deveras nervoso. Aquilo só podia ter uma explicação: Conrado já descobrira quem ele era e só queria certificar-se. Por que ligaria para ele quase que diariamente, insistindo para que se conhecessem? Conrado dizia a Antônia que era porque seus filhos iriam casar-se, mas João não acreditava naquela história. Era apenas conversa para forçá-lo a um encontro. Ele não podia ceder. Seria o seu fim.

E depois, Kedar também não lhe dava tréguas. Prendera seus inimigos, embora deixasse o espírito do garoto Miguel à sua cabeceira, só para se certificar de que ele não voltaria atrás. João não podia mais recuar, estava cada vez mais comprometido com o espírito das trevas. Era muita pressão. Pressão de todos os lados: de Conrado, de Kedar e do jovem Miguel. Cada um querendo uma coisa diferente, mas todos lhe infligindo o mesmo tipo de tortura, tirando-lhe o sossego, roubando-lhe a paz tardiamente conquistada. Tinha que ceder. Mais cedo ou mais tarde, acabaria cedendo à pressão de um deles e já sabia de quem era. Faria o que Kedar lhe pedia, não tinha jeito.

Mesmo Antônia estava começando a concordar. Também ela já não agüentava mais os telefonemas de Conrado e vivia assustada com os pesadelos de João, que passou a sentir fortes dores de cabeça, todas as vezes em que Miguel, do lado invisível, investia furiosamente contra ele.

Os acontecimentos se precipitaram quando, no fim do ano, Conrado lhes telefonou para falar da festa de formatura de suas filhas. As aulas já estavam terminando, e ele havia pensado em oferecer um baile em sua casa, depois da cerimônia de formatura. Aproveitariam a ocasião para formalizar também o noivado de Vinício e Marisa. Antônia ficou aterrada. Não havia pensado naquilo. É claro que Conrado e a esposa estariam presentes na festa de formatura. Por mais que eles se recusassem a ir ao baile, com certeza seriam apresentados na escola. Não havia como fugir.

– Não iremos à formatura – disse João, desesperado. – Inventaremos uma desculpa. Marisa vai entender.

– Ficou louco, João? Marisa nunca vai nos perdoar.

– Mas, se eu estiver doente, ela não vai poder fazer nada, vai ter que entender.

– Ela não é tola. E depois, vai ser o noivado dela também.

– Nunca! Só passando por cima do meu cadáver é que Marisa ficará noiva daquele sujeito!

– Não adianta nada falar desse jeito. Marisa está decidida, e o dr. Conrado me pareceu muito satisfeito com essa união.

– Isso é um absurdo! Imagine eu, frente a frente com o dr. Conrado. Encontrar-me com aquele homem, jamais!

– Precisamos pensar em alguma coisa. Tem que ter um jeito.

– Tem um jeito.

– Não, deve haver outro jeito. Alguma coisa...

– O único jeito, Antônia, você sabe qual é.

– Tem que haver algum outro. Quem sabe se você se disfarçar? Você pode colocar uma peruca, deixar a barba crescer, usar óculos escuros.

– Tudo isso só vai servir para chamar ainda mais a sua atenção. Não se esqueça de que o dr. Conrado já foi delegado e juiz criminal. Acha que ele não conhece essas artimanhas?

– Oh! Meu Deus, João! O que vai ser de nós?

– Sei como resolver isso, Antônia, e você também sabe.

– Não, João, você não pode!

– É o único jeito.

– Não, não...

– Pense bem, Antônia. O que você prefere: que eu não faça nada e corra o risco de ser reconhecido e preso, ou que eu acabe com ele rapidamente e assegure o nosso futuro e o de nossa filha? Não se esqueça de que não é apenas a minha liberdade que está em jogo, mas também o amor de Marisa. Como acha que ela vai reagir ao descobrir que eu matei seus verdadeiros pais e que você me acobertou?

Antônia estava horrorizada e ocultou o rosto entre as mãos, chorando desolada. Não queria concordar, mas sabia que não tinha outro jeito. Ou João matava Conrado, ou Conrado acabava com a sua felicidade e a sua vida.

– Está certo – sussurrou ela, de forma quase inaudível. – Faça o que tem que fazer.

Mal conseguindo conter a euforia, João a abraçou vigorosamente. Em segundos, parecia haver remoçado quinze anos. Estufou o peito e desanuviou o semblante, quase saltitando de prazer.

– Deixe tudo comigo, Antônia. E não precisa preocupar-se. Vai tudo dar certo, você vai ver. Acabo com o doutorzinho em questão de segundos, e nossa vida vai voltar ao normal. Prometo que serei rápido. Ele não vai nem sentir nada.

Antônia não respondeu. Fitava o marido com ar aterrado, mas não via outra saída. Jamais poderia imaginar que chegaria o dia em que teria que concordar que João matasse. Há dezoito anos, fizera-o jurar que jamais mataria novamente. Mesmo quando Conrado reaparecera em suas vidas, fizera o possível para que ele não o matasse. Só que agora, não via outra saída. Por mais que não aprovasse o assassínio, estavam encurralados. Será que a vida daquele homem valia mais do que a sua felicidade e o amor de sua filha? Não. João a convencera ao fazer referência a Marisa. Como João, ela podia suportar qualquer coisa, menos perder o amor da filha. Esse argumento fora decisivo. Nenhuma pessoa no mundo valia o amor de Marisa.

***

Alheia ao que estava acontecendo, Marisa sonhava com a formatura. Finalmente, iria terminar a escola e, em breve, ela e Vinício iriam casar-se. Só precisava comunicar aos pais a decisão que tomara. Eles precisavam aprovar o casamento e dar-lhe a autorização. Não sabia que Conrado já se havia adiantado e escolheu a hora do almoço para falar com eles.

– Papai – começou ela, enquanto comiam a sobremesa –, tenho algo muito importante a dizer a você e a mamãe.

João e Antônia se entreolharam, e ele retrucou carrancudo:

– Se é para falar da tal festa de noivado, poupe o seu latim, porque já sei.

– Já sabe? Quem lhe contou?

– Quem você acha? O dr. Conrado, só podia ser. Veio com uma conversa animada sobre a tal festa de formatura e de noivado.

– E você concordou?

– É claro que não! Sabe que jamais aprovaria esse casamento.

– Mas Vinício e eu nos amamos! Queremos ficar juntos para sempre.

– De jeito nenhum! E depois, você ainda é uma criança.

– Mas eu já vou fazer dezenove anos!

– Isso não tem a menor importância. Vinício não é o homem certo para você.

– Por quê?

– Porque não é e pronto.

– É por causa do que aconteceu no passado?

Tomado pelo susto, João derrubou o copo de refresco na toalha e encarou Marisa com uma fúria desconhecida no olhar.

– Não houve nada no passado! Eu a proíbo de tocar nesse assunto novamente. Menina tola, não fale sobre o que não sabe!

A surpresa foi tão grande que Marisa deixou duas grossas lágrimas escaparem de seus olhos. O pai jamais falara com ela daquela maneira. Mesmo nas vezes em que se zangara, nunca lhe dirigira a palavra com tamanha rispidez. Com os olhos embaciados, ela pousou o guardanapo sobre a mesa e levantou-se vagarosamente.

– Com licença – falou embargada e correu escada acima.

– Não devia ter falado com ela desse jeito! – censurou Antônia. – O que pretende? Que ela fique com raiva de você e desconfie também?

João passou a mão pelos cabelos e fitou-a aturdido.

– Não sei mais o que fazer, Antônia. Estou ficando desesperado. Pensei que Marisa tivesse se esquecido daquela conversa que ouvira.

– Também pensei, mas vejo que ela não se esqueceu.

– Isso é perigoso. Depois que o homem morrer, ela pode ficar desconfiada.

– Sua filha nunca vai desconfiar de você! No máximo, vai ficar mais curiosa para descobrir um segredo do passado, mas jamais vai pensar que você o matou.

– Ela vai fazer mais perguntas. O que vou dizer-lhe?

– O que lhe dissemos naquele dia. Que ela ouviu errado. Ela se enganou. Nunca houve nada entre nós e o dr. Conrado, nós nem sequer o conhecíamos.

Antônia pensou que ele fosse descontrolar-se mas, em vez disso, João aprumou o corpo e falou com voz moderada:

– Você tem razão, Antônia. Não tenho o que temer. Sempre fui um homem destemido, jamais me deixei intimidar por nada nem ninguém. Penso que os anos longe do cangaço acabaram me amolecendo. Mas ainda sou o mesmo e não vou permitir que nada saia errado. Vou mostrar a todos quem é João Januário da Silva.

Havia um certo furor naquelas palavras, e Antônia se encolheu, vendo diante de si, não o pacato João de agora, mas o Januário de antigamente, o homem frio e cruel que tirara tantas vidas com um sopro do revólver. Aquele não era o comerciante, era o jagunço, o matador que nunca havia perdido o prazer de matar, que ainda sentia nas narinas o cheiro acre do sangue das vítimas. Sim, o homem com quem se casara se chamava Januário. João fora apenas uma invenção ilusória e passageira, uma réplica do animal que se travestira de homem só para sobreviver num mundo que deixara de ser a sua selva.

– João... – balbuciou ela timidamente – estou com medo, João. Parece que não conheço você.

– Tenha calma, mulher, ainda sou eu mesmo.

– É isso o que me assusta. Casei-me com um homem que gosta de matar.

– Não é bem assim, Antônia – desculpou-se confuso. – É preciso...

– Está enganando a si mesmo, João. Então não vi em seus olhos, ainda há pouco, a excitação do sangue e da morte?

Ele silenciou. As palavras dela faziam muito sentido para ele, só agora compreendia. Durante todos aqueles anos, fora forçado, pelas circunstâncias, a esconder o trabuco e fingir que era uma pessoa comum, com gostos comuns, levando uma vida comum. Mas comum era tudo o que João jamais seria.

– Não tenha medo de mim – tranqüilizou-a. – Jamais tenha medo de mim. Você e Marisa são tudo o que tenho na vida. Nunca faria mal a nenhuma de vocês. Ainda que venham a me trair um dia, ainda assim, seria incapaz de levantar contra vocês a mão ou o revólver.

Aquelas palavras a emocionaram, mas Antônia não temia por ela ou pela filha. Conhecia bem os sentimentos de João para saber que ele nunca lhes faria mal. Temia pelo seu futuro e o de João. Temia que ele fosse descoberto, preso e condenado. Se isso acontecesse, como faria para continuar levando a sua vida? Marisa se casaria e nunca mais voltaria a falar com ela. Abandonaria o pai na prisão e sequer iria visitá-lo. Apenas ela ficaria ao seu lado. Antônia sabia que ficaria sempre ao lado de João, fosse o que fosse que lhe acontecesse.

Resolveu não pensar mais naquilo. João lhe dizia que não se preocupasse, que tudo se arranjaria. Não lhe agradava a idéia de saber que o marido estava pensando na melhor maneira de matar outro homem, mas se aquele era o preço extremo que tinha que pagar pela segurança de sua família, era o que ia pagar. Ainda que depois tivesse que viver com um dedo acusador sobre a sua consciência.

***

Quando Antônia foi bater à porta do quarto de Marisa, ela estava deitada de costas na cama, a cabeça voltada para a janela, acompanhando o movimento dos pássaros que voejavam de árvore em árvore. Não virou o rosto quando a mãe entrou nem disse nada. Antônia se aproximou cautelosamente e sentou-se ao seu lado, mas Marisa não a encarou.

– Marisa – começou ela, e a moça teve a certeza de que ensaiara bem o que iria dizer –, por que não nos contou que estava pensando em casar-se?

Sem desviar os olhos da janela, Marisa respondeu com frieza:

– Porque vocês não queriam ouvir.

– Como é que você pode saber?

– Alguma vez vocês quiseram ouvir-me falar de Vinício?

– Mas isso é diferente. Devia ter-nos contado. Seu pai soube pelo dr. Conrado e ficou muito sentido.

– Grande coisa...

– Não fale desse jeito. Seu pai está nervoso, tem passado por muitas pressões.

– Que pressões? Por que ninguém nunca me diz nada?

– É porque ele não quer preocupar você.

– De que adianta não querer preocupar-me e ficar-me tratando desse jeito? E o que foi que aconteceu para ele agir dessa forma?

Tem alguma coisa a ver com esse fato do passado que ninguém me quer contar, não tem?

– Minha filha, não há nada no passado que não queiramos contar-lhe.

– Mas eu ouvi!

– Você ouviu errado.

– Ah! Ouvi, foi? E o que foi que vocês disseram naquele dia que eu compreendi mal? O que falaram realmente?

– Não me lembro, já faz muito tempo. Mas não era nada importante. Se fosse, não me teria esquecido.

– Muito conveniente.

– O que você acha que é, Marisa? Se está tão desconfiada de nós, deve ter alguma idéia do que pode ser.

– E como é que vou saber? Se soubesse, não estaria perguntando.

– Marisa, deixe dessas bobagens. Não temos nada a esconder. Seu pai é um homem simples, não conheceu muitas pessoas.

– Eu sei o que ouvi, mãe!

– Nossos ouvidos podem enganar-nos. Às vezes, só escutamos aquilo que queremos escutar.

– Não foi nada disso. Eu ouvi sem querer. E depois... – calou-se, com medo de contar o que havia escutado na outra noite, pelo lado de fora da porta.

– Depois...

– Nada.

– Deixe de lado essa cisma. Seu pai e eu não temos nada a esconder. Se você insistir nessa idéia, vai acabar ficando paranóica e deixando seu pai cada vez mais nervoso.

– Por quê? Por que eu o deixo nervoso? Se ele não tem nada a esconder, isso não devia incomodá-lo.

– Mas incomoda. Ninguém gosta de ser alvo de desconfianças, principalmente da filha. Coloque-se no lugar dele. Não tem o que lhe dizer e fica angustiado porque você não acredita nele.

Ela ergueu o corpo na cama, embora sem olhar para a mãe. Queria dizer-lhe que ouvira o pai falar o nome de coronel Agostinho e que ela ficara muito aflita com aquilo, mas não se atreveu. Se a mãe soubesse que ela descobrira aquele nome, talvez ficasse muito zangada e tentasse impedir o casamento.

– Mamãe – continuou, alterando o tom de voz –, vocês ainda não me disseram o que pensam do meu casamento. Vinício e eu estamos decididos...

– Isso pode esperar.

– Não pode, não! Queremos casar-nos dentro de aproximadamente seis meses, e eu preciso da autorização de vocês.

– Não sei, Marisa, seu pai precisa pensar.

– Se vocês não me derem a autorização, eu fujo com Vinício. Vou ser dele de qualquer jeito.

– Você não faria isso.

– Faria sim.

– O pai dele não iria permitir.

– O pai dele nem vai saber. Fujo com Vinício e me caso sem ninguém saber.

– Você ainda não é maior de idade, não pode casar-se sem autorização.

– Vivo com ele sem me casar até completar vinte e um anos. Vai ser uma vergonha para vocês.

– Você não sabe o que diz! Quer enxovalhar o seu nome?

– Não ligo para isso. Amo Vinício e não vou permitir que vocês estraguem a nossa felicidade sem nenhum motivo. Por que não querem que me case com ele?

– Seu pai acha que ele não serve para você.

– Vai começar tudo de novo? Por quê? Ainda por causa daquele dia na floresta? Será que vocês ainda têm coragem de dar essa desculpa?

– Não é desculpa.

– É, sim. Para mim, papai não gosta do dr. Conrado, por que, não sei. Inventou essa desculpa e se agarra a ela para tentar mascarar o seu ódio por ele.

– Está sonhando! Seu pai nem conhece o dr. Conrado.

– Isso é outra coisa estranha. Sei que ele vem tentando aproximar-se, mas vocês não querem. Por quê? Do que têm medo?

– Não temos medo de nada. Seu pai não gosta muito de vida social, é só. Não fique inventando coisas.

– Quer dizer que não vão aceitar o convite dele para o baile de formatura também?

Antônia tentou de todas as formas não deixar transparecer o seu horror e resolveu encerrar aquela conversa antes de se delatar:

– Não fique zangada conosco, minha filha. Só queremos o seu bem.

– Se querem mesmo o meu bem, então têm que concordar com o meu casamento. Ir ao baile será o primeiro passo nessa direção.

– É o que você quer? Casar-se com Vinício?

– É o que mais quero.

– Muito bem. Não diga mais nada e deixe seu pai por minha conta. Vou tentar convencê-lo. Quanto ao baile, no momento certo, veremos.

– É muito importante para mim ter vocês presentes ao baile. São os meus pais, as pessoas que mais amo no mundo. Gostaria que participassem desse momento tão especial em que, além de me formar, estarei oficializando meu noivado com Vinício.

Contendo a repulsa que aquela notícia lhe causava, Antônia forçou um sorriso e respondeu amistosa:

– Vou ver o que posso fazer, Marisa. Por ora, não diga mais nada. Seu pai está nervoso, e não queremos aborrecê-lo ainda mais, não é mesmo?

Marisa balançou a cabeça e não respondeu. No fundo, não entendia o que estava acontecendo com ele. A mãe falara que era porque ele vinha passando por muitas pressões. No entanto, não lhe dissera que pressões seriam aquelas. Ele se havia aposentado e, pelo que sabia, os negócios iam muito bem nas mãos de seu gestor. O que mais poderia estar pressionando-o daquela maneira? Só podia ser algo relacionado a Conrado, mas eles jamais iriam contar-lhe.

Quando Antônia voltou para junto do marido, encontrou-o com o semblante mais sereno, embora um estranho brilho de fascinação cintilasse em seu olhar.

– O que você tem? – indagou ela, preocupada.

– Já sei como fazer, Antônia. Talvez seja arriscado, mas acho que dará certo. Ninguém vai desconfiar de nada, muito menos de mim. Não nessas circunstâncias.

– Que circunstâncias?

Em poucas palavras, João narrou seu plano a Antônia, alertando-a de que precisaria de sua ajuda para acobertá-lo. Ela seria o seu álibi, caso precisasse comprovar onde estava. Antônia ouviu tudo atentamente, mal conseguindo disfarçar o temor que sentia. Fizera João jurar que jamais mataria outra vez e agora via-se na iminência de tornar-se sua cúmplice no crime que ele estava planejando. O pânico a foi dominando, e ela teve que se esforçar para não gritar ou correr. Quando ele terminou de falar, ela simplesmente o olhou com os olhos rasos d'água, o peito oprimido pela sensação de que uma desgraça inenarrável espreitava a sua família, com punhos de aço prestes a descer furiosos sobre o que um dia fora uma vida feliz.

17

Tudo já estava planejado na cabeça de João. O modo como realizaria aquele crime lhe parecia até simples demais, mas as coisa simples tinham uma tendência a dar mais certo do que as complexas, pois as pessoas possuíam uma certa dificuldade em acreditar no óbvio. Contava com isso para obter sucesso. Ninguém iria desconfiar dele, e todos pensariam que o crime tinha sido obra de algum malfeitor engenhoso, um ladrão ou bandido em busca de vingança.

À medida que os dias se passavam, João ia ficando cada vez mais nervoso. As aulas já haviam terminado e faltavam poucos dias para a formatura. Vendo a filha toda animada, experimentando o vestido novo que ele mandara confeccionar especialmente para a ocasião, sentiu um nó na garganta. Estava prestes a estragar a felicidade dela e ainda teria que fingir uma tristeza que não sentia, mas era a única saída. Marisa era jovem, passaria um tempo na Europa e, quem sabe, não encontraria por lá o homem que realmente fosse fazê-la feliz?

Pensando nisso, João aproximou-se e ficou observando a costureira terminar uns ajustes no vestido de seda branca.

– Está ficando bonito, papai? – perguntou ela, olhando ansiosa para ele.

– Muito. À altura de uma beldade feito você.

Ela sorriu agradecida e continuou a conversa:

– Fiquei muito feliz quando mamãe me contou que você concordou em ir ao baile na casa de Vinício. Ainda mais porque será também nossa festa de noivado.

João franziu o cenho, tomando cuidado, contudo, para que ela não visse.

– Não adianta insistir, não é mesmo, Marisa? Você já está decidida, não está?

– Estou, pai. Amo muito Vinício.

– Se é assim... – suspirou. – Só espero que ele a faça feliz.

– Vai fazer. Você vai ver só.

– Não sei se acredito muito nisso, mas enfim, cansei-me de brigar com você.

– Obrigada, pai, por ter finalmente compreendido. Quero que saiba que eu amo muito você e a mamãe, e ficaria muito triste se vocês me voltassem as costas nesse momento.

Com os olhos embaciados, João se aproximou ainda mais e tocou-a gentilmente na face. Quando falou, havia tanta emoção em sua voz, que ela se emocionou também:

– Quero que saiba, Marisa, que você é e sempre será a pessoa no mundo que mais amo. Se errei, foi por muito amar você. Não importa o que eu faça nem o que tenha feito, tudo o que fiz, fiz por amor a você.

– Não sei se compreendo bem o que quer dizer com isso, papai. Durante toda a minha vida, só posso dizer coisas boas de você.

– Sei que errei, Marisa, e lhe peço perdão. Mas não há no mundo homem que não cometa seus pecados.

– Se está dizendo isso por causa de Vinício, não precisa. No fundo, acho que você tem medo de me perder, mas isso não vai acontecer. Você vai é ganhar mais um filho.

– Sei que sim, minha filha, sei que sim.

Ao longe, escutou o telefone tocar e apressou o passo. Chegou à sala ainda a tempo de escutar as últimas palavras de Antônia:

– Ficamos muito agradecidos, dr. Conrado... sim... hã, hã... Pode deixar, não faltaremos...

Desligou e encarou o marido. João nem precisava perguntar o que era. Tinha certeza, contudo, de que aquela seria uma das últimas vezes em que Conrado telefonaria para sua casa. Em breve, tudo estaria terminado.

***

O dia da formatura amanheceu ensolarado e quente, e a noite seria ideal para uma festa à beira da piscina. A cerimônia de colação de grau estava marcada para as seis horas, e Marisa chegou uns quinze minutos antes. Sandra ainda não havia chegado, mas Lídia já se encontrava lá em companhia dos pais e do irmão. Marisa acenou para ela, pediu licença aos pais e foi ao seu encontro.

– Olá, Marisa – cumprimentou Conrado. – Está muito bonita.

– Obrigada, dr. Conrado.

– Seus pais estão aí? – indagou Vinício, olhando por cima do ombro dela.

– Estão lá atrás. Não gostaria de ir cumprimentá-los?

É claro. Vou lá falar com eles e depois volto para apresentá-los. Que tal, hein, papai?

– Excelente idéia, meu filho. Mal posso esperar a hora de conhecê-los.

De onde estava, Conrado não conseguia ver João direito. Mesmo que o visse, não o reconheceria de imediato. Muitos anos se haviam passado, e ele mudara bastante.

Vinício puxou Marisa pela mão e foi ao encontro de João.

– Muito boa noite, *seu* João – falou em tom formal. – E a senhora, d. Antônia, como vai?

– Vamos bem, obrigada – respondeu Antônia, timidamente.

João apenas se limitou a acenar a cabeça, procurando Conrado pelo canto do olho. Dali também não conseguia distingui-lo direito. Viu Malvina de relance, mas não a conhecia. Conrado estava fora de seu campo de visão, perto da filha, que ele também mal conseguia enxergar. Em dado momento, ouviu um pigarrear e notou que Vinício tentava chamar sua atenção.

– Meus pais estão logo ali, em companhia de minha irmã. Não gostaria de ir conhecê-los?

João sentiu um frio na espinha, mas o apertão que Antônia lhe deu no braço ajudou-o a disfarçar.

– Mais tarde iremos – apressou-se ela em responder. – Agora, creio que a cerimônia já está para começar.

Efetivamente, ouviram um som agudo de microfonia e voltaram sua atenção para o mestre-de-cerimônias, que acabava de entrar. João e Antônia se sentaram, e Vinício voltou para junto dos pais. Marisa foi juntar-se às outras moças nas fileiras destinadas às formandas. Sandra, como sempre, chegou atrasada, com Albertina e Marocas, e foi correndo tomar o seu lugar. Como estavam dispostas por ordem alfabética, Lídia, Marisa e Sandra sentaram-se separadas e só voltaram a falar-se ao final da formatura.

Terminada a cerimônia, Lídia foi chamar as amigas para o baile. A maior parte delas iria à festa programada pela escola, mas muitas aceitaram o convite da moça, mais por causa do noivado de Marisa.

– Onde estão seus pais? – indagou ela a Marisa, que conversava baixinho com Vinício.

– Estão logo ali – disse ela, apontando para o lugar em que se haviam sentado.

– Onde?

Ela olhou, mas não os viu. Eles haviam desaparecido. Seria possível que houvessem desistido e ido embora? Não podia ser. Marisa olhou para Vinício em dúvida, e ele tomou a sua mão e saiu com ela para a rua, procurando o lugar onde João havia estacionado o automóvel.

A alguns metros dali, João respirava com dificuldade, agarrado ao volante.

– Não posso – choramingava. – Não tenho coragem. Não posso encarar aquele homem. Pela felicidade da minha filha, não posso!

– Seja forte, João! – repreendia Antônia. – Não podemos desistir agora. Ele vai desconfiar.

– Tenho que matá-lo... logo... mas não posso encará-lo...

Ouviram batidas no vidro da janela e olharam surpresos. Do lado de fora, Marisa e Vinício os fitavam com ar de espanto.

– Papai! O que houve? Vão embora?

A um olhar de Antônia, João abriu o vidro vagarosamente. A mulher se debruçou sobre o corpo do marido e respondeu com voz firme:

– Não foi nada, minha filha. Íamos em casa buscar o meu remédio para a pressão, mas creio que não vai ser necessário.

– A senhora está se sentindo mal, d. Antônia? – perguntou Vinício, preocupado.

– Não. Era apenas por precaução.

– Se quiser, posso ir a uma farmácia para a senhora. Basta dar-me o nome do remédio.

– Não precisa, meu filho, obrigada. Foi só uma preocupação exagerada de João. Eu vou ficar bem – virou-se para o marido e chamou ansiosa: – Vamos?

Ele fechou o vidro maquinalmente e abriu a porta do carro. Desceu bem devagar e esperou até que Antônia se juntasse a ele. Em seguida, tomou-a pelo braço e ergueu a cabeça. Antônia tinha razão. Precisava ser forte. Afinal, aquela não seria a primeira vez que mataria. Não era do crime que tinha medo. Temia ter que ficar frente a frente com o homem que poderia condená-lo. Matar Conrado seria muito fácil. Difícil mesmo seria ter que enfrentar os seus olhares acusadores. Faria o que tinha que ser feito. Conrado era seu inimigo, era o que lhe dizia uma voz interior, a voz de Kedar em seus pensamentos. Precisava acabar com ele. Seria rápido, fácil e praticamente indolor.

Em silêncio, caminharam de volta ao auditório da formatura. Quase todos já haviam saído, inclusive Conrado e a família.

– Acho que eles já foram – comentou João.

– Para receber os convidados, sim – respondeu Vinício. – Mas não tem importância. Podemos seguir no seu carro, *seu* João, se o senhor não se importar.

João olhou-o atônito, pensando em contestar-lhe a ousadia, mas o olhar de Antônia não lhe permitiu protestar.

– Então vamos – disse maquinalmente.

Sentia-se agora acometido de uma estranha euforia. Toda a excitação dos velhos tempos havia voltado ante a iminência de matar. Não usaria o trabuco dessa vez. O estampido alto chamaria muito a atenção. Para Conrado, havia afiado a lâmina de seu facão. Apenas uma facada, bem no coração, e tudo estaria terminado.

Sem nem sentir, João dava acesso às investidas de Kedar, que agora o incitava ao crime sem descanso. Deixando-se levar pelas suas palavras de ódio, João foi cada vez mais absorvendo o sentimento do espírito por Conrado, e, aliado ao seu medo, o desejo de vingança de Kedar casava bem com seu propósito assassino.

Foi fazendo o trajeto em silêncio, mentalmente repassando seu plano, regozijando-se com a imagem de um Conrado frio e pálido, estirado no chão a seus pés, morto numa poça de sangue. Aquele pensamento o animava e lhe dava forças. Era o que o encorajava. Depois daquilo, poderia reencontrar a paz. Voltaria a dormir sossegadamente, sem a sombra do passado a ameaçar os seus sonhos.

***

A casa de Vinício já se encontrava toda iluminada quando João entrou, mas ele mal conseguia admirar a beleza da mansão. Só pensava no momento em que teria a vida do inimigo nas mãos. Foram para a piscina, onde se estava desenrolando a festa. Conrado logo os viu chegar e foi correndo ao seu encontro, olhando ansioso para João.

– Vinício! – exclamou, estendendo-lhe as mãos. – Até que enfim! Não sabia onde estava.

– Dona Antônia não se sentiu bem – esclareceu ele –, mas graças a Deus já passou.

– Deixe-me apresentá-lo a meus pais – adiantou-se Marisa. – Mamãe, papai, este é o dr. Conrado. Estes são meu pai, João, e minha mãe, Antônia.

– Finalmente! Não pode imaginar o prazer que sinto em conhecê-los – falou Conrado, apertando a mão de João e beijando a de Antônia. – Sua filha fala muito em vocês.

– Marisa é uma menina de ouro – elogiou Antônia, sem saber muito o que dizer.

– Confesso que já estava ficando preocupado com a sua distância – prosseguiu Conrado. – Afinal, nossos filhos vão casar-se.

– É verdade. E é por isso que estamos aqui.

Os dois homens se estudavam em silêncio, esforçando-se para não deixar transparecer o que lhes ia no coração. Conrado, coberto de dúvidas, analisava o outro com avidez, puxando pela memória o máximo que podia, a fim de se lembrar da fisionomia do Januário de outros tempos. João, por sua vez, procurava ver no outro algum traço de reconhecimento, mas Conrado, como uma rocha impenetrável, não demonstrava o que sentia.

Nesse momento, Malvina veio chegando por detrás deles, e Conrado a apresentou. Ela, assim como o marido, estudou atentamente o visitante, mas nada pôde constatar. Não conhecera Januário senão pelas histórias que Conrado lhe contara e não podia fazer-lhe um reconhecimento. No entanto, de comum acordo com o marido, Malvina puxou Antônia pelo braço e convidou-a a conhecer sua casa. Embora contrariada, Antônia não teve remédio e seguiu com ela. As coisas começavam a dar errado. Antônia precisava estar sozinha para assegurar o álibi de João. Mas agora, em companhia de Malvina, como afirmar que ele estivera a seu lado durante toda a noite?

João ficou olhando-a afastar-se, até que Conrado sugeriu:

– Por que não vamos ao meu escritório beber alguma coisa para comemorar?

Aquilo não estava nos seus planos, mas João assentiu e seguiu com ele. Em seu gabinete particular, Conrado serviu dois copos de uísque e entregou um a João.

– Aos nossos filhos – disse, erguendo seu copo.

João ergueu o seu e levou-o aos lábios, sem dizer nada. Bebericaram em silêncio, até que Conrado falou novamente:

– Não é um homem de muitas palavras, não é, *seu* João?

Com um sorriso maroto, João pousou o copo sobre a enorme mesa e respondeu:

– Há algo em especial de que gostaria de falar?

– Não, nada – fez uma pausa estudada e prosseguiu: – Soube que o senhor veio do Maranhão.

– É verdade.

– De que lugar do Maranhão?

– Lugar? De Turiaçu. Conhece? – ele meneou a cabeça. – Fica mais ao norte, às margens do rio Turiaçu.

– Ah! O senhor era administrador de fazendas?

– É isso mesmo.

– E resolveu abandonar tudo e vir para o Rio de Janeiro.

– Conhece lugar melhor para se criar uma moça?

– Não sei. Muitos diriam que por aqui há muitas tentações. A vida no norte devia ser mais calma.

– Calma demais. Não havia nada para Marisa por lá. Ela acabaria casando-se e tendo filhos com qualquer joão-ninguém, sem nada mais para esperar da vida. Não queria isso para minha filha.

– Muito bonito de sua parte, preocupar-se com o futuro da menina. A maioria dos pais se contentaria em ver a filha casada e sossegada dentro de casa.

– Não sou como a maioria dos pais – retrucou ele, olhando Conrado bem dentro dos olhos. – E o futuro de minha filha sempre foi minha única preocupação.

– Parece gostar muito dela.

– Quem não gostaria? É minha única filha.

– O senhor e d. Antônia a tiveram um pouco tarde, não foi?

– Não o bastante.

– Ela nasceu no Maranhão?

– Foi. Viemos para cá quando ela tinha apenas três meses.

– Aposto como foi difícil, quero dizer, mudar-se de tão longe, com uma criança pequena, numa época em que tudo era diferente.

– Nem tão difícil.

– Como foi que conseguiram sair do Maranhão em segurança? O senhor não tinha medo de andar pelas estradas sozinho, com mulher e filha?

– Não. Por que deveria?

– Ora, naquela época, o bando de Lampião andava atacando por aquelas bandas. Não se preocupou com isso?

– Nunca tive medo de cangaceiro.

– Não? A maioria tinha.

– Já disse que não sou como a maioria. Sempre confiei em mim mesmo.

Instintivamente, João levou a mão à cintura, num gesto imperceptível a qualquer interlocutor desavisado, mas que não passou despercebido a Conrado. Em sua mente, a imagem de um facão reluzente se delineou com nitidez. Podia ser imaginação, mas algo lhe dizia que tomasse cuidado. Ele não sabia, mas o espírito de Mateus tentava alertá-lo do perigo que aquele homem representava em sua casa. Era fácil para o espírito amigo fazer-lhe sugestões, visto que a influência maléfica de Kedar não se fazia sentir em sua casa, onde não podia penetrar.

– Conheceu algum jagunço?

– Nenhum.

– Pois eu conheci alguns – disse cautelosamente e olhou para o rosto de João, que permaneceu impassível. – É que fui delegado no Ceará.

– Nunca estive no Ceará.

– Pois é. Lampião andou por aquelas bandas, e cheguei a ter contato com alguns cangaceiros. Jagunços então, prendi muitos.

– Deve ter sido uma vida bem emocionante.

– Era sim. Naquela época, eu era jovem e iludido com o mundo. Queria consertar o sertão.

– Que ingenuidade...

– Pois é. Com tantos jagunços e coronéis andando por lá... por falar nisso, soube que o senhor trabalhou para um tal coronel Agostinho.

A surpresa no olhar de João foi genuína. Jamais poderia supor que ele ouvira falar no nome de coronel Agostinho. Só podia ter sido Marisa quem contara. Na certa, escutara quando ele conversara com Antônia. Se era assim, as coisas estavam piores do que ele imaginava.

Marisa andara comentando com ele sobre os seus segredos, o que era extremamente perigoso.

– Isso foi há muito tempo – considerou hesitante. – Já não me lembro mais.

– Estranho. Sua filha falou com tanta propriedade nesse nome.

– Falou? – revidou entre dentes. – Pois então, deve ser.

– O senhor não se lembra?

– Já disse que não.

– No entanto, Marisa ouviu esse nome.

– Se ouviu, é porque eu devo ter falado. Tudo é possível quando se trata do passado.

– É mesmo... conheci um coronel Agostinho uma vez – silêncio. – Era dono de muitas terras numa cidadezinha do Ceará chamada Pedra Branca. Já ouviu falar?

– Não conheço nada do Ceará.

– Pois em Pedra Branca havia esse tal coronel Agostinho. O homem era uma praga. Mandou matar metade da cidade por causa das terras. Enriqueceu assim.

Conrado olhou para João diretamente, para ver se ele demonstrava alguma emoção, mas os olhos do jagunço continuavam frios e inexpressivos como sempre. Por dentro, porém, João sentia como se um turbilhão revolvesse suas entranhas. Ouvir falar assim de seu passado, pela boca de seu inimigo, era algo que jamais pensara experimentar. Ele sabia. Quanto mais o ouvia falar, mais João tinha certeza de que ele o havia reconhecido. Estava apenas testando-o, provocando-o para ver até onde chegava.

Efetivamente, Conrado reconhecera João no momento em que começaram a conversar. Embora se houvessem defrontado poucas vezes no passado, o rosto do jagunço era por demais marcante para ser totalmente esquecido. Num primeiro momento, a dúvida surgira, porque o homem que tinha diante de si estava mais gordo, com cabelos embranquecidos e vestido à moda do sul. Sua figura nada tinha a ver com as calças de pano cáqui e as botas de couro gasto que usava no sertão. Olhando bem para ele, porém, não tinha mais dúvidas. Aquele tal de João era, realmente, o Januário que ele um dia conhecera e perseguira nos confins do Ceará.

– E o pior era que esse coronel não trabalhava sozinho – prosseguiu Conrado, cada vez mais revelador. – Tinha lá uns jagunços que faziam todo o serviço sujo para ele.

– É mesmo?

– Lembro-me bem de um tal Januário... Januário da Silva. Um jagunço cruel e sanguinário, matou famílias inteiras a mando do coronel Agostinho. Fizemos de tudo para pôr as mãos no cabra, mas ele sempre conseguiu escapar. O coronel comprava as poucas testemunhas ou então as ameaçava. Ninguém dizia nada. Era um horror – João mordeu os lábios até doer, mas permaneceu impassível, encarando o outro com uma ferocidade mal contida no olhar. – O mais estranho é que ele sumiu de repente. Matou uma família inteira e desapareceu. Homem, mulher e filha recém-nascida. Ou melhor, ninguém sabe bem o que aconteceu à criança. Sumiu.

– Sumiu?

– Desapareceu. Nunca encontraram o corpinho. Isso foi há mais ou menos dezoito ou dezenove anos. A idade de sua filha, não é mesmo?

Nesse ponto, João não conseguiu mais se conter. Deu um salto na frente do outro e segurou-o pelo colarinho. Face a face, rosnou:

– Aonde está pretendendo chegar, dr. Conrado?

Sem se alterar, Conrado soltou as mãos de João da gola de sua camisa e, ainda encarando-o, respondeu de supetão:

– O senhor é aquele jagunço, não é, *seu* João? Você é Januário da Silva!

– Está louco – grunhiu João, voltando-lhe as costas.

– Será que estou mesmo? Pois então me diga: qual o nome e o endereço da fazenda que você administrava? Qual o nome completo desse coronel Agostinho? Que pessoas conhece em Turiaçu que poderiam comprovar o que diz?

– Não tenho que responder a nenhuma dessas perguntas – sibilou ameaçador.

– Não pode respondê-las, não é mesmo? E não pode porque mentiu o tempo todo. Você nunca morou no Maranhão. Sempre viveu em Pedra Branca e trabalhou para o coronel Agostinho, executando suas ordens e exterminando pessoas inocentes em troca de dinheiro. E a menina? Marisa é a criança que você tomou dos braços da mãe quando a matou? Será que ela sabe o que você fez aos pais dela?

– Pare! O senhor não sabe o que diz!

– Sei sim, Januário, sei muito bem o que digo e posso provar. Amanhã mesmo vou escrever às autoridades de Pedra Branca requisitando as peças dos muitos inquéritos instaurados contra você. Em algum lugar, há de haver uma foto sua.

– Não me chame de Januário! Meu nome é João. João da Silva. Pode ser um nome comum, mas é assim que me chamo, como milhares de pessoas neste país.

– Está mentindo, Januário. Você é aquele jagunço, e vou provar isso. Vai para a cadeia, que é onde deveria ter estado nos últimos dezoito anos.

João teve que se utilizar de toda a sua força para não o estrangular ali mesmo. Não podia precipitar-se. Muitos o haviam visto entrar naquele gabinete em companhia de Conrado, e Antônia não estaria sozinha para testemunhar a favor de sua inocência. Não fora isso que planejara. Tencionava matá-lo naquela festa, mas não naquele momento nem naquelas circunstâncias. Não podia ser visto e precisava de Antônia.

Foi sendo tomado por indescritível angústia. Agora, mais do que nunca, precisava matar aquele homem. Conrado tinha certeza de quem ele era, e João não podia permitir que o outro chegasse vivo ao dia seguinte, ou então ele poderia realmente escrever a Pedra Branca e descobrir tudo. Precisava evitar isso. Não passara pelo que passara para acabar preso pelas mãos do mesmo homem que o perseguira tantos anos atrás.

– Não vou levar em consideração nada do que diz – falou João mansamente. – O senhor não tem prova alguma contra mim. Jamais conseguirá provar que sou eu o jagunço que procura.Sem dizer mais nada, João rodou nos calcanhares e saiu desabalado para o jardim, indo ao encontro de Antônia, que se esforçava para parecer natural no meio de uma roda de esposas de juízes. Ao ver o marido chegar, esbaforido e bufando feito um touro enfurecido, Antônia pediu licença e correu ao seu encontro.

– O que foi que houve? – indagou temerosa, olhando significativamente para a cintura de João. – Malvina me deteve até agora...

– Ainda não fiz o serviço – cortou ele, entre os dentes. – O safado me reconheceu e me acusou. Disse que vai mandar vir de Pedra Branca as provas que tem contra mim.

Ela levou a mão à boca e sufocou um grito de assombro, retrucando apavorada:

– Meu Deus, João! O que vamos fazer?

– Não posso deixar que ele escreva às autoridades de Pedra Branca, como pretende. Se fizer isso, será o meu fim. Tenho que dar cabo dele antes que isso aconteça.

– As coisas não correram como planejamos, João.

– O cretino se antecipou e fez o que eu planejava fazer. Atraiu-me para seu gabinete, só que na presença dos convidados. Mas ainda posso esgueirar-me sem que ninguém veja.

Ela torcia as mãos, assustada, e tornou com lágrimas nos olhos:

– Nem parece o homem com quem tenho vivido todos esses anos... parece... parece... um jagunço...

– É o que sou, Antônia, nunca deixei de ser. No fundo, sou o que sempre fui: um matador. Durante todos esses anos, precisei camuflar a minha personalidade por causa de Marisa, pelo amor que tinha a ela e a você. Mas agora, não posso mais fingir que sou uma pessoa comum. Sou um criminoso, Antônia, um criminoso prestes a matar novamente.

– Foi uma loucura o que fizemos, João, mas ainda é tempo de desistirmos. Vamos embora daqui. Podemos fugir, ir para qualquer lugar. Podemos ir para a Europa e viver em paz...

– Esse homem jamais me deixará em paz! Aonde quer que eu vá, ele vai perseguir-me. Agora que sabe quem sou, não me dará trégua!

De onde estavam, viram Conrado sair de dentro de casa e ir ao encontro de Vinício, que dançava de rosto colado com Marisa. João ficou olhando-o fascinado. Será que ele iria contar alguma coisa ao filho? Será que Vinício já sabia? Como que adivinhando seus pensamentos, Antônia replicou temerosa:

– E se ele contou a mais alguém? Se contou à mulher e aos filhos? O que vai fazer? Vai matar todo mundo?

– Não creio que ele tenha contado nada aos filhos. Vinício é namorado de Marisa, e Lídia é sua amiga de escola. Ele não iria estragar o relacionamento deles por causa de uma desconfiança. E não vai querer estragar a festa também. Aposto que só vai contar amanhã, quando todos já estiverem refeitos da felicidade desta noite.

– E a mulher? Duvido que d. Malvina não saiba de alguma coisa.

– Por que diz isso?

– Ela agiu de forma estranha, estudada. Apresentou-me a várias pessoas, evitando soltar-me para que eu fosse procurá-lo. Só quando conseguiu introduzir-me num grupinho de senhoras foi que largou o meu braço.

– Ela sabe. Meu Deus, preciso dar um jeito nela também!

– Não pode fazer isso, João, é muito perigoso. Vamos embora daqui. Precisamos fugir de novo.

– Não, Antônia, já estou muito velho para continuar fugindo. E depois, fomos longe demais. Preciso terminar o que comecei.

– Ai, João...

A cabeça de João trabalhava rapidamente, refazendo o plano malogrado com frieza e avidez. Em poucos minutos, já tinha a solução.

– Não se preocupe, Antônia – declarou resoluto. – Sei o que vou fazer. Por ora, não diga nada. Vamos embora agora, e depois voltarei para completar o serviço.

Antônia silenciou e foi despedir-se da filha.

– Mas já? – estranhou Marisa. – Aconteceu alguma coisa?

– Não estão sendo bem tratados? – indagou Vinício. – Alguém lhes fez alguma desfeita?

– Não, não, está tudo ótimo – justificou Antônia. – É que não estou mesmo me sentindo bem. É a pressão, sabe?

– Ora, d. Antônia, por que não falou? Eu teria ido comprar o seu remédio.

– Pensei que não fosse precisar. Mas a emoção está sendo muito grande.

– Ah! Mamãe, por favor, não gostaria que vocês perdessem essa festa. Daqui a pouco, vamos anunciar nosso noivado.

– Peça desculpas por nós, querida.

– Tem certeza de que não consegue ficar? Seria tão importante para mim!

– Sua mãe já disse que não se sente bem, Marisa – interrompeu João. – Por isso, vamos para casa.

– Então, vou com vocês.

– Em absoluto! – apressou-se Antônia, antes que João concordasse. – Fique e sacramente seu noivado. E amanhã conte-nos tudo. Estaremos pensando em você.

Marisa suspirou vencida e abraçou os pais. Estava triste porque eles iam embora, mas o pai já dera a questão como encerrada, e ela o conhecia bem para saber o quanto ele era turrão. João e Antônia se despediram de Vinício e partiram apressados, antes que Conrado ou Malvina dessem pela sua falta. Não queriam correr o risco de ser impedidos de partir.

Enquanto dirigia, João ia pensando no que acontecera. O plano seria ousado, porque ele tencionava matar Conrado no meio da festa, num momento em que ele estivesse sozinho, talvez no banheiro. Seria rápido e eficiente, e Antônia cuidaria de dizer que ele estivera a noite toda ao seu lado. Ninguém iria desconfiar dele, porque ninguém conhecia o seu passado e, para todos os efeitos, João não tinha motivos para querer matar Conrado.

O plano, porém, frustrara-se no nascedouro. Conrado sabia

mais a seu respeito do que imaginava, e era preciso cuidar dele e da mulher também. João já sabia o que fazer. Levaria Antônia para casa e voltaria para terminar o que nem chegara a iniciar.

18

– E então, falou com ele? – perguntou Malvina ansiosa, logo que se deitaram para dormir.

– Falei – respondeu Conrado pensativo. – Ele praticamente confessou, e estou certo de que é ele mesmo.

– E agora, o que pretende fazer?

– Vou escrever uma carta ao delegado de Pedra Branca, pedindo que me envie as peças dos inquéritos envolvendo Januário da Silva.

– Isso será capaz de incriminá-lo?

– Não sei. Talvez seja difícil provar que esse João e aquele Januário são a mesma pessoa, mas tenho a esperança de que haja alguma fotografia dele em algum dos inquéritos.

– As crianças já sabem?

– É claro que não. Você viu a alegria de Vinício. Como espera que eu chegue para ele, no dia do seu noivado, e diga que o pai da noiva é um assassino foragido, procurado há mais de dezoito anos?

– Você tem razão, mas ele precisa saber. Ainda mais se você pretende escrever a Pedra Branca.

– Vou contar-lhe tudo amanhã. A ele e a Lídia.

– E Marisa? Vai contar a ela também?

– Deixarei essa tarefa a cargo de Vinício. Eles são noivos e se amam, e ele terá mais jeito para lhe contar.

– Vai ser um choque para ela.

– Se vai! Ainda mais se ficar comprovado que ela é a criança do casal assassinado.

– Pobre Marisa. Não merece isso.

– É claro que não. Ela não tem culpa de nada. Vamos acolhê-la em nossa casa e dar-lhe todo o apoio. Não quero que ela pense que estamos contra ela.

– Uma moça tão boa, com um pai daqueles. E ela o ama tanto...

– É verdade. Vai ser difícil, mas estamos aqui para ajudá-la.

– Você viu que *seu* João foi embora logo depois que conversou com você?

– Ele não tinha outra coisa a fazer.

– E se ele fugir?

– Colocarei a polícia atrás dele. Estamos em outra cidade, são outros tempos. A época dos jagunços já acabou, e não é mais assim tão fácil enganar a polícia. Agora vamos dormir, Malvina. Amanhã será um dia difícil, e precisamos estar descansados para enfrentar o que virá por aí.

Conrado deu um beijo de boa-noite na esposa e virou para o lado. Ambos custaram um pouco a pegar no sono, mas acabaram adormecendo e, por volta das quatro da manhã, a casa já se encontrava mergulhada em profundo silêncio.

Do lado de fora, com Kedar a seu lado, João esperava. Deixara Antônia em casa, recomendando-lhe que não deixasse Marisa perceber sua ausência, e partiu de volta para a casa de Conrado. Estacionou o automóvel algumas casas acima da do ministro e desligou o motor, apagando faróis e lanternas. O Jardim Botânico era um bairro repleto de árvores e mansões, e não havia ninguém transitando pela rua àquelas horas. Estava seguro em seu carro parado nas sombras.

De onde estava, podia acompanhar todos os movimentos na casa de Conrado. Viu, um a um, os convidados se retirarem e sentiu o coração disparar quando Marisa saiu de carro com Vinício. Sabia que ele a levaria em casa e ficou aguardando até que voltasse. Quando enfim ele entrou, já passava das duas horas, e João aguardou ainda um pouco mais. Reparou nas luzes que se apagavam e continuou sentado, esperando. A experiência lhe dizia que Conrado talvez estivesse partilhando com a mulher e os filhos os acontecimentos felizes da festa. Ficou onde estava por mais uma hora, até que deu uma última olhada na casa e achou que todos já deveriam estar dormindo. Era aquele o momento.

Aproximou-se do portão, com Kedar colado a ele, e procurou

espiar pelas frestas. Ouviu um ruído de passos e se afastou rapidamente, a tempo de escutar uma leve trombada no portão e um resfolegar enraivecido. Um cachorro, mas aquilo não seria problema. Estava preparado para situações como aquela, porque muitos haviam sido os cães que fora obrigado a matar para que não o impedissem de penetrar nas casas de seus donos. Meteu a mão no bolso e retirou um papel de pão, onde estava embrulhado um pedaço de carne gordo e sangrento. Dentro, uma boa dose de veneno para rato. João postou-se de frente para o portão e ouviu o rosnado do animal do outro lado, prestes a latir. Rapidamente, atirou a carne por cima do portão e esperou. Ouviu o ruído das patas se afastando um pouquinho, e um som feito de dentadas chegou até seus ouvidos. Pouco depois, um ganido doloroso e abafado atravessou o muro, e o silêncio imperou novamente. Pronto. O cão havia morrido.

Nesse exato momento, em seu quarto, Conrado abriu os olhos. Aproximou-se da janela e espiou para fora. A noite sem lua não lhe permitiu ver muita coisa, mas ele teve a nítida sensação de que o cachorro jazia inerte em algum lugar. Não conseguia explicar o que sentia, mas era algo tão forte que ele não pôde ignorar. Durante alguns minutos, permaneceu olhando para fora, mas não viu nada. Talvez fosse sua imaginação, e o cão apenas estivesse dormindo. Contudo, era uma sensação muito viva, a certeza de que o perigo rondava a sua casa, e, de repente, compreendeu. Não sabia bem o que significava aquilo, mas alguma coisa lhe dizia que João tentaria matá-lo naquela noite.

A seu lado, Mateus soprava alertas ao seu ouvido, que ele recebia como intuição. A imagem de um João furioso e desesperado surgiu em sua tela mental, e Conrado franziu o cenho de preocupação. Pensou nos filhos e na mulher, e teve medo. Entretanto, algo lhe dizia que o homem que rondava lá fora estava atrás dele e talvez da esposa. Os filhos estavam seguros. Mesmo assim, hesitou. Não seria melhor chamar a polícia? Não sabia se teria tempo. Pensou em sair e surpreendê-lo do lado de fora, mas não podia desperdiçar a chance de prendê-lo em flagrante na tentativa de matá-lo. Era um risco por demais perigoso, mas era também algo que precisava fazer. Aquela era a oportunidade que tanto esperava de pegar o jagunço com a boca na botija.

Ao mesmo tempo em que Conrado era avisado por Mateus, João, com cuidado, chegou-se mais para perto do portão e tornou a espiar pelas frestas. No meio da escuridão, não conseguiu ver nada. Forçou a vista para o chão, mas as frestas eram por demais estreitas para que pudesse identificar qualquer coisa. Assim mesmo, esperou para ver se não havia outros cães na casa. Dez minutos depois, o silêncio continuava o mesmo, o que demonstrava que o único cachorro existente era o que jazia morto ali do outro lado.

Não esperou mais. Com uma agilidade pouco esperada para um homem de sua idade, saltou para cima do muro e espiou. A silhueta do cão se delineou no negrume da noite contra o chão, e ele pulou rapidamente, deixando Kedar ansioso do lado de fora. Aproximou-se do animal e conferiu sua respiração e seus batimentos cardíacos. Estava realmente morto. Encostou-se no muro frio e rodeado de sombras e olhou para o casarão, estudando portas e janelas. Não sabia qual era a de Conrado, mas iria descobrir.

Começou a andar encostado no muro, evitando pisar em gravetos ou fazer qualquer movimento mais brusco que o destacasse das sombras. Seguiu o contorno do muro, passando pelo portão da garagem, até que chegou aos fundos da casa. Olhou para cima e avistou mais janelas. A porta da cozinha estava trancada e, provavelmente, todas as janelas de baixo também. De qualquer forma, não podia experimentar uma a uma. A casa era grande, e ele acabaria despertando algum criado.

Ainda encostado ao muro, parado em frente à porta da cozinha, olhou com cautela para todos os lados, certificando-se de que não havia mesmo ninguém ali. Sentindo a segurança da solidão, agachou-se o mais que pôde e quase se arrastou até a porta. Alcançou-a em poucos minutos. Calçou as luvas e rodou a maçaneta. Estava trancada, o que não seria nenhum problema. Em sua profissão, foram muitas as portas que tivera que arrombar.

Em poucos segundos, ouviu o clique da lingüeta e rodou novamente a maçaneta. Estava destrancada. Abriu a porta devagar e passou para o lado de dentro, fechando-a sem fazer barulho. Tirou o facão da cinta e começou a caminhar pela cozinha, seguindo pelo corredor e alcançando a sala. A escuridão era total, mas seus olhos treinados logo se acostumaram a enxergar nas trevas. Até ali, tudo corria bem. Nem ele sabia que ainda possuía as mesmas habilidades de outrora. Todos aqueles anos não haviam sido suficientes para desacostumá-lo.

Com passos cuidadosos, chegou ao pé da escada e começou a subir os degraus, um de cada vez, silenciosa e mansamente. Não podia precipitar-se, ou poria tudo a perder. Quando atingiu o andar de cima, deparou com um pequeno hall e portas à direita e à esquerda. Tomou o caminho da esquerda e entreabriu a primeira porta. Lídia dormia tranqüilamente, e ele tornou a fechá-la, seguindo direto para a seguinte. Abriu-a também, mas era o quarto de Vinício, e ele fechou a porta com cuidado.

Virou-se e tomou o caminho da direita. Ao colocar a mão na primeira maçaneta, teve certeza de que aquele era o quarto que procurava. Na cama, dois corpos adormecidos. Só podiam ser Malvina e Conrado. Aproximou-se vagarosamente do primeiro. Era Conrado, e ele sentiu um ódio incontrolável por aquele homem. Teve vontade de gritar-lhe que tinha razão, que ele era mesmo João Januário da Silva e que estava ali para matá-lo, mas não tinha tempo. Ergueu o facão acima da cabeça e já ia descê-lo sobre o outro quando um movimento rápido e um pequeno estalido detiveram a sua mão. Com extrema rapidez e agilidade, Conrado havia puxado as cobertas para o lado e apontava uma pistola bem entre os seus olhos.

– Largue essa faca – ordenou Conrado, enquanto se levantava da cama, sem desviar o revólver do rosto do outro. – Jogue-a no chão, ou não hesitarei em atirar.

Os olhos de João revelavam uma fúria sem igual, ao mesmo tempo em que se alteravam para o susto e o desespero.

– Largue a faca, já disse – repetiu Conrado, vendo que o outro não se mexia. – Vamos, não quero matá-lo.

A seu lado, Malvina despertou e rapidamente compreendeu o que estava acontecendo, encolhendo-se toda, apavorada com a cena terrível que se desenrolava bem diante de seus olhos.

– Meu Deus, Conrado, o que está acontecendo? – indagou aterrada.

– Creio que pegamos o nosso jagunço com a boca na botija – falou, ainda apontando a arma para ele. – Ligue para a polícia, Malvina. Temos um invasor em nossa casa.

Ela se levantou receosa e correu para o telefone na mesinha-de-cabeceira. Falou rapidamente com a polícia e desligou.

– Eles já estão vindo – anunciou.

João continuava parado no mesmo lugar, segurando a faca na altura do umbigo. Não largava nem atacava, apenas permanecia encarando o outro com ferocidade.

– Por que não faz o que lhe disse e solta essa faca? – insistiu Conrado. – Se me obedecer, ninguém sairá ferido.

– Vai prender-me? – indagou por fim, a voz rouca de ódio.

– Eu? Não. Você é o único responsável pela sua prisão. Não apenas por seus crimes do passado, mas também por essa invasão despropositada, com uma faca na mão, ameaçando-me enquanto dormia. Você foi quem reservou sua vaga na prisão.

– Posso ser preso – respondeu calmamente –, mas não sem antes cumprir a missão que me trouxe até aqui!

Nem bem terminou de falar e já estava partindo para cima de Conrado com a faca em punho. Tomado pela surpresa, Conrado apertou o gatilho e a arma disparou, acertando João no peito, fazendo-o tombar para trás e desabar no chão, arfando com dificuldade e dor. Malvina soltou um grito agudo e apavorado, e pouco depois, os filhos irrompiam pela porta, quase ao mesmo tempo. Não demorou muito, e toda a criadagem também apareceu.

– O que houve? – perguntou Vinício atônito, vendo o futuro

sogro estatelado no chão, inconsciente, com uma ferida aberta no peito.

– Ele... ele tentou matar seu pai... – balbuciou Malvina. – Partiu para cima dele com a faca...

Rapidamente, Vinício se aproximou e experimentou-lhe o pescoço. Ainda respirava, embora com dificuldade. Mesmo sem compreender o que se passava, mandou que chamassem uma ambulância. Um dos criados obedeceu, e ele se voltou para o pai, ainda parado ao lado de João, segurando na mão a pistola fumegante.

– O que foi que aconteceu, pai? – questionou Vinício, sem nada entender. – Como foi que seu João veio parar aqui em casa, no meio da noite, de luvas e um facão, como se fosse um gatuno?

– Ele veio matá-lo, não foi, papai? – indagou Lídia.

– Matar papai? – continuou Vinício, chocado. – Por quê?

– Isso eu também não sei – respondeu Lídia. – Mas creio que tem alguma coisa a ver com o passado. Não estou certa?

– O passado? Como assim? Do que é que vocês estão falando?

Conrado olhou para ele com ar dolorido e suspirou:

– É uma longa história, meu filho. Uma história que começou há mais de dezoito anos, no interior do Ceará, na época em que eu ainda era delegado.

– No Ceará? – indignou-se Lídia. – Mas então, aquela história de Maranhão...

– Tudo mentira. Esse homem é um jagunço procurado em Pedra Branca, que desapareceu pouco depois de haver executado um casal e desaparecido com o bebê recém-nascido deles.

– Como é que é? – assombrou-se Vinício. – Que história mais fantástica é essa?

Antes que Conrado respondesse, a ambulância chegou e, logo em seguida, uma patrulha também apareceu. João foi removido para o hospital às pressas, e Conrado seguiu com um guarda para a delegacia, dando ordens para que outro não saísse do lado de João.

– Alguém precisa avisar a família dele – observou Conrado.

– Deixe que eu vou – prontificou-se Vinício. – Marisa é minha noiva, e sou eu quem deve dar a notícia.

Conrado apenas concordou com a cabeça e saiu em companhia do guarda, logo após a partida da ambulância. Na mesma hora, Vinício se aprontou e foi apanhar o carro. O dia já estava amanhecendo, e ele ficou imaginando como Marisa se sentiria ao ser bruscamente despertada, após uma noite da mais completa felicidade, com a notícia de que o pai havia sido baleado após invadir sua casa e atacar seu pai com uma faca. Por que ele fizera aquilo? E que história era aquela de jagunço foragido? Seria mesmo verdade o que seu pai lhe contara? Será que Marisa conhecia esses detalhes? Na certa que conhecia. Agora se lembrava de que ela e Lídia haviam falado algo sobre o passado. Na época, não lhes dera importância, mas agora via que tinham razão. O segredo estava desvendado.

***

O espanto no olhar de Marisa foi sincero e dolorido. Não conseguia entender o que Vinício estava fazendo ali àquela hora, acusando seu pai daquelas coisas terríveis. Antônia escutou tudo em silêncio, depois subiu para o quarto e foi trocar de roupa. Queria ver o marido.

– Mamãe! – exclamou Marisa, indignada. – Você não vai acreditar nessa história absurda de jagunço, vai?

Antônia não respondeu. Lançou à filha um olhar de profunda dor e continuou a vestir-se. Não tinha coragem de lhe contar nada. Sabia que não teria alternativa; a verdade invadia a sua casa com a força de um furacão, devastando o mundo de mentiras sobre o qual construíra sua vida. Marisa também foi vestir-se. Não iria deixar seu pai e sua mãe sozinhos num momento como aquele. Tinha certeza de que deveria haver uma explicação razoável para tudo aquilo, e ela iria descobrir. Quem sabe o pai não fora à casa de Conrado apenas para se desculpar, e o outro, tomando-o por um ladrão, não atirara nele sem querer? Sim, só podia ser isso. Seu pai era um homem bom e honesto, jamais fora um jagunço. Era uma confusão. Na certa, Conrado o confundira com alguém.

No hospital, foram informados de que João estava passando por uma cirurgia para retirada da bala, mas as chances de sobreviver eram mínimas. A bala atravessara um dos pulmões e estava difícil conter a hemorragia.

Naquele momento, Marisa não pensava mais nos absurdos que Vinício lhe contara. Apagara por completo aquela história de sua mente, preocupada que estava com a saúde do pai. A mãe, sentada a seu lado na sala de espera do hospital, não conseguia nem chorar. Permanecia com os olhos secos, fitando o vazio, intimamente acusando-se por não haver evitado aquela tragédia. Jamais deveria ter concordado com aquela loucura.

– Por que não reza, mamãe? – sugeriu Marisa, compadecida de sua dor.

– Rezar para quê? Deus não foi feito para gente como nós, minha filha.

– Não diga isso! Deus ajuda todo mundo.

– Não a mim. Muito menos a seu pai.

– Por quê? O que foi que vocês fizeram de tão terrível para não merecerem a ajuda de Deus?

– O que fizemos não tem perdão. Ninguém poderá ajudar-nos.

– Por quê? – tornou desconfiada. – Mãe, não vá me dizer que aquela história que Vinício contou é verdadeira. Pelo amor de Deus, mãe, não pode ser!

Ela não respondeu. Ocultou o rosto entre as mãos e desatou a chorar, deixando Marisa cada vez mais desconfiada e triste. Eles lhe estavam escondendo alguma coisa, e ela precisava descobrir. Fosse o que fosse, deveria ter relação com o que acontecera no passado, com Conrado e o tal coronel Agostinho. Pensou em interrogar a mãe, mas ela estava muito abalada e mal conseguia falar. Mas se alguém devia saber, era Conrado. Talvez ele tivesse todas as respostas.

O dia no hospital foi um dos mais terríveis de toda sua vida. João permaneceu entre a vida e a morte durante horas, apesar de terem conseguido extrair a bala. Marisa ficou esperando que Vinício fosse confortá-la, mas ele não apareceu. Nem Lídia. Apenas Sandra, por insistência da mãe, foi fazer-lhe companhia. Sandra nada sabia sobre aqueles acontecimentos, à exceção do que todo mundo sabia e que dera nos jornais: que um importante ministro do Supremo Tribunal Federal havia sido inexplicavelmente atacado pelo pai da noiva de seu filho, sem qualquer motivo plausível.

Só na noite seguinte, quando o quadro de João se estabilizou, embora ele ainda não estivesse fora de perigo, foi que ela resolveu procurar Vinício para tentar descobrir a verdade.

– Quer que eu vá com você? – perguntou Sandra.

– Não precisa. Há algo que tenho que resolver sozinha com ele.

Em casa de Vinício, o clima era de pesar. Todos lamentavam o ocorrido, e a história de Januário da Silva já não era mais segredo. Marisa foi bem recebida, embora Vinício demonstrasse uma certa reserva para com ela. Sabia que ela não era culpada de nada, mas achava difícil agir espontaneamente com a moça cujo pai tentara matar o seu. Ela, por sua vez, sentiu-se pouco à vontade em sua presença, sentindo a frieza com que ele a tratara.

– Só posso dizer-lhe que lamento muito tudo isso – confessou Conrado. – Jamais poderia imaginar que as coisas chegassem ao ponto que chegaram.

– Mas por quê? – retorquiu Marisa. – O que foi que houve? O que poderia levar meu pai a um ato extremo desses? Será que ele não anda bem da cabeça?

– Tenha calma, querida – tranqüilizou Malvina, comovida com o sofrimento da moça. – Tudo aconteceu há muito tempo, e talvez não sejam acontecimentos fáceis de se relembrar.

– Por quê? O que aconteceu? Tem a ver com o tal coronel Agostinho? – Lídia e o pai se entreolharam, e Vinício mal conseguia levantar os olhos. – O que é? Por que não me contam? Por que ninguém me diz nada? Nem minha mãe quer falar comigo. Sei que algo de muito grave aconteceu no passado. Será que não tenho o direito de saber?

– Marisa – falou Conrado, tentando fazer com que ela se acalmasse –, os acontecimentos que vou relatar-lhe podem ser bastante dolorosos, mas, ainda assim, creio que você tem o direito de saber. No entanto, devo alertá-la de que as conseqüências do que direi, principalmente para você, são imprevisíveis, e indago se é realmente isso o que você quer.

– Como assim?

– Tem certeza de que deseja conhecer a verdade, por mais dolorosa que ela possa ser?

– Tenho. É claro que tenho. Se diz respeito a mim e a minha família, eu quero saber.

– Muito bem – começou com voz grave. – Contar-lhe-ei tudo que sei. Tudo começou há muitos anos, no interior do Ceará, numa cidadezinha chamada Pedra Branca, na época em que fui delegado...

Sem pressa, Conrado narrou-lhe tudo. Contou-lhe das perseguições que empreendera aos bandidos do sertão, do coronel Agostinho e de como conseguira sua fortuna, das muitas mortes que encomendara por um pedaço de terra, dos jagunços a seu comando e, finalmente, de seu braço direito, um jagunço frio e cruel, de nome Januário da Silva, que assassinara uma família e fugira sem deixar vestígios, sob suspeita de haver seqüestrado o bebê do casal. A cada palavra, o rosto de Marisa se contraía, e ela ficava imaginando o que estava por vir. Quando Conrado terminou, ela encarou um a um os presentes, presa de indescritível desconforto, e indagou receosa:

– Esse jagunço era meu pai?

– Receio que sim.

– Foi ele quem matou todas aquelas pessoas?

– É o que parece.

– O tal coronel Agostinho, de quem ouvi falar, é o mesmo do sertão?

– Sim.

Ela hesitou por alguns momentos, confusa, até que conseguiu continuar:

– Não há uma chance de que o senhor esteja enganado? De que tenha confundido meu pai com outra pessoa?

– Até poderia, se ele não houvesse invadido a minha casa, de faca em punho, e tentado matar-me.

– Como ele conseguiu entrar aqui?

– Matou o cachorro e arrombou a porta.

Marisa apertou os lábios, tentando conter as lágrimas, com medo de formular a pergunta cuja resposta não queria saber. Contudo, precisava descobrir. Fosse qual fosse a resposta, não poderia viver o resto da vida com aquela dúvida pairando sobre seu coração, como uma névoa espessa que lhe roubava o alento.

– Aquela criança... – titubeou. – Aquela criança... era eu?

– Isso, não posso dizer-lhe. Contei-lhe tudo o que sei. O fim daquela criança, só o seu pai conhece. Talvez a sua mãe... de qualquer forma, é muita coincidência.

– Pouco se sabia da criança – esclareceu Malvina. – Só que era menina e que deveria ter por volta de três meses.

– O que, pelo tempo em que ele desapareceu, e pelos anos que se passaram, coincide com a idade que você tem hoje.

Marisa não sabia o que pensar, muito menos o que dizer. Se era como diziam, o homem que ela amara e a vida inteira conhecera como pai fora o assassino de seus pais verdadeiros. Aquilo, porém, parecia inverossímil. Seu pai podia ser um homem rude e ignorante, mas não era nenhum criminoso. Sempre fora honesto e generoso para com todos, e jamais fora dado a violências. Nunca lhe batera, nem sequer uma palmada lhe dera, ainda quando fazia alguma arte absurda ou má-criação exagerada.

No entanto, a história que Conrado lhe contava parecia-lhe também incontestável. Aquilo explicaria o medo que ele sentia de Vinício, o horror que tinha a sua família, o tanto que evitara falar com Conrado e encontrá-lo cara a cara. E depois, tinha o coronel Agostinho e sua trajetória de crimes, e o mais irrefutável: seu pai, efetivamente, invadira a casa de Conrado, matara seu cachorro e o ameaçara com uma faca. Se aquilo não era uma tentativa de homicídio, então ela não sabia o que era. E se João tentara matar mesmo Conrado, só poderia ser por um único motivo: ele representava uma ameaça à sua segurança e à imagem que criara de homem digno e honrado.

Com os olhos úmidos, Marisa fitou um a um naquela sala e sabia, bem no fundo de seu íntimo, que os tenebrosos fatos que ali ouvira eram todos verdadeiros. Seu coração de filha ainda se recusava a crer incondicionalmente, e ela procurava, nas atitudes insensatas do pai, uma justificativa para toda aquela loucura. Nenhum dos presentes dizia nada. O mal-estar de Conrado e de Malvina era visível, e Lídia também se sentia pouco à vontade, achando que qualquer coisa que dissesse só serviria para aumentar ainda mais o seu constrangimento e a sua dor. Mas o que lhe estava doendo de verdade era a indiferença com que Vinício a estava tratando. Não a beijara nem se sentara junto a ela, e evitava mesmo o seu olhar.

Sentiu-se pequenininha diante deles e teve vontade de sair correndo dali, até que balançou a cabeça de um lado a outro e concluiu:

– Agradeço a compreensão, dr. Conrado, mas não sei em que acreditar. Meu pai sempre foi um pai amoroso e extremado, e custa-me crer que tenha sido capaz de todas essas barbaridades. Não duvido de sua palavra, apenas não sei se acredito que esse homem horroroso de quem fala é realmente o meu pai. – Conrado ouvia tudo sem dizer nada. Entendia a sua situação e o seu sentimento, e não estava ali para convencê-la ou cobrar-lhe nada. Dissera apenas a verdade sobre algo de que fora indagado. – Talvez o senhor o esteja confundindo com outra pessoa, e não pretendo ficar aqui questionando isso. Meu pai, no momento, encontra-se inconsciente no hospital e não está em condições de falar. Mas minha mãe está lúcida, e é ela quem vai ter que me responder.

– Marisa – falou Lídia, finalmente –, quero que saiba que, seja o que for que você descobrir, para mim não muda nada. Gosto de você de qualquer jeito e quero continuar sendo sua amiga.

Ela sorriu agradecida e fitou Vinício com tristeza:

– E você, Vinício, não tem nada a dizer?

Ele devolveu o seu olhar com outro de quase desespero e desabafou:

– Espero que estejamos enganados. Senão, não sei como iremos resolver essa situação.

Calou-se confuso e abaixou os olhos, tentando evitar que os seus encontrassem os dela. Cheia de dignidade, Marisa se levantou e atravessou a sala. Abriu a porta da rua e saiu, sem olhar para trás, o coração pesado de tanta dor. Como estava sendo difícil aquele momento! De repente, sentiu-se extremamente só, sem amor e sem compreensão. Vinício, então, fora uma decepção para ela. O que estaria pensando? Que seu pai era um assassino e que ela, por isso mesmo, não era mais digna de seu amor? Nem sabia se seu pai era mesmo quem eles diziam que era. Diziam que se chamava Januário, mas ela sempre soube que seu nome era João. Ainda assim, isso não era importante. O que mais a incomodava era a história daquela criança. Se seu pai era mesmo aquele jagunço, por que tiraria do berço um bebê recém-nascido que recebera ordens para matar?

A resposta lhe parecia simples e até ingênua demais. Não a matara porque não era ele aquele jagunço, nem era ela aquela criança. O tal Januário deveria ser parecido com seu pai, e como seu pai viera do norte para o Rio de Janeiro havia quase dezenove anos, tomaram-no pelo outro. Ela nascera no Maranhão e viera para o Rio ainda bebê. Nascera do ventre de sua mãe, era fruto do casamento e do amor de seus pais. Se era mesmo assim, por que seu pai invadira a casa de Conrado e o atacara com uma faca? Essa era a pergunta que não queria calar, e ela precisava descobrir. A qualquer preço.

Foi para casa às pressas. Como seu pai ainda permaneceria no CTI por mais aquela noite, sua mãe voltara para casa e estava agora tomando um banho demorado e confortador. Marisa entrou em seu quarto, sentou-se na cama e ficou ouvindo o barulho do chuveiro. Esperou mais de meia hora até que ela saísse. Antônia não se surpreendeu com sua presença. Sabia que ela havia ido à casa de Conrado e, àquela altura, já devia conhecer toda a história. Sua presença ali só podia significar que ela estava em busca de respostas, e as respostas exigiam uma coisa: a verdade.

– Está tudo bem, mãe? – perguntou Marisa, acompanhando seus passos pelo meio do quarto.

Antônia começou a vestir-se vagarosamente e respondeu com uma certa tristeza:

– Você acha que pode estar?

– Não. Sei que o momento é difícil, mas há coisas que preciso conversar com você.

– Agora não...

– Agora sim! Ouvi uma história horrível do dr. Conrado. Uma história sobre o sertão, coronéis e jagunços. Não tem nada a me dizer sobre isso?

Naquele momento, Antônia sentiu algo que nunca havia experimentado em toda a sua vida: sentiu vontade de contar-lhe toda a verdade e acabar de uma vez por todas com aquela angústia. O marido estava em uma cama de hospital, com um guarda parado na porta à espera de que melhorasse para prendê-lo. Em breve, todo o passado se desvendaria. Conrado tinha provas suficientes para mandá-lo para a cadeia, mesmo depois de todos aqueles anos, e o que aconteceria a Marisa era algo que já estava escrito na teia do destino. A verdade já fora revelada e estava apenas à espera de confirmação. Era seu dever reafirmá-la.

Ao se voltar para Marisa, seus olhos estavam secos, mas seu coração chorava de dor e arrependimento. Dor por fazê-la passar por todo aquele sofrimento. Arrependimento por haver permitido que João se embrenhasse naquela aventura de assassínio da qual conseguira afastá-lo por tantos anos. Com a voz de quem enfrenta o tribunal da consciência e da verdade, Antônia retrucou:

– O que quer saber, Marisa?

– Tudo. Quero que me conte tudo.

– O dr. Conrado já não lhe contou?

– Você não sabe o que ele me contou.

– De qualquer forma, creio que haja pouco a acrescentar.

Marisa quedou estarrecida. Pensou que a mãe fosse negar toda aquela história, que fosse acusar Conrado de mentiroso e caluniador, que fosse inventar milhões de desculpas até para fugir do assunto, mas jamais poderia esperar que ela simplesmente não se interessasse pelo que ele dissera e, pior, que não tivesse mais nada a acrescentar.

– Se não há nada a acrescentar – tornou dolorosamente –, quer dizer então que você concorda com tudo o que o dr. Conrado me disse?

– Não ouvi o que ele lhe disse, mas posso muito bem imaginar.

– Quer dizer então que... que é verdade?

– O quê?

– O que ele disse sobre papai. Que papai é... que ele foi... um... um jag...

– Um jagunço? Sim, Marisa, infelizmente, a verdade é essa. Seu pai foi um jagunço, mas não quero que pense que ele é um homem cruel e sem coração.

– Como pode dizer isso, mãe? Qual é o jagunço que tem coração?

– Ele a amou a vida inteira, não foi? Deu a você mais amor do que teria dado a qualquer outra pessoa, inclusive a mim ou a ele mesmo. Isso não é ter coração?

– Ele foi um assassino, mãe! Matou centenas de pessoas!

– E ainda assim, amou você.

– Ele é o jagunço que dizem que ele é? O tal? – silêncio. – É ou não é, mãe? Vamos, responda! Papai alguma vez foi conhecido pelo nome de Januário?

Ela encarou a filha com desgosto e respondeu contrariada:

– O nome completo de seu pai é João Januário da Silva. Fui eu que o convenci a abandonar o Januário.

Apesar da dor e da decepção, Marisa não podia parar. Tinha que descobrir toda a verdade.

– E a criança, mãe? Aquela que sumiu quando ele matou seus pais.

– O que tem ela?

– Ela... você sabe de seu paradeiro? – Antônia permanecia

impassível. – Aquela criança, mãe... aquela que ninguém chegou a conhecer... aquela menina... a que sumiu dos braços da mãe... morta... você sabe alguma coisa sobre ela? – com imensa dor, Antônia apenas assentiu. – Quem é ela, mãe? Onde está?

– Será que isso importa agora?

– Eu preciso saber. O dr. Conrado desconfia que aquela criança... que aquela criança... sou eu. Isso é verdade, mãe? Aquela criança... sou eu?

Por mais que Antônia quisesse dizer a verdade, aquilo era por demais doloroso para admitir, e ela se calou desnorteada, os olhos agora derramando sobre as faces o pranto que até então vinha represando. Aquelas lágrimas eram, por si sós, mais reveladoras que quaisquer palavras, e Marisa fechou os olhos, em profundo sofrimento.

– Seu pai não conseguiu... – balbuciou Antônia, subitamente tomada pelo impulso de contar toda a história. – Não conseguiu matá-la. Viu-a no berço, chorando, os pais mortos a seus pés. Era tão bonitinha! O que fazer? Ele disse que tentou, mas não conseguiu. A mão tremeu, os dedos falharam, e ele não conseguiu apertar o gatilho. Nós não tínhamos filhos, sabe? E eu queria tanto! Mas Deus não nos enviava filhos, por mais que tentássemos. Só depois foi que descobri que estávamos sendo punidos pelos crimes de João, pelas muitas crianças que ele havia matado antes de encontrar você.

– Ele matou crianças?

– Era o dever dele...

– Mas que dever, mãe? Quem é que tem o dever de matar? E crianças, ainda por cima!

– Não julgue seu pai sem antes conhecer os seus motivos.

– Ninguém que mate pode ter um motivo justo.

– Ele errou, minha filha, eu sei. Mas sempre amou e cuidou de você. Não pode negar isso.

– Amou-me? Cuidou de mim? Pensa que isso o redime de ter matado meus pais?

A cada vez que falava, a voz de Marisa ia se alterando, inflamada pela dor e a indignação que aquelas revelações lhe causavam.

– Seus pais somos nós.

– Não! – explodiu ela, o corpo todo trêmulo de raiva e frustração. – Vocês são dois criminosos! Você e ele! Ele matou meus verdadeiros pais, depois me seqüestrou e me trouxe para cá, para que ninguém descobrisse. Agora entendo por que viemos viver aqui, no meio do mato. Era para que não corrêssemos o risco de ninguém nos descobrir, não era?

– Seu pai fez isso porque achou que era o melhor.

– Não o chame mais de meu pai! Ele é um estranho! Um estranho sanguinário e odioso, um homem mau que assassinou meus verdadeiros pais a sangue frio! Por que não me matou também? Que direito ele tinha de me separar de meus pais e me criar como se fosse dele? Eu não sou filha dele nem sou sua filha! Vocês são dois impostores criminosos! Quem lhes deu o direito de se fazerem passar por meus pais? Meus pais morreram. Ele os matou! E você é tão culpada quanto ele. Sabia de tudo e consentiu, deu-lhe cobertura, compactuou com ele!

– Isso não é verdade, minha filha. Depois que eu soube o que ele fazia, fiz com que prometesse que jamais voltaria a matar. E ele cumpriu a promessa. Abandonou aquela vida de crimes e passou a se dedicar, única e exclusivamente, ao trabalho e à família.

– Até encontrar o dr. Conrado, não é mesmo? Na primeira oportunidade que teve, fez emergir o seu instinto assassino e tentou matá-lo. Por quê? Porque o dr. Conrado representou uma ameaça para ele, não é? Porque foi o homem que, no passado, tentou prendê-lo e acabar com sua vida de crimes.

– Você tem razão. Seu pai estava desesperado...

– Isso não lhe dá o direito de matar ninguém. Mas ele nunca se importou com o direito dos outros, não é mesmo? Muito menos em matar. Matar nunca foi problema, porque ele jamais soube o que é o direito à vida. E por que seria? Ele não é um homem, é pior do que um animal, é um mostro, um demônio!

Antônia abaixou os olhos e desatou num choro contido e dolorido, porque nunca imaginou que ouviria o que agora ouvia dos lábios de Marisa. Sabia que ela e João mereciam todas aquelas palavras duras e carregadas de ódio e ressentimento, mas ouvi-las da filha que amara por toda a vida causava-lhe uma dor inigualável.

Tomada pela angústia, dor e revolta, Marisa se levantou bruscamente e foi caminhando para a porta.

– Aonde vai? – quis saber Antônia, aturdida.

– Não sei. Só o que sei é que não fico nesta casa nem mais um minuto. Vocês são dois criminosos, e não posso viver sob o mesmo teto que os assassinos de meus pais.

– Não faça isso, Marisa, por favor – Antônia correu para ela e puxou-a pelo braço, mas Marisa se desvencilhou. – Sei que não tenho o direito de lhe pedir nada, mas não vá embora dessa maneira. Lembre-se de que nós a amamos.

– Isso deve ser alguma ironia ou piada de muito mau gosto. Como posso acreditar no amor de pessoas que precisaram matar e mentir para amar? Vocês não sabem o que é amor. Criaram-me porque não tinham filhos, e eu servi bem a seus propósitos. Era a bonequinha que faltava nas suas vidas para ela se tornar completa e feliz. Amaram-me tanto quanto amariam um cão ou um gato que viesse suprir a ausência do tão esperado filho. Não me amaram pelo que sou, mas pelo que representei para vocês. Não acredito no seu amor, mas no seu interesse, no seu egoísmo. Quer um filho? Pois muito bem. Mate os pais verdadeiros e fuja com o bebê. Quem precisa saber?

– Você está sendo injusta, Marisa. Que nos odeie pelo que fizemos, eu até posso entender. Mas negar o único sentimento verdadeiro que tivemos em nossas vidas é ingratidão.

– Não venha me falar de ingratidão. Não posso ser grata a quem me usou para atender a seus propósitos desumanos e egoístas. Mas vocês não são humanos, não é mesmo? Como é que se pode esperar que não sejam egoístas?

Deu as costas a Antônia e saiu a passos firmes pelo corredor. Antônia não conseguiu ir atrás dela. Parada na porta do quarto, chorando convulsivamente, apenas pôde ouvir o barulho dos saltos de Marisa estalando no soalho. Ouviu uma porta bater e, algum tempo depois, o ruído do motor de um automóvel. O carro saiu, e depois não escutou mais nada. Marisa havia saído, não sabia para onde. Só o que sabia era que ela se fora, não apenas de sua casa, mas principalmente de suas vidas. Se é que se poderia chamar de vida aquela existência miserável que teriam dali para a frente.

19

Recostada no banco de trás do carro, Marisa chorava sem parar. Pelo espelho retrovisor, Damião acompanhava suas lágrimas, penalizado com a sua tristeza. O que acontecera com Conrado já não era mais segredo. Ele era um importante ministro do Supremo Tribunal Federal, e o atentado que sofrera fora noticiado em todos os jornais, que apontavam João da Silva como o autor daquele crime.

– Não fique triste, Marisa – Damião tentou consolá-la. – Isso tudo não deve passar de um grande mal-entendido, e, logo, logo, há de se esclarecer.

Marisa tentou sorrir, agradecida pela compreensão de Damião, mas ficou pensando que ele não sabia nem a metade do que estava acontecendo. A história de João Januário da Silva não fora ainda revelada, e os jornais não souberam informar que motivos teriam levado João a praticar aquele crime.

Pouco depois, Damião estacionava o carro em frente à casa de Sandra. Marisa saltou e dispensou o motorista. Queria ficar sozinha e nem sabia se iria voltar. Talvez até nunca mais voltasse a pisar naquela mansão no Alto da Boa Vista. Ela saltou acabrunhada e tocou a campainha; Sandra veio atender pessoalmente.

– Marisa! – exclamou Sandra, puxando-a para dentro. – Mas que surpresa! Não esperava vê-la aqui tão cedo.

– Estou desesperada, Sandra. Não sabia para onde ir.

– Fez bem em vir para cá. Sou sua amiga, e você sabe que pode contar comigo para tudo.

– Você nem imagina o que aconteceu.

– Seu pai piorou? Não me vá dizer que ele...

– Ele ainda está vivo.

– Mas o que é então? Tem algo a ver com o motivo pelo qual

ele tentou matar o dr. Conrado? Você já descobriu? – ela assentiu. – Não quer me contar? Talvez isso a alivie.

Ela contou. Com a voz embargada, contou o que descobrira nas últimas horas, o que Conrado e sua mãe lhe haviam dito sobre os tempos dos jagunços e de João Januário. Sandra escutou tudo em silêncio, particularmente satisfeita quando ela lhe narrou a reação de Vinício.

– Não sei o que aconteceu, Sandra – desabafou Marisa, entre um soluço e outro. – Pensei que ele me amasse e que nada pudesse nos separar. Mas ele está distante, frio...

– Dê-lhe um tempo. Não se esqueça de que o seu pai tentou matar o pai dele.

– É, mas no fim, foi o pai dele que quase matou o meu.

– Foi legítima defesa! O que você esperava? Que o dr. Conrado ficasse ali parado, esperando para ser esfaqueado?

Com imenso pesar, Marisa abaixou os olhos e sussurrou com voz sofrida:

– Isso não é tudo, Sandra.

– Não?

– Meu pai... – tomou fôlego – ele... não é meu pai...

– O que ele fez foi grave, Marisa, mas será que é motivo para renegá-lo?

– Você não está entendendo. O que quero dizer é que ele não é meu pai de verdade.

– Como assim?

– Ele não é meu pai. E Antônia não é minha mãe. Fui roubada do berço logo após ele ter assassinado minha verdadeira família.

O ar de assombro no rosto de Sandra foi sincero. Jamais poderia esperar uma coisa daquelas.

– Que... que história é essa, Marisa?

Mais uma vez, Marisa contou-lhe tudo o que acontecera depois que João matara friamente seus pais, a mando de coronel Agostinho, quando resolvera poupar-lhe a vida e tirá-la do berço. Sandra ficou abismada. Saber que João era um jagunço já era por demais espantoso. Descobrir que ele seqüestrara Marisa ainda criança era uma surpresa inenarrável.

– E agora? – perguntou Sandra, ainda muito espantada para raciocinar. – O que pretende fazer?

– Não posso mais ficar naquela casa. Meus pais não são meus pais, nunca foram. Não posso perdoá-los pelo que me fizeram e a meus pais verdadeiros.

Sandra refletiu por alguns minutos, até que retrucou:

– Creio que você tem razão. O que eles fizeram foi imperdoável. Principalmente seu pai. Matar todos aqueles inocentes e ainda roubar você, um bebezinho indefeso, criando-a como se fosse sua filha. Que cara-de-pau! Eles não merecem mesmo perdão. Nenhum dos dois!

Estranhamente, ouvir Sandra falar de seus pais daquela forma tão fria e insensível chocou seu coração. No fundo, não sabia bem se acreditava em tudo que dissera sobre eles, e as palavras duras de Sandra despertaram os seus sentimentos, permitindo que avaliasse as coisas com mais clareza e sinceridade. Reconhecia que eles haviam agido de forma abominável, principalmente seu pai, ou João. Mas negar o quanto a haviam amado durante todos aqueles anos seria uma injustiça e uma ingratidão. Seus pais haviam vivido apenas para ela. Tudo o que ela desejasse, qualquer sonho de menina, João estava sempre pronto para realizar. Lembrou-se das brincadeiras de criança, das lindas bonecas com que o pai sempre a surpreendia, dos afagos e carinhos que lhe faziam quando caía e se machucava, das incontáveis noites de sono que perderam quando ficara doente. Não seria isso amor?

Contudo, o amor que eles sentiam por ela parecia sufocado pelo horror de tantos crimes. Seria justo construir uma vida de amor sobre o sangue de tantos inocentes? A que preço não conseguira a sua felicidade? Todos os sonhos, as bonecas, os vestidos bonitos e até o carinho que lhe devotavam, não teria sido tudo isso fruto das muitas mortes que João tinha nas costas? O que teria sido de suas vidas se ele não fosse um matador? João seria apenas o Januário do sertão, talvez um lavrador ou vaqueiro, e sua mãe teria sido tão somente a mulher do lavrador, sem dinheiro, sem filhos, sem alegrias.

E ela? Marisa teria outro nome, nem sabia qual, e seria filha de gente humilde, da roça, sem cultura nem instrução. Jamais teria conhecido a vida intensa da cidade, talvez até nem sobrevivesse às agruras do sertão. Talvez fosse triste e revoltada, e vivesse sonhando, à espera de algum príncipe encantado que aparecesse e a levasse dali. E talvez ele nunca aparecesse, e ela acabasse fugindo da casa paterna, levando na bagagem um punhado de desilusão, para se internar em algum prostíbulo infecto e terminar a vida doente ou inválida antes mesmo de atingir os trinta anos. Ou, quem sabe, não acontecesse nada disso, e ela fosse uma menina amada e querida por seus pais, trabalhando na roça para ajudar no sustento da família, feliz com sua vida simples e sem maiores ambições?

Ao traçar essas comparações, Marisa sentiu o coração disparar. Não podia negar que eles lhe haviam proporcionado uma vida muito melhor do que a que teria levado no sertão. Por outro lado, não tinha como avaliar o que sentiria por seus pais verdadeiros, caso tivesse tido a oportunidade de ser criada por eles. De qualquer sorte, conhecia seus sentimentos e sua índole. Marisa os teria amado tanto quanto amara João e Antônia, e nenhum desejo de subir na vida seria capaz de se sobrepor a esse amor. Porque ela sabia de seus valores e, por mais que apreciasse uma vida de conforto, o dinheiro nunca seria mais importante do que o amor que conquistara para seu coração. Talvez até sentisse um pouco de revolta, mas essa revolta serviria para instigá-la a mudar de vida, e ela talvez se esforçasse para conseguir um emprego decente e dar melhores condições de vida a seus pais.

Tudo isso eram conjeturas. No fundo, Marisa não tinha como definir sua vida no passado. Não podia afirmar o que não conhecia, algo que jamais vivera. Não tinha parâmetros para comparar os dois caminhos de vida, porque a única vida que conhecera fora a da fartura e a da felicidade. E isso, devia a seus pais.

No entanto, era-lhe impossível colocar a vida e o amor que eles lhe deram acima do ódio e do repúdio que lhe causava a atitude do pai. João era um criminoso, um assassino, um jagunço cruel e sem coração, que matava homens e mulheres inocentes, velhos e crianças indefesos, tudo em troca de um punhado de dinheiro. E o dinheiro recebido assim não tinha valor algum, porque não era fruto do trabalho nem de uma doação legítima. Não havia riqueza no mundo que fosse maior ou mais importante do que todas aquelas vidas que João tirara, porque ele roubara o maior tesouro que alguém podia possuir no mundo, que era a sua vida. Mesquinha, miserável ou cruel, mas a sua vida.

Com que direito ele fizera aquilo? Quem o legitimara a matar e decidir em nome de quem ficariam seus bens terrenos? O tal coronel Agostinho? Coronel Agostinho, por mais poderoso que fosse, não era Deus, e João não era um de seus anjos ou enviados. Não tinha o direito de matar. Fosse por que motivo fosse, esse direito não lhe pertencia, e nenhum propósito no mundo, por mais legítimo que pudesse parecer, poderia justificar o assassínio de criaturas inocentes e indefesas. Nem mesmo dos assassinos irremediáveis. Somente Deus podia matar. Pessoas boas ou ruins, todas só deveriam morrer pela intervenção ou a vontade divinas.

Essas considerações queimavam dentro do peito de Marisa. Se, por um lado, sua mente lhe dizia que assassinos não mereciam perdão, por outro, seu coração lhe dizia que o único crime que não merecia perdão era o que ainda não fora cometido. Se João errara em matar, e Antônia em acobertá-lo, quantos acertos não haviam tido ao aceitá-la como filha e amá-la sem condições ou restrições?

Cada vez mais angustiada, Marisa afundou o rosto nas mãos e começou a chorar de mansinho, completamente desnorteada e sem saber que rumo tomar. Sandra também não sabia o que dizer. Agora que Marisa e Vinício pareciam distantes, ela teria a chance de se aproximar. Sentiu uma pontada no coração, porque Marisa era sua amiga de infância, e gostava dela. Mas tinha que pensar no seu futuro. Aquela era a oportunidade que pedira a Deus e não podia desperdiçá-la. Queria estar livre para consolar Vinício, e não Marisa, e pensou em sugerir que voltasse para casa e conversasse com a mãe.

Já ia começar a falar quando a porta da sala se abriu, e Albertina entrou com ar cansado. Viu as duas moças sentadas lado a lado e, num átimo, compreendeu o que estava se passando. Marocas havia lhe mostrado o jornal com a reportagem, e Marisa só podia estar ali, chorando daquele jeito, por causa do que acontecera.

– Está tudo bem com vocês, meninas? – indagou serenamente, pousando os olhos bondosos em Marisa.

– Está – disse Sandra, olhando para a amiga, que fungou e assentiu, enxugando os olhos.

– Quer jantar conosco, Marisa? – continuou Albertina.

– Se não for incômodo...

– Você sabe que nunca incomoda. Pode ficar o quanto quiser.

– Posso mesmo?

– Você sabe que sim.

Marisa fez uma pausa e continuou:

– Dona Albertina, será que eu posso ficar aqui por uns tempos? A senhora já deve estar sabendo o que aconteceu...

– Todo mundo já sabe, minha filha. Deu em todos os jornais. Mas você não precisa sentir-se envergonhada por isso. Não é responsável pelos atos de seu pai, e depois, quem somos nós para julgar, não é mesmo?

– Como assim? A senhora acha que o que ele fez tem perdão?

– Só quem não perdoa é quem tem o coração de pedra e é tão orgulhoso para achar que é melhor do que os outros e que nunca errou.

Marisa olhou para ela admirada e se calou. Estava tão confusa!

– Marisa brigou com a mãe – comentou Sandra.

– Pois não devia. Mãe é coisa sagrada...

– Acontece que ela não é minha mãe! – cortou Marisa, com uma certa revolta.

E narrou de novo a mesma história que havia contado antes a Sandra. Não adiantava nada esconder. Ainda mais de Albertina, que sempre fora boa e amiga.

– Ela pode não ter colocado você no mundo nem agido da

maneira mais digna para ter você – falou Albertina. – Mas foi ela que lhe deu amor. Se isso não é ser mãe, então não sei o que é.

– Mas ela me seqüestrou!

– Ouça, Marisa, sei que o que você está passando não é fácil e não quero julgá-la. Só o que acho é que você deve refletir em tudo com muita serenidade e, sobretudo, amor. Se você deixar o amor decidir por você, esteja certa de que tomará as decisões mais justas.

– Até parece, mãe – ironizou Sandra. – Pois se tem gente que até mata por amor.

– Ninguém mata por amor. Pode matar por medo, apego, ciúme ou outra coisa qualquer. Mas amor mesmo, de verdade, daqueles que elevam a alma e sublimam o coração, não é. O amor verdadeiro não mata, não sente ciúmes, não aprisiona nem abandona. O amor verdadeiro compreende e perdoa.

– Você não pode negar o sentimento das pessoas! – objetou Sandra.

– Não disse que elas não sentem nada. Sentem algo que até parece amor, mas não é. As pessoas confundem muito as coisas. Tudo o que aperta o coração é amor. Mas depois que o aperto passa é que o sentimento fica. E, na maioria das vezes, é paixão, apego, posse ou orgulho. Não é amor.

– Mas d. Albertina, por mais até que eu ame meus pais, como a senhora diz, não posso concordar com o que eles fizeram.

– Não precisa concordar para amar. Quando se ama alguém, ama-se pelos bons frutos que esse alguém plantou em nós. Você ama seus pais porque eles a amaram e sempre lhe quiseram bem. Souberam conquistar isso em você. E você pode retribuir esse sentimento sem concordar com as atitudes deles. Amá-los não significa tomar parte em suas atitudes.

– Mas como? Como separar essas coisas? Meu pai matou meus pais verdadeiros. Isso não é coisa que se esqueça da noite para o dia.

– Esquecer as ofensas é uma virtude que só os mais iluminados conseguem alcançar.

– Não sou iluminada.

– Todos somos seres iluminados, minha filha. Só não deixamos nossa luz aparecer. – Marisa calou-se impressionada, e Albertina prosseguiu: – Pense bem no que vai fazer, Marisa. A decisão não é fácil, mas só você poderá tomá-la. Ninguém poderá dizer ao seu coração o que deve ou não fazer. Se precisa de um tempo para pensar, dê-se esse tempo. Quer ficar aqui? A casa não é muito grande, mas onde cabem dois, cabem três. Gosto de você como se fosse uma filha, e Sandra é sua amiga de infância. Fique o quanto quiser e, quando se sentir pronta para partir, vá e enfrente a vida. Ela espera por você com problemas que só você poderá solucionar. E a resposta, minha filha, está em suas mãos. Ou melhor, em seu coração.

Depois dessa conversa, Marisa se sentiu mais confortada. O mal-estar que a observação de Sandra lhe causara a princípio se dissipara com as palavras de esperança de Albertina. Sentiu-se grata por ter encontrado aquele mulher simples mas, ao mesmo tempo, tão sábia. Seus conselhos foram preciosos, e Marisa os apreendera com atenção. Iria refletir no que fazer, não queria precipitar-se. Mas até lá, gostaria de estar sozinha. Encontrar-se com o pai e a mãe, naquele momento, só serviria para aumentar ainda mais a sua angústia. Ainda não se sentia pronta para defrontar-se com eles.

***

No hospital, João começava a recuperar a consciência. Apesar de haver melhorado um pouco, ainda corria risco de vida e não pôde ser removido. Havia uma ordem de prisão contra ele, mas Antônia conseguira, com o advogado da família, evitar que fosse preso, devido ao seu frágil estado de saúde.

Ao abrir os olhos, a primeira coisa que viu foi Antônia a seu lado, sentada em uma poltrona, os olhos semicerrados, levemente adormecida. Ele piscou várias vezes e olhou ao redor, tentando concatenar as idéias, forçando a memória a recordar o que havia acontecido. Passados alguns minutos, a mente foi clareando, e as imagens daquela noite brotaram vagarosamente. Lembrou-se da formatura da filha, da festa de noivado, de Conrado confrontando-se com ele e acusando-o de assassino. Em seguida, reviu as cenas em que matou seu cão de guarda, saltou o muro e arrombou a porta da cozinha, experimentando as portas do segundo andar até encontrar a que queria. Viu o momento em que ergueu a faca para um Conrado adormecido e sentiu no rosto a ponta do seu revólver, forçando-o a baixar o facão. Mas ele não baixou. Já estava condenado mesmo e não pretendia sair dali feito um covarde, antes de cumprir aquilo a que se propusera. Desceu a faca, mas o homem foi mais rápido e atirou. Lembrou-se do estampido e da dor aguda no peito, e sentiu a dureza do chão quando tombou. Depois disso, vultos correram para todos os lados, muitos vultos, muito mais do que caberia no espaço daquele quarto, e ele fechou os olhos, com medo do que via. Daí em diante, não se lembrava de mais nada.

Estava terminado. O momento que mais temera em toda a sua vida finalmente chegara. Conrado o reconhecera antes que ele pudesse matá-lo. E agora, era ele quem jazia ali, quase morto, naquele quarto frio de hospital. Abriu a boca para dizer alguma coisa e sentiu a garganta seca. Tentou salivar um pouco e passou a língua pelos lábios, reunindo forças para falar.

– Antônia – sua voz saiu rouca, e ele repetiu mais alto: – Antônia...

A mulher abriu os olhos assustada e deu um salto da poltrona, correndo para a cama e segurando a sua mão.

– Graças a Deus, João! Pensei que fosse perdê-lo.

– Seria melhor se tivesse perdido. De que vale a pena viver agora?

– Não diga isso. Ainda temos um ao outro...

– Um ao outro? E Marisa? – vendo o ar de tristeza da mulher, ele mesmo respondeu: – Ela já sabe de tudo, não é mesmo? Sabe e não pôde perdoar-me.

– Não podemos culpá-la, podemos?

– Não... podemos culpar apenas a nós mesmos. Na verdade, Antônia, não posso culpar ninguém, senão a mim mesmo. – Antônia abaixou os olhos e chorou. – Onde ela está?

– Em casa de Sandra. Damião a levou até lá. Depois, ela foi em casa, quando eu não estava, e buscou todas as suas coisas. Recusa-se a falar comigo.

João cerrou os olhos dolorosamente, lutando para não chorar.

– E Vinício? Como está o relacionamento dos dois?

– Parece que não anda muito bem. Soube por d. Albertina que eles não estão mais se vendo.

– É uma pena...

– Oh! João, por que o mundo teve que ser tão cruel conosco?

– Não culpe o mundo por algo que ele não me mandou fazer. Fui eu que tomei a decisão de matar todas aquelas pessoas, inclusive os pais de Marisa, Zé Mário e Edilene... você se lembra?

– Não os conheci pessoalmente.

– Eram boas pessoas. Honestas, trabalhadoras... como todas as que matei.

– Por que, João, por que escolheu esse caminho de matar? Durante todos esses anos, nunca tive coragem de lhe fazer essa pergunta, com medo da sua resposta. Mas agora, gostaria de saber. Por que você teve que matar, João?

As palavras de Antônia, relembrando seu passado de crimes, agiram como agulhadas em seu coração. Pela primeira vez em sua vida, João sentia arrependimento pelo que fizera. Algumas vezes, vendo Marisa brincar ou sentindo os seus bracinhos ao redor de seu pescoço, chegara a lamentar seu passado obscuro, com medo de que ela descobrisse o que fizera e deixasse de amá-lo. Mas era apenas um lamento, jamais se arrependera de verdade. Até aquele dia. Ouvindo Antônia fazer-lhe aquela pergunta de forma tão dolorosa, João sentiu um imenso arrependimento por tudo o que fizera. Sem conseguir responder, agarrou-se à mulher e desatou a chorar convulsivamente.

– Não sei se posso dizer-lhe, Antônia! Nem eu mesmo sei. Podia dizer-lhe que foi pelo dinheiro. Mas não foi só pelo dinheiro. Foi instinto. Eu gostava de matar! Era o gozo do poder que me fascinava, o prazer de ver o medo estampado nos olhos daqueles infelizes! Eu matava por prazer, Antônia, por prazer!

Seu desabafo foi tão intenso que ele se engasgou e começou a tossir violentamente, sentindo uma queimação terrível no peito, ao mesmo tempo em que suas ataduras se empapavam de sangue. Apavorada, Antônia saiu correndo e gritando, e logo uma enfermeira apareceu, seguida pelo médico de plantão. A enfermeira pediu que se retirasse, e ela saiu chorando para o corredor, onde o guarda que tomava conta da porta permanecia impassível.

Do lado de dentro, João caiu num sono profundo, novamente inconsciente. O médico já o havia medicado e recomendara repouso absoluto. Ele e a enfermeira saíram, e Antônia não voltou mais. Ele sentiu que se desprendia do corpo e viu-se parado ao lado da cama, contemplando seu corpo inerte. Em poucos segundos, um vulto apareceu a seu lado. Era Kedar, que o olhava com cara de poucos amigos.

– Mas que belo matador você me saiu – ironizou ameaçador. – Um fiasco! Se tivesse mandado um macaco fazer o serviço, ele se teria desincumbido melhor do que você.

– Por que não mandou um macaco então? – respondeu mal-humorado.

– Deixe de gracinhas comigo. Você ainda está me devendo.

– Não lhe devo mais nada. Fiz o que me pediu. Não é culpa minha se não deu certo.

– Não deu certo porque você é um incompetente.

– Como é que eu ia adivinhar que o homem estava acordado e com uma arma?

– Pois é. Com toda a sua experiência, não podia adivinhar, não é mesmo?

– Fiz o melhor que pude. Mas Conrado é esperto. Deve ser o sangue de delegado. Quem viveu no perigo jamais se esquece.

– Espero que você também não se esqueça do que vai acontecer-lhe se você não o matar.

– Não acredito que ainda esteja pensando nisso! Eu vou ser preso, Kedar, não compreende? Acabou!

– Acabou para quem?

– Para mim, para você, para ele!

– Para mim e para ele, pode ser. Mas para você, não. Disse-lhe que se não conseguisse matá-lo, eu soltaria os espíritos de suas vítimas em cima de você. E é o que vou fazer. De hoje em diante, não lhe dou mais proteção.

– Quer saber de uma coisa, Kedar? – tornou com uma certa raiva. – Não ligo a mínima para o que você vai fazer. A única coisa que me importava na vida era o amor de minha filha. Esse, eu perdi. Já perdi tudo o que tinha. O que mais posso perder?

– É o que você pensa. Ainda tem a sua sanidade.

– Não é mais importante do que o amor.

Nem esperou pela resposta de Kedar. Virou-lhe as costas e voltou para o corpo, que estremeceu levemente, e João abriu os olhos, fechando-os em seguida. Kedar ficou furioso. Se o que João mais queria era o amor da filha, seu maior desejo era colocar as mãos naquele traidor do Conrado. João, porém, não cumprira o trato, e o traidor continuava livre para gozar a vida. Aquilo não ia ficar assim. Cumpriria sua promessa e libertaria os espíritos das muitas vítimas de João que estavam presos em seus domínios. Ele ia ver só. Kedar não admitia ser passado para trás. Quem lhe devia tinha que pagar. Rodou nos calcanhares e saiu pela parede. Voltaria mais tarde com a sua horda e mostraria a João que não era homem de brincadeiras.

Quando a noite caiu, Kedar cumpriu sua promessa. Chegou à porta do quarto de João e fez uma careta para o guarda de prontidão, que nem lhe registrou a presença. Atrás de si, uma multidão de espíritos sequiosos de vingança, contidos pelos soldados, que lhes apontavam lanças ameaçadoras. Sob suas ordens, os espíritos avançaram sobre o leito de João. Antônia dormia a seu lado e nada percebeu, mas João sentiu uma pontada repentina no peito. Arregalou os olhos e deu de cara com um vulto todo ensangüentado debruçado sobre ele, dificultando-lhe a respiração.

Tentou gritar, mas sua boca estava inerte. Olhou para os lados, procurando Antônia, e viu-a envolta em uma nuvem negra de espíritos aterradores. A muito custo, coordenou sua vontade e soltou um grito desesperado. De onde estava, Antônia deu um salto e se aproximou da cama. A porta do quarto imediatamente se abriu, e o guarda entrou de arma em punho, seguido por duas enfermeiras.

– O que foi que houve? – perguntou uma delas.

– Foi... um pesadelo... – respondeu João, arfante. – Já passou.

As moças balançaram a cabeça e saíram, com o guarda atrás. Depois que a porta tornou a fechar-se, Antônia o olhou preocupada.

– Antônia... – balbuciou. – Eles voltaram.

– Quem? Quem voltou?

– Os fantasmas do meu passado. Estão aqui para me cobrar.

– Pelo amor de Deus, João, de novo com isso, não! Foi apenas um pesadelo.

– Mas foi tão real! Eles voltaram, eu os vi... vários deles, cercando o quarto, a cama, você... e um deles... estava debruçado sobre o meu peito, prendendo a minha respiração.

– Foi um sonho, João.

– Não foi, não. Eles estão aqui novamente... os fantasmas querem ajustar contas, Antônia, e sou eu quem tem que lhes pagar.

Antônia abraçou-o com lágrimas nos olhos. Ele estava muito fraco, e se aqueles pesadelos voltassem, poderia não resistir. Ela não queria que ele morresse e apertou-o contra o seu corpo.

– Reze, Antônia – ouviu ele dizer. – Peça a Deus que me perdoe.

Aquilo foi surpreendente. Nunca, em toda a sua vida, ela ouvira João falar em rezar. Marisa fizera a primeira comunhão por uma questão social, mas João não acreditava nem em Deus, nem em nada. Tampouco ela possuía alguma crença. Marisa lhe havia aconselhado a rezar quando João estava no CTI, mas ela não pudera, não se sentia digna de dirigir a palavra a Deus. Muito menos João. Mas não podia dizer-lhe aquilo. Não podia dizer a João que não o julgava digno da misericórdia de Deus. Ele era um réprobo, um condenado aos olhos do Criador, e não seria justo apelar para sua intervenção quando já cometera tantos crimes. João nunca se comovera com nenhuma oração, e ela duvidava mesmo que se tivesse deixado levar pelas preces de qualquer um que tivesse executado.

– Por favor, Antônia – ele repetiu –, reze por mim. É só o que posso tentar.

– Acha que Deus vai ouvir?

– Não dizem que Deus vê e ouve tudo? Se é assim, vai ver o arrependimento em minha alma e ouvir a minha súplica de perdão.

Antônia chorou. Ouvir o marido falar daquela maneira, um jagunço frio, um assassino, fez com que seu coração se apertasse. Compadecida pelo seu sofrimento, ela segurou sua mão com firmeza e começou a rezar:

– Por favor, meu Deus, perdoe meu marido João pelo que ele fez. E me perdoe também por tudo o que fiz. Sei que somos pecadores, mas nosso arrependimento é sincero... só o que queremos é encontrar paz para nossos corações...

Não conseguiu continuar. A emoção falou mais alto, e Antônia deu livre curso às lágrimas. João, a seu lado, chorava também, tocado pelas palavras simples, porém sinceras, que resumiam tudo o que sentiam naquele momento.

– Não precisa chorar, Antônia – consolou João. – Estou certo de que Deus nos ouviu.

Ela não teve coragem de contestá-lo. Abraçou-se a ele ainda mais e continuou chorando, agarrada àquela esperança de que Deus, em algum lugar, escutara a sua prece.

20

Vinício caminhava de um lado a outro na sala de sua casa, a cabeça girando cheia de dúvidas e questionamentos. Como procederia dali em diante? Desde que João tentara matar seu pai, não conseguira mais ficar perto de Marisa por muito tempo. Sabia que ela não fora culpada de nada, mas era-lhe difícil beijá-la e abraçá-la sem se lembrar de que ela era filha de um assassino. Mas ela também fora vítima, retirada do berço quando ainda bebê, roubada para alimentar a vaidade de um homem cruel e sem coração, cujas maldades o tornaram desmerecedor da paternidade.

Por outro lado, podia imaginar o que ela estava sentindo. Devia estar arrasada, confusa e completamente decepcionada. Ser criada por pais daquele tipo não deveria ser nada animador. Ainda que os tivesse amado por toda a vida, como compreender o impulso egoísta que fizera João seqüestrá-la e Antônia calar-se diante daquele horror?

Ainda assim, não podia simplesmente desaparecer da vida de Marisa. O pai e a mãe lhe diziam que não guardavam nenhum ressentimento e que ele também não deveria guardar. Eles se amavam e pretendiam casar-se, e o amor que os unia deveria estar acima daquelas coisas. Ele, no entanto, não se sentia mais à vontade perto de Marisa. Depois que fora avisá-la do acidente com João e a levara ao hospital, somente a vira uma única vez, quando ela fora a sua casa em busca de explicações, havia quase um mês. O pai lhe dera todas as explicações possíveis, mas ele a tratara friamente. Mal conseguira falar com ela. Aquilo não era justo. Sentia-se mal por haver-se portado daquele jeito e queria desculpar-se.

Tomou uma decisão. Apanhou as chaves do carro e rumou para a casa de Marisa. Lá, foi informado de que ela estava em casa de Sandra, e ele compreendeu tudo. Na certa, ela e a mãe haviam brigado, e ela optara por sair de casa. Sandra era a melhor amiga, e era natural que fosse procurá-la. Deu meia-volta no automóvel e foi direto para a casa de Sandra. Estacionou na sua porta e desceu apressado. Tocou a campainha e esperou. Foi Albertina quem atendeu e fez com que ele entrasse e se sentasse.

– Faça o favor de aguardar que vou chamar Marisa – falou ela com bondade.

Albertina saiu e não voltou. Marisa apareceu sozinha, acabrunhada, com medo até de encará-lo. Assim como ele, não sabia o que dizer ou fazer. Aproximou-se confusa e olhou-o com indescritível tristeza. Por um momento, Vinício pensou que ela fosse cair em seus braços, mas Marisa limitou-se a ficar ali, olhando para ele com olhos úmidos.

– Olá – falou ele, esforçando-se para parecer natural.

Marisa deu um sorriso meio artificial e respondeu com voz rouca:

– Olá, Vinício. Tem andado sumido.

– Será que não poderíamos dar uma volta? – sugeriu ele, pouco à vontade na casa de Sandra. – Precisamos conversar.

Ela assentiu, dirigindo-se para a porta, e Vinício saiu atrás dela. Ao invés de entrar no carro, ela foi caminhando pela rua, com Vinício a seu lado, ambos de cabeça baixa, imaginando quem seria o primeiro a falar. Como Marisa nada dissesse, Vinício achou que caberia a ele iniciar a conversa. Afinal, fora ele quem a procurara.

– Ouça, Marisa... – hesitou. – Gostaria que soubesse que, apesar do que aconteceu, nada mudou entre nós.

Ela inspirou profundamente e tentou sorrir.

– Não é o que sinto em sua voz – respondeu com sinceridade. – Sinto-a distante e fria, formal como em um discurso ensaiado.

Vinício corou levemente e não a encarou. No fundo, sabia que ela tinha razão.

– Estou apenas chocado – continuou ele, num tom que parecia meio artificial. – Jamais poderia esperar uma coisa daquelas.

– E eu? Pensa que eu esperava?

– Não... sei que não e imagino o quanto deve estar sendo difícil ter um pai assassino.

– O pior de tudo, Vinício, é saber que ele não é meu pai de verdade. E que Antônia não é minha mãe.

– Então é verdade? Você foi mesmo tirada do berço? – ela apenas balançou a cabeça. – Já pensou no que vai fazer?

– Não pude pensar em nada. No fundo, não sei o que fazer. Perdôo meus pais pelo que fizeram ou nunca mais torno a falar com eles?

– Essa é uma decisão que você terá que tomar sozinha. Mas acho que você deve pensar bem antes de perdoá-los. Quanto a mim, confesso que não vai ser nada fácil conviver com o homem que tentou matar meu pai.

– Está sugerindo que eu o abandone?

– Não tenho o direito de lhe sugerir nada e quero que saiba que, qualquer que seja a sua decisão, eu a apoiarei. Peço-lhe apenas que reflita no que vai fazer. Você é mais uma vítima nessa história toda.

– Não sei mais quem é vítima e quem é algoz.

– Como pode dizer isso? João é um jagunço, e Antônia, sua cúmplice. Você não tem nada a ver com eles.

– Foram eles que me criaram.

– Sobre o sangue de seus verdadeiros pais! Isso não conta?

– Conta. Tudo conta. Isso conta, e o amor que eles me deram, também.

– Como você pode falar de amor? Será que eles sabem o que é isso? Será que já sentiram isso uma vez?

– Um homem pode ser um criminoso e, ainda assim, ter um pouco de amor no coração. Talvez isso demonstre que não deixou de ser humano.

Vinício parou na calçada e segurou o seu braço, virando-a de frente para ele.

– Escute aqui, Marisa, eu ainda amo você. Quero-a como esposa, mas o que seu pai fez com o meu foi imperdoável!

– Será que algo existe que não mereça perdão? Você não pode tentar perdoar?

– E você, pode?

Ela puxou o braço violentamente e respondeu num sussurro:

– Não sei... não sei de nada... nem sei mais quem sou eu, quem são eles...

Lágrimas vieram-lhe aos olhos, e Vinício puxou-a para si, enlaçando-a num abraço caloroso e quase desesperado.

– Amo você, Marisa. Não quero perdê-la...

– Mas quer que eu me volte contra meu pai.

– Não foi isso o que eu disse. No entanto, eu mesmo não sei se conseguirei encará-lo novamente. Não acha que isso poderá tornar nosso relacionamento falso e superficial?

– Pelo visto, você já o condenou.

– Não se trata de condenar ou não. Trata-se de fatos, de realidade. Seu pai é um criminoso, que tentou matar o meu.

– Por que está me machucando assim? Já é duro ter que admitir que meu pai é um assassino. Será que você precisa mesmo falar dele desse jeito?

– Perdoe-me – sussurrou ele, confuso e envergonhado.

– Além do mais, não posso negar que ele e minha mãe só fizeram me amar a vida inteira.

– Será que a amaram mesmo? Não a teriam usado só para satisfazer a sua vaidade?

– Como ousa dizer uma coisa dessas? – indignou-se, esquecendo-se de que também ela chegara a pensar assim. – Você não os conheceu, não conviveu com eles por mais de dezoito anos. Com que direito julga os sentimentos que habitam o coração alheio?

– Tem razão... – balbuciou arrependido. – Perdoe-me mais uma vez. Não devia ter dito isso... é que estou tão confuso!

– Não pode estar mais do que eu. Meu pai tentou matar o seu e quase foi morto, e eu descubro que ele é um ex-jagunço procurado pela polícia e que eu não sou sua filha de verdade, mas filha do último casal que ele assassinou. Não acha que é demais?

– Eu sei, você tem razão. Mas é que me preocupo. Não quero que você se machuque ainda mais.

– Não creio que seja possível machucar-me mais, e você não faz idéia do quanto estou sofrendo. A dor que sinto nesse momento, só eu posso avaliar.

– Eu entendo.

– Se me entende de verdade, então não me pressione mais. Você está me magoando e me ferindo com as suas palavras tão duras.

Ele enrubesceu novamente e falou ansioso:

– Não quero que você pense que a estou forçando a tomar uma decisão precipitada. Peço-lhe apenas que tente se colocar no meu lugar. Também não é fácil para mim aceitar a convivência do homem que quase tirou a vida do meu pai. E não deve ser fácil para ele também.

– Ninguém disse que é fácil. Mas se nós nos amamos, temos que encontrar um jeito de nos apoiarmos sem precisar abrir mão daqueles que também nos são caros.

– Você não está entendendo. É difícil para mim aceitar que minha noiva é filha de um assassino.

– Você não me ama... – disse ela com tristeza.

Durante alguns minutos, Marisa permaneceu olhando para ele, sem dizer nada, refletindo sobre tudo o que ele acabara de dizer. Seus motivos podiam ser justos e sérios, mas era de seu pai que estavam falado. Agora compreendia. O rancor dominava Vinício a tal ponto que ele precisava punir João, não apenas com a cadeia, mas com o aniquilamento de toda a sua existência, tirando-lhe a única coisa verdadeiramente sua em toda aquela vida de crimes. E não seria isso que ela também estava fazendo?

Agora começava a compreender o valor do sentimento de seus pais. Dissera coisas horríveis à mãe quando saíra de casa, inclusive que jamais a perdoaria, nem ao pai. Sabia que eles haviam agido de forma abominável, mas agora estava em dúvida sobre se não devia mesmo perdoá-los. A rápida conversa que tivera com d. Albertina desanuviara-lhe um pouco a mente, e ela estava conseguindo arrumar os sentimentos com mais clareza. Entendia os sentimentos de Vinício, mas não podia permitir que ele a forçasse a uma decisão que tinha dúvidas se desejava tomar.

– Você está sendo rancoroso – tornou ela com pesar. – Não pode perdoar o homem que atentou contra a vida de seu pai e tenta puni-lo, tirando-lhe o amor de sua única filha.

– E você está sendo injusta, Marisa. Seu pai tentou matar o meu. Será que isso não conta nada?

– Conta. No entanto, foi o seu que atirou no meu, e eu não o estou acusando de nada.

– Meu pai agiu em legítima defesa!

– Eu sei e compreendo. Ninguém esperaria que ele agisse de outra forma. Mas o resultado é praticamente o mesmo. Se meu pai morrer, será o seu que o terá matado.

– Em legítima defesa, já disse.

– Esse será sempre o seu argumento, ao passo que eu jamais terei nenhum. Para você, seu pai sempre será a vítima, e o meu, o criminoso.

– Não quero magoá-la, Marisa, mas não é exatamente assim?

– Tem razão – concordou ela, com indescritível mágoa no olhar. – E é por isso que jamais poderemos nos entender. Você vai sempre acusar o meu pai e, acusando-o, acusará indiretamente a mim.

– Isso não é verdade! Você não tem culpa de nada.

– Tenho culpa de amá-lo e de perdoá-lo.

– Por que está sendo tão intransigente, Marisa?

– Eu é que estou sendo intransigente? Você é que está sendo rancoroso e vingativo, revelando imensa falta de amor e de capacidade de perdão.

– Você não pode duvidar do meu amor.

– Na verdade, Vinício, não creio que ele seja assim tão forte. Você não pode conviver com o meu pai, e eu, por minha vez, não sei se conseguiria conviver com as suas acusações silenciosas.

– O que está querendo dizer com isso?

– Que talvez seja melhor que não nos vejamos mais.

– Está rompendo o nosso noivado?

– Estou tomando a iniciativa que você não tem coragem de tomar.

– Não é verdade! Eu a amo.

– Você ainda não sabe o que seja realmente amar.

– Está enganada! Amo...

Marisa não o deixou concluir. Silenciou os seus lábios com a ponta dos dedos e meneou a cabeça.

– Não afirme o que realmente não sabe, para não se arrepender depois.

Rapidamente, Marisa deu-lhe as costas e saiu andando apressada pela calçada, torcendo para que ele não a seguisse. Por mais que desejasse, Vinício não conseguiu ir atrás dela. Uma parte dele queria muito segui-la, mas outra o paralisou onde estava. Em seu íntimo, sentia que ela tinha razão em cada palavra que dissera. Seria seu amor capaz de suplantar a raiva e a dificuldade do perdão? Não teria ele se precipitado, com juras que não sabia mesmo se poderia cumprir? Talvez o tempo fosse o único que pudesse lhe dizer.

21

O estado de saúde de João inspirava ainda muitos cuidados. Ele estava consciente, embora enfraquecido e atormentado pelos muitos espíritos que cercavam o seu leito. Antônia e os enfermeiros nada viam, e todos pensavam que João estava começando a perder o juízo, vítima de seus próprios pesadelos. A todo instante, ele se sobressaltava e dizia coisas aparentemente sem nexo e confusas, lutando contra inimigos invisíveis. Os espíritos de suas vítimas haviam voltado ainda mais furiosos, livres para atormentá-lo o quanto quisessem.

Nessas ocasiões, Antônia orava. Já não possuía mais nada a que pudesse se agarrar, e a oração passou a ser seu único bálsamo. João sempre a acompanhava, se não com palavras, ao menos em pensamento, intimamente pedindo perdão pelos seus muitos crimes, sinceramente arrependido de tudo o que fizera. Só agora conseguia compreender o caminho tortuoso que escolhera. Se antes não se importava com as pessoas que matara, vê-las agora era motivo de imenso sofrimento. Via as suas feridas, sentia suas mãos tentando sufocá-lo e pensava que aquilo tudo acontecia por sua única e exclusiva culpa. Fora ele quem colocara todas aquelas pessoas em seu destino, perseguindo-o com ódio e exigindo vingança.

Mas fora Marisa quem verdadeiramente provocara o despertar de sua consciência. Mais do que tudo, abrira para ela o recanto ínfimo de seu coração em que vibrava amor, um pedacinho que antes só era ocupado por Antônia e mais ninguém. Quando Marisa surgiu em suas vidas, passou a dividir com a mulher o pequeno espaço de seu coração que sabia amar. Por ela, abandonou uma vida de crimes e passou a viver como homem honesto, algo que jamais pensou que pudesse ser.

Enganara-se, contudo, ao imaginar que podia ludibriar o passado. Tinha contas a ajustar com a vida, e era a própria vida quem se encarregava de lhe cobrar. Era preciso devolver ao mundo aquilo que do mundo tomara, e talvez a forma que Deus encontrara para fazê-lo retribuir as vidas que ceifara fora lhe roubando o amor de Marisa. Estava prestes a perder a liberdade, mas a liberdade nada significava diante da indiferença que a filha lhe devotava. Ainda tinha o amor de Antônia, e era esse o único alento que possuía na vida.

Assim perdido em suas reflexões, João acabou adormecendo. Era uma tarde escura e chuvosa, e Antônia se havia ausentado por umas horas para cuidar de alguns afazeres. Logo que adormeceu, sentiu que flutuava acima do corpo. João já estava acostumado àquelas saídas e não deu muita importância ao fato. Esperava encontrar Kedar a seu lado, cercado daquela horda de espíritos vingativos, mas não se incomodou.

Para sua surpresa, porém, não viu Kedar nem qualquer outro espírito ali. Ao contrário, o quarto, que antes era sombrio, parecia mesmo mais bonito e iluminado. De repente, João viu que do alto desciam pequeninos glóbulos de luz branca. Eram glóbulos minúsculos, mas eram tantos e tão brilhantes que logo inundaram o quarto inteiro de luz. Os glóbulos caíram sobre sua cama e foram se espalhando pelo chão, derramando uma claridade líquida por todo o ambiente. Aos pouquinhos, foram pousando sobre ele também. Muito espantado, João viu que, à medida que o tocavam, os glóbulos iam penetrando a pele de seu corpo fluídico, e como que um frescor revigorante ia invadindo a sua alma. Deitado sobre o leito, o corpo físico também recebia essa chuva de luz, e João reparou que respirava melhor. Sentiu imenso bem-estar e desejou nunca mais ter que sair daquela torrente cristalina e refrescante.

Estava assim extasiado quando viu que, dentre os glóbulos de luz, uma figura também iluminada se destacava. Era como se milhares de glóbulos se juntassem para formar aquele ser. Aos poucos, João percebeu que era um homem. Ele se vestia todo de branco e trazia na mão algo parecido com uma jarra de água. O ser luminoso se aproximou dele e estendeu-lhe a jarra, que João tomou de suas mãos sem nem titubear. Bebeu avidamente e seus ânimos redobraram. Era um líquido transparente e saboroso, que João pensou tratar-se da mais pura água mineral que já experimentara. Só então percebeu o quanto estava sedento e bebeu tudo até o fim. Depois, entregou a jarra ao espírito, que lhe sorriu afetuoso.

– Vejo que está bem melhor – falou ele com voz dulcíssima.

– Estou sim, obrigado – respondeu João timidamente, notando que os glóbulos de luz haviam se dissolvido. – O que foi que houve aqui?

– Nada de mais. Apenas um pouco de energia cósmica para revigorar as células.

– Você é um espírito? – ele assentiu. – E onde estão os outros?

– Não há mais ninguém aqui, além de nós dois.

– Para onde foram eles? Quero dizer, Kedar e seus escravos?

– Estão por aí.

– Vão voltar?

– Provavelmente sim, depois que eu me for e a magnetização do ambiente tiver-se dissipado.

João suspirou tristemente e desabafou com franqueza:

– Gostaria que eles não viessem mais. Estou cansado de suas acusações. Não que isso me atormente, pois sei que as mereço.

– Por que acha que as merece?

– Ora, então você não sabe quem sou eu? Não sabe o que eu fiz?

– Você é João Januário da Silva, um homem que viveu como os demais e se deixou levar pelas paixões transitórias do mundo.

– Que maneira de falar... muito obrigado, senhor, é muito gentil em tentar diminuir os meus erros.

– Todos erramos, meu filho.

– Não! Ninguém jamais errou como eu.

– Só não erra quem nasce Deus.

– Ninguém nasce Deus!

– Então, todo mundo erra.

João olhou-o admirado e indagou curioso:

– Quem é o senhor? Alguma espécie de anjo?

O espírito sorriu bondosamente e retrucou com serenidade:

– Não sou anjo, e não precisa me chamar de senhor. Chamo-me Mateus e sou um velho conhecido seu.

– Meu!? Imagine se eu iria conhecer alguém feito o senhor.

– Conhece Kedar?

– Conheço, claro. Esse sim é um velho conhecido meu. Não me lembro direito de onde o conheço, mas sei que o conheço há muito tempo.

– Pois admite que conhece Kedar há muito tempo, mas não pode me conhecer. Por quê?

– Kedar é como eu, um criminoso. E o senhor... bem, não sei o que é, mas é óbvio que nunca matou ninguém.

– Como é que você sabe? Eu também não nasci Deus.

– Está querendo dizer-me que também é um criminoso? Essa é muito boa.

– Não se deixe enganar pela minha aparência atual. Saiba que, antes de chegar a esse estágio luminoso, já habitei muitos caminhos de treva.

– Como assim?

– Digamos que eu também tive que aprender.

– Aprender o quê?

– Os verdadeiros valores da vida, as leis eternas de Deus.

– E agora me quer ensinar tudo isso?

– Não sou eu quem vai ensinar-lhe nada. É a vida.

– Minha vida está por um fio.

– Contudo, deixou gravadas em você as marcas de todos os seus atos, bons ou ruins.

– Nunca fiz nada de bom.

– Amou e cuidou de sua filha com responsabilidade e carinho. É muito mais do que poderia esperar de si mesmo.

– Matei os pais dela... tirei-a do berço...

– Por que não a matou?

– Como poderia matá-la, pois que já a amava desde então?

– Procure apegar-se ao que há de bom em você, João. Não ressalte o lado negro de sua alma. O que há de mais puro em sua vida é o amor que sente por Marisa. Valorize esse sentimento e tente fazer com que ele seja mais forte do que todos os males que já fez.

– Não sei se consigo.

– Se não conseguisse, eu não estaria aqui.

– Você é um espírito do bem? Claro que é um espírito do bem. Veio ajudar-me. Por quê?

– Vim atraído pelas orações e as vibrações sinceras de arrependimento que partem de você.

– Como? Não compreendo.

– Não está arrependido do que fez?

– Estou, mas quem se importa com isso?

– Eu me importo, Deus se importa.

– Deus ouviu as minhas súplicas?

– Deus ouve todas as súplicas.

– E mandou você para me ajudar? – ele assentiu. – Por que, se sou um criminoso condenado?

– Quem o condenou?

– A justiça está prestes a colocar as mãos em mim. Caso não tenha percebido, há um guarda do lado de fora da minha porta à espera de que eu tenha alta para me levar para a cadeia.

– Se o seu coração se libertar, ninguém poderá condená-lo.

– Não estou entendendo. Não tenho que ser preso para pagar pelos meus crimes?

– Para nós, João, mais vale um arrependimento sincero do que cem anos de prisão.

– Quer dizer que você acha que eu não preciso ser preso?

– Eu não disse isso, embora ache que sua prisão não lhe trará tantos benefícios quanto o seu arrependimento. Se você vai ser preso ou não, é algo que cabe a você decidir.

– Se viver, serei preso, na certa. Preso e condenado.

– Viver e morrer são escolhas que só a você pertencem. Se acha que o seu arrependimento é suficiente para você nesse momento, vai preferir partir. Se não, vai optar por ficar e tentar libertar-se da culpa entre as paredes de uma cela.

– Eu não quero ser preso!

– Não, conscientemente, não. Mas a nossa alma, João, sempre sabe o que é melhor para nós e faz escolhas que costumam chocar a nossa mente limitada. E o que vai acontecer com você não será nada além da resposta da vida às escolhas que a sua alma fizer.

– E se eu preferisse viver e não ser preso? Minha alma me daria essa resposta?

– Isso não é uma resposta, mas uma exigência que não está de acordo com suas necessidades de evolução. Não pense que pode enganar a sua consciência, porque ela é a única que está apta a lhe dizer o que é melhor para você. Escolher viver e não ser preso é algo praticamente impossível, devido à forma como são conduzidas as coisas na terra. Por tudo isso, quando você faz essa opção, age movido unicamente pelo seu bem-estar passageiro e egoísta, sem levar em conta as reais necessidades que sua alma requer.

– Que necessidades são essas?

– Como disse, de evolução. Se não fosse para evoluirmos, não teríamos motivos para viver.

– Ou sofrer...

– O sofrimento faz parte da vida, é apenas mais um caminho dentre tantos outros que se nos apresentam. Mas não é obrigatório nem compulsório. Só escolhe sofrer quem ainda não aprendeu que as transformações também podem operar-se pela via do amor.

– Por que está me dizendo tudo isso?

– Para que você saiba que não está só nem desamparado e que não há crime que não mereça perdão.

– Fui perdoado?

– Perdoou-se a si mesmo?

– Não sei... acho que não...

– É difícil ser perdoado quando seu coração está cheio de culpa.

– Deus não me perdoou?

– Deus não tem o que perdoar, pois nunca acusa ninguém. Quem deve perdoá-lo são aqueles que você assassinou e prejudicou. É a esses que deve pedir perdão.

– Eles querem é vingança. Jamais me irão perdoar.

– Jamais é um tempo muito longo para alguém tentar mensurar. Digamos que, no momento, esteja sendo difícil para eles também.

– Acho que não posso culpá-los, não é mesmo?

– Nem a eles, nem a ninguém.

– Culpo apenas a mim mesmo.

– Pois não se culpe. Responsabilize-se. Fica mais fácil.

– Qual é a diferença?

– A culpa engessa o espírito, que se julga merecedor de todos os males. A responsabilidade traz a consciência do desequilíbrio e a necessidade de restauração.

– Quer dizer que devo restaurar o mal que lhes fiz?

– Você causou um desequilíbrio no Universo, porque matar é contra as leis divinas, e vai precisar restabelecer o equilíbrio perdido.

– Como?

– Só você é quem poderá dizer.

– Quando posso começar?

– Quando você quiser.

– Minha prisão poderá ajudar nesse reequilíbrio?

– Sempre ajuda, porque nenhuma experiência se perde na vida. Nada do que nos acontece é em vão. Contudo, há certas coisas que não precisam ser necessariamente do jeito mais difícil. Se há consciência e propósito firme de reparação e crescimento, o caminho a ser escolhido pode ser o mais fácil.

– E o resultado é o mesmo?

– Sim, embora o tempo possa variar. Às vezes, o caminho mais fácil é o mais longo, mas também pode ser que não seja. Tudo vai depender da forma como você vai atravessá-lo e compreender as experiências que vão surgir.

– Preciso pensar sobre isso.

– Pense. Você está tendo uma oportunidade única de se reajustar com a vida e consigo mesmo. Tomou consciência antes de desencarnar, o que nem sempre acontece. Em geral, as pessoas só se conscientizam de seus atos depois de alguns anos de sofrimento no mundo das sombras. Mas você alcançou essa consciência sozinho, apenas reavaliando suas atitudes, e já está dando sua quota de sofrimento, se é que julga isso necessário. Não precisa sofrer mais, se não quiser.

– Por que está fazendo isso por mim?

– No mundo espiritual superior, ficamos felizes quando um espírito consegue reconhecer o que fez e se arrepender, mesmo que no derradeiro minuto de sua vida física. E sabe por quê? Porque, para nós, mais vale o resgate de uma alma que se perdera na treva do que todos os castigos criados pelo homem para a punição de um crime.

João estava tão emocionado que mal conseguia falar. A presença daquele espírito ali enchia-o de esperança. Tirara-lhe um pouco do peso que assolava sua consciência e dera-lhe forças para enfrentar o que lhe restava da vida. Com lágrimas nos olhos, João se ajoelhou aos pés de Mateus, segurou suas mãos e murmurou agradecido:

– Obrigado... deu-me esperança no futuro, e isso não tem preço.

Mateus afagou-lhe os cabelos e tornou com doçura:

– Se precisar de mim, é só me chamar. Mateus, lembra-se? Virei sempre que quiser.

Deu-lhe um beijo na face e esvaneceu diante de seus olhos. Com uma felicidade indescritível batendo dentro do seu peito, João voltou ao corpo físico. Abriu os olhos e viu Antônia entrando pela porta, ainda sentindo no rosto o beijo amoroso que o espírito lhe dera.

– Você parece melhor hoje – anunciou ela, avaliando o marido.

– Tive um sonho estranho. Sonhei que o quarto se enchia de luz e que um homem veio conversar comigo. Não lembro o que ele disse, mas sei que eram palavras de esperança.

Antônia sentiu lágrimas lhe subirem aos olhos e redargüiu emocionada:

– Você tem rezado?

– Tenho.

– Eu também, João. Descobri na oração um aliado poderoso contra o medo e o desespero.

Ele assentiu e fez a pergunta que há muito não ousava fazer:

– E Marisa? Tem tido notícias de nossa filha?

– Hoje mesmo telefonei a d. Albertina, e ela me disse que Marisa está bem, na medida do possível. Muito triste e acabrunhada, mas bem. Não se tem alimentado muito, quase não sai e terminou o noivado com Vinício.

– Não me diga! Por quê?

– Não é difícil imaginar, não é mesmo?

– Ela está sofrendo?

– É claro que está. Você sabe o quanto ela o ama.

João escondeu o rosto entre as mãos e desabafou num soluço:

– Estraguei a felicidade da minha filha. Destruí os seus sonhos, roubei-lhe a identidade, transformei-a em órfã amargurada e triste. Que espécie de homem eu sou, Antônia? Que tipo de homem faz à filha o que eu fiz a Marisa?

– Você a amou. Isso deve ser suficiente.

– Não, não é. Se pudesse voltar no tempo, daria a vida para não ter que fazê-la infeliz. Se soubesse que esse dia iria chegar, jamais a teria tirado daquele berço.

– Tê-la-ia matado? – tornou Antônia, coberta de horror.

Ele silenciou e a fitou com espanto.

– Não... – sussurrou. – Jamais poderia matá-la. Estaria matando uma parte de mim mesmo.

– Pois então, pare de se acusar. Você pode ter sido um criminoso, mas seu amor por Marisa sempre foi sincero.

– Eu a fiz infeliz... e a você, Antônia. Tornei-a minha cúmplice num seqüestro e quase a envolvi num assassinato.

– Nada disso importa agora. Perdemos Marisa, mas ainda temos um ao outro. Quero que saiba, João, que você foi o único homem a quem amei em toda a minha vida. Você e Marisa eram tudo o que tinha. Perdi a filha, mas ainda tenho você. Sempre o amarei, faça você o que fizer. Por mais que não concorde, por mais que recrimine o que você fez, nunca vou lhe dar as costas. Hoje compreendo o que significa amar alguém. Foi por amor que não o deixei antes, e é por amor que não o abandono agora.

– Eu vou morrer, Antônia...

– Não diga isso!

– Não dizer não vai mudar o fato de que estou morrendo. Sei disso, sinto isso. Preocupa-me morrer e deixá-la sozinha, e não queria partir sem o seu perdão e o de Marisa. Será que pode me perdoar, Antônia? Pode perdoar um homem cruel, mas que sempre foi sincero em seu amor?

– Não é necessário nenhum perdão. Contudo, se vai lhe fazer bem, juro que perdôo qualquer coisa que você possa ter-me feito.

– Obrigado... – balbuciou sentido. – Resta agora o perdão de minha filha.

João parecia cansado. Cerrou os olhos umedecidos e caiu em sono profundo e tranqüilo. A energia com que Mateus limpara o ambiente ainda se fazia sentir, e João conseguiu adormecer sem sonhar ou ser importunado por suas vítimas.

Durante alguns minutos, Antônia permaneceu a seu lado, acariciando seus cabelos encanecidos. Assim adormecido, ele parecia tão frágil! Fora um homem cruel, era verdade, mas ela o amava e achava que ele não merecia morrer sem ver realizado o seu último desejo. Não era justo que Marisa o ignorasse daquela forma. Compreendia o que ela devia estar passando, mas será que era assim tão insensível, a ponto de esquecer tudo o que ela e João haviam feito por ela? Nem dizia tanto por ela. Reconhecia que havia errado e não ia insistir para que a perdoasse. Mas João estava morrendo, e o que diria ela se soubesse que o pai morrera implorando o seu perdão?

Saiu resoluta. Marisa tinha que escutá-la. Tomou um táxi na frente do hospital e deu o endereço da casa de Sandra. Albertina, àquela hora, ainda estava trabalhando, e Sandra havia saído, de modo que, quando Antônia tocou a campainha, foi a própria Marisa quem veio atender. Sentiu um nó na garganta ao ver a mãe ali parada, e lágrimas lhe vieram aos olhos.

– Posso entrar? – indagou Antônia, a voz embargada.

Marisa chegou para o lado, dando-lhe passagem, e Antônia entrou, seguida por Mateus, que acabara de juntar-se a ela. Sentou-se no sofá, com o espírito ao lado, e estudou a pequenina sala, tentando ganhar tempo. Meio desajeitada, Marisa sentou-se diante dela. Não a encarou. Ficou olhando para o chão o tempo todo, até que Antônia tomou coragem e falou:

– Como está passando, minha filha?

Marisa teve vontade de gritar: Eu não sou sua filha! – mas não disse nada. Não era isso que sentia e não pretendia mentir somente para agredi-la.

– Estou bem – respondeu secamente.

– Imagino que d. Albertina deva estar cuidando muito bem de você. Ela sempre foi uma mulher muito boa.

– É...

– Você está mais magra – em pensamento, Marisa perguntou: o que você esperava? Mas não disse nada. – Tem-se alimentado direito?

– Tenho...

– Seu pai é que não anda nada bem.

– É pena...

– Foi o tiro, sabe? Atravessou o pulmão.

Marisa não agüentou. Deu um salto da poltrona e disse friamente:

– Não estou interessada no que tem a me dizer. Por favor, peço que se retire. Não pedi que viesse aqui e gostaria que não tentasse impor a sua presença.

Antônia levantou-se lívida. Enxugou o suor do rosto com o lenço e tomou a direção da porta. Colocou a mão na maçaneta, mas, antes que pudesse girá-la, Mateus se aproximou e começou a soprar coisas em seu ouvido. Na mesma hora, Antônia estacou, encarou Marisa bem fundo nos olhos e considerou:

– Suas palavras não refletem o que vai em seu coração. Você está tentando ser fria e distante, mas não é. Contudo, vou respeitá-la e vou embora, se é o que realmente quer. Mas não sem antes lhe dizer por que vim até aqui. Você sabe o quanto seu pai e eu a amamos e o quanto estamos sofrendo com tudo isso.

– Não fui eu que provoquei!

– Não, deixe-me terminar! – cortou Antônia com um gesto. – Não precisa acusar-me de meus erros, porque já os conheço todos e estou disposta a arcar com as conseqüências de tudo o que fiz, ainda que isso signifique ser presa também.

– Não quero que você vá presa! Eu apenas me reservo o direito de não querer vê-la...

– O direito é todo seu, mas não foi por isso que vim. Como disse, seu pai não anda nada bem. A bala atravessou o pulmão, e seu estado é crítico. Ele está consciente e lúcido, mas talvez não sobreviva. Pode ser que você não acredite, mas ele a ama muito e está muito arrependido de tudo o que fez. Tem medo de morrer sem a chance de lhe pedir perdão.

– Não preciso que ele me peça perdão. Só não gostaria que tivesse feito o que fez.

– Infelizmente, é um pouco tarde para isso agora, Marisa. Também não gosto do que ele fez, mas é impossível voltar atrás, e não posso dizer que não fiquei feliz com a sua presença. Amei você como filha, a cada momento da sua vida.

– Eu não sou sua filha, não nasci de você.

– Pode ser que não tenha saído de meu ventre, mas com certeza, entrou em meu coração. Por mais que não queira, Marisa, você é minha filha sim. Minha e de João. E é por esse motivo que lhe peço. Peço não, imploro. Não dê esse desgosto a seu pai. Não deixe que ele morra sem ouvir de seus lábios uma palavra de perdão.

– Como posso perdoá-lo depois de tudo o que ele me fez?

Mateus, a seu lado, continuava a intuir-lhe as palavras. Antônia as ia repetindo sem nem mesmo desconfiar que não pertenciam somente a ela:

– Seu pai podia tê-la matado, mas não o fez. Naquele dia, depois que atirou em seus pais. Recebera ordens para exterminar a família inteira...

– Pare, pare! – gritou Marisa, tapando os ouvidos com as mãos.

– Não, Marisa, você precisa escutar-me. Queria a verdade, mas será que só lhe interessa ouvir o lado da história que condena seu pai? Será que não pode dar crédito ao que ele sentiu quando a viu pela primeira vez? – o doloroso silêncio de Marisa a estimulou, e Antônia prosseguiu: – Seu pai podia ter atirado em você, Marisa, mas não o fez. Desafiou coronel Agostinho, desafiou a polícia, desafiou Deus e o diabo por sua causa. E sabe por quê? Porque a amou. Naquele dia, vendo você ali naquele bercinho, com a arma apontada para você, seu pai sentiu que a amava mais do que tudo. Foi por isso que não a matou, Marisa, por amor. Não porque a queria no lugar do filho que nunca tivera, mas porque sentiu que não poderia matar alguém que nascera para ser sua filha.

– Como? Como poderia amar-me se nem ao menos me conhecia?

– Seu coração a reconheceu. Ele sabia que a amava. Por esse motivo não pôde matá-la. Não se mata quem se ama.

Embora não compreendesse bem o significado daquelas palavras, Marisa se calou. Em seu íntimo, algo lhe dizia que o que a mãe falava era verdadeiro. O pai não a matara por amor. Não fora por vaidade, nem orgulho, nem piedade. Fora apenas porque a amara a partir daquele instante. Não a matara por amor.

– Pense nisso, Marisa – prosseguiu Antônia –, e tome uma decisão. Mas rápido. Senão poderá ser tarde demais.

Saiu. Apoiada pelo abraço energético de Mateus, que lhe deu um passe encorajador, Antônia reuniu forças para se sustentar e ir embora. Mateus a acompanhou até o táxi. Sem que ela o visse, esperou até que o carro fosse embora e voltou para junto de Marisa. A moça estava sentada no sofá, arrasada, chorando sem parar. Mateus deu-lhe um passe também, e quando ela já estava mais fortalecida, soprou ao seu ouvido:

– Ele vai morrer, Marisa. Você o ama, a ele e sua mãe. Por que deixar que o orgulho impeça a reconciliação de pessoas unidas pelos laços do amor? Perdão é um sentimento divino. Não negue a divindade que existe em você.

– Deus, ajude-me! – suplicou ela. – O que devo fazer? Como posso perdoar? Como posso chegar diante dele e lhe dizer que o perdôo?

– Deixe o seu coração falar, menina. Verá que vai sentir-se bem melhor depois.

– Minha mãe disse que ele não me matou por amor...

– Ela estava certa. Seu pai poupou sua vida porque a amava. Deixe que esse mesmo sentimento flua por intermédio de você, e, em nome desse mesmo amor, perdoe o seu pai. Da mesma forma como o amor o impediu de matá-la, assim também fará com que você o perdoe.

Marisa recebia os pensamentos de Mateus como se fossem seus e falava em voz alta como se estivesse sozinha. Aos poucos, foi-se sentindo mais calma e mais confiante, e conseguiu raciocinar com mais clareza e menos desespero. O pensamento de que o pai a poupara por amor foi invadindo todo o seu ser, aquecendo seu coração e lhe inspirando o desejo de vê-lo novamente, de falar com ele, de perdoar o que lhe fizera. Mas o que lhe fizera? Poupara-lhe a vida e a amara como filha.

Começava agora a ver as coisas sob um ponto de vista diferente. Se antes só conseguia enxergar os crimes que João cometera, inclusive o seqüestro de que ela mesma fora vítima, agora reconhecia que ele, tendo a chance de matá-la, optara por lhe poupar a vida. Podia tê-la matado e não o fez. Se ela estava viva hoje, devia isso a ele. O mesmo homem que deveria tê-la matado salvara a sua vida. O jagunço que assassinara seus pais amara-a a tal ponto que não fora capaz de cumprir as suas ordens e retirara-a do berço, não para roubá-la, mas para salvar-lhe a vida. Não era isso estranho? O homem encarregado de sua morte fora o mesmo que lhe devolvera a vida.

Pensando nisso, sua alma ficou mais leve. João era um criminoso, um assassino cruel e frio, mas era também um homem que tinha um coração.

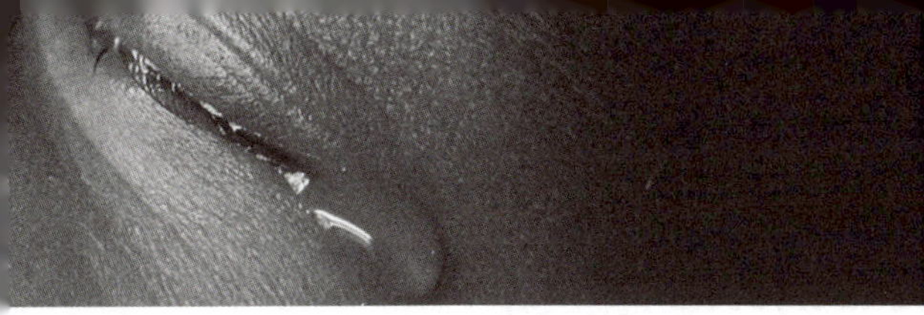

22

Lídia terminou de aprontar-se para sair e foi bater à porta do quarto de Vinício. O irmão ainda estava de pijamas e segurava um livro nas mãos.

– Isso são horas de estar deitado? – censurou Lídia. – São quase dez horas!

– Não amole, Lídia, hoje é sábado – respondeu ele de mau humor. – E depois, já estava acordado.

– Está fazendo um lindo dia lá fora. Por que não aproveita para dar uma volta?

– Está muito quente. Acho que vou dar um mergulho.

– Ah! Não, vamos dar um passeio.

– Aonde é que você quer ir? Aliás, aonde é que vai assim, toda arrumada?

– Ufa! Até que enfim! Pensei que não fosse perguntar. Vou fazer uma visita.

– Pelo jeito, não preciso nem perguntar quem é que você vai visitar.

– É isso mesmo, Vinício, estou indo ver Marisa, sim. Ela é minha amiga e deve estar precisando de apoio.

– Pois então, boa sorte, irmãzinha. Talvez ela aprecie mais a sua companhia do que a minha.

– Você está sendo infantil e orgulhoso.

– Estou apenas tentando ser sensato. Não quero precipitar-me em nada e causar ainda mais sofrimento a nenhum de nós. Só vou procurar Marisa quando estiver certo de que estou pronto para enfrentar o futuro.

Ela soltou um suspiro profundo e retrucou:

– Você é quem sabe. Não quero forçá-lo a nada.

– Obrigado.

– Não quer mandar nenhum recado?

– Acho melhor não.

– Está certo, então. É uma pena, mas enfim...

Lídia deu um beijo no rosto do irmão e foi apanhar um táxi. Quando desceu na porta da casa de Sandra, notou que a moça estava à janela, conversando com uma vizinha. Assim que Sandra a viu, acenou para ela e despediu-se da mulher. Pouco depois, abriu a porta.

– Mas que surpresa, Lídia! – exclamou desconfiada. – O que a traz aqui numa manhã ensolarada de sábado?

– Vim visitar Marisa. Ela está?

– Que pena, ela acabou de sair.

– Será que vai demorar?

– Não sei dizer. Gostaria de esperar?

– Não... mas será que poderia dizer-lhe que estive aqui?

– É claro.

– Obrigada, Sandra, e até logo.

– Até logo, Lídia.

Sandra ficou imaginando o que ela estaria fazendo ali. Será que fora interceder pelo irmão? Quando já ia fechando a porta, um outro carro chamou sua atenção. Conhecia aquele automóvel muito bem, e escancarou a porta para espiar melhor. Estava certa. Em poucos minutos, Vinício estacionou diante da sua casa e saltou.

– Bom dia, Sandra – cumprimentou ele.

– Como vai, Vinício?

Ele sorriu e balançou a cabeça.

– Vai-se indo. Lídia por acaso não passou por aqui?

– Acabou de sair. Por pouco não esbarra com ela.

– Saiu sozinha?

– Saiu. Marisa não está, se é o que quer saber.

– Sei... bom, acho que vou andando também.

Ele se virou e começou a andar em direção ao carro, mas Sandra o interrompeu:

– Espere! – ele se voltou. – Espere, não se vá ainda.

– Quer dizer-me alguma coisa?

– Bem, não... isto é, sim... quero dizer, faz tanto tempo que não conversamos... – ele ficou esperando até que ela continuasse. – Será que não quer entrar um pouquinho? Mamãe não está e... posso fazer-lhe um refresco.

– Acho melhor não. Sua mãe pode não gostar.

– Já disse que ela não está. E depois, mamãe gosta muito de você – puxou-o pela mão e insistiu: – Venha, Vinício, é só um pouquinho. Podemos conversar sobre Marisa.

O nome da amada fez com que balançasse, e ele acabou aceitando. Afinal, que mal poderia haver?

– Está certo, Sandra, mas é só um pouquinho. Não quero abusar.

Ela sorriu graciosamente e puxou-o para dentro, seguindo com ele para a cozinha. Fez com que ele se sentasse em um banquinho e foi preparar o refresco. Enquanto espremia algumas laranjas, ia conversando:

– Como é que você está passando?

– Eu? Bem.

– Creio que é difícil, não é? Não sei o que faria se estivesse no seu lugar.

– Por favor, Sandra, não gostaria de falar sobre isso. Já é doloroso demais...

– Eu sei, perdoe-me. Mas é que, às vezes, fica difícil entender a atitude de Marisa.

Olhou de soslaio para ele e percebeu que seu rosto inteiro havia se contraído. Não disse mais nada. Ao final de alguns poucos minutos, Vinício indagou:

– O que você não conseguiu entender? Acho até que ela foi muito ponderada. Eu é que fui estúpido e rancoroso.

– Foi mesmo?

– Fui. Não pude perdoar o pai dela. Deixei-me levar pela raiva e o desejo de vingança. Quis fazê-lo pagar pelo que fez roubando-lhe o amor de Marisa.

– Nossa! Como é que você conseguiu chegar a essas conclusões todas?

– Marisa abriu-me os olhos.

– Ah! Sabe que ela foi visitar o pai no hospital? Está disposta a perdoá-lo.

– Isso eu já sabia. Era mesmo de se esperar e foi o que ficou difícil entre nós. Pensei que não pudesse vencer a enorme raiva que sinto de *seu* João.

– Pensou? Por quê? Você pode?

– Creio que sim. Não vai ser nada fácil, mas estou disposto a tentar de tudo pelo amor de Marisa.

Sandra deu um suspiro enigmático e fitou-o com ar penalizado.

– Lamento por você, Vinício. Acho-o um bom rapaz. Não merece isso.

– O quê? O que é que eu não mereço?

– Nada. Falei demais, como sempre.

– O que está me escondendo, Sandra? Agora quero saber.

– Não sei se devia falar sobre isso. Afinal de contas, Marisa é minha amiga. Mas não acho justo deixar você com esse sentimento de culpa.

– Como assim?

– Sabe, Vinício, ainda que você não tivesse ficado com tanta raiva, Marisa não ficaria mais com você. Ela disse que o seu amor terminou no dia em que seu pai atirou no dela.

– Ela disse isso?

– E disse mais. Disse que, se seu pai não tivesse revolvido essa história, nada disso teria acontecido. Não via utilidade em remexer uma história do passado que já está morta e enterrada. *Seu* João hoje é outra pessoa. É um homem velho e cansado, não é mais um assassino. Seu pai não deveria ter iniciado essa perseguição vingativa e sem propósito.

– Não acredito que Marisa tenha dito isso!

– Pois foi exatamente isso que ela disse. Se não acredita, pergunte a ela.

Sandra, mais uma vez, estava mentindo. Distorcia, propositadamente, tudo o que Marisa dissera, e Vinício estava prestes a acreditar. Ainda se lembrava da conversa que haviam tido, em que ela lhe expusera seus sentimentos a respeito de si mesma, dos pais e de Vinício. Vinício esperou até que ela pousasse os copos sobre a mesa, apanhou o seu e respondeu acabrunhado:

– Não preciso perguntar nada a ela.

– A princípio, eu pensava como você – acrescentou ela, tomando um gole do refresco. – Achei que ela não havia feito uma boa escolha, mas talvez estivesse confusa. Agora não. Disse-me ontem mesmo que não pode continuar amando o filho do homem que mais odeia na vida.

– Não pode ser...

– É a mais pura verdade. Ela é que não vai conseguir perdoar o seu pai pelo que ele fez.

– Ele apenas se defendeu!

– É muito fácil falar, mas sentir é diferente. *Seu* João está entre a vida e a morte no hospital por causa do tiro que o dr. Conrado lhe deu. E sabe o que ela disse? – ele meneou a cabeça. – Que o seu pai não é muito melhor que o pai dela. É tão assassino quanto ele.

– Isso é um disparate! Meu pai, um assassino!? Assassino é o pai dela, um jagunço fugitivo, que enganou a polícia e a sociedade!

– Não precisa gritar comigo, Vinício. Concordo plenamente com você e estou apenas repetindo o que ela disse.

– Tem razão, Sandra, perdoe-me. Mas ouvir dizer que meu pai é um assassino foi demais. Papai sempre foi um homem justo, um homem da lei, ao passo que *seu* João é um criminoso foragido.

– *Seu* João já está velho e frágil, e Marisa acha que ele não teria nem forças para desferir aquele golpe no seu pai.

– Isso não é verdade. Ele matou o cachorro, saltou o muro e arrombou a porta. Por pouco não esfaqueia meu pai. Onde está a fragilidade dele?

– Seu pai é mais novo e possui mais vigor. Ela acha que ele não precisaria ter atirado em *seu* João para detê-lo. Disse que seria fácil para um homem jovem e forte dominar um velho fraco e cansado apenas com as mãos. Acha que seu pai não precisava ter atirado.

– O que ela está insinuando? Que meu pai atirou de propósito?

– Não foi propriamente o que ela disse, mas foi o que deu a entender.

– Não pode ser... *seu* João é que é o assassino e é quem termina como vítima?

– Para você ver como Marisa está distorcendo as coisas. É natural, eu até entendo... afinal, é o pai dela que está morrendo. Mas culpar o seu, não só pelo tiro que lhe deu, mas por ter trazido à tona o passado sombrio do pai dela, é um pouco demais, não acha? Ela fala como se seu João fosse um pobre coitado e seu pai uma espécie de algoz. Parece até que ele não fez nada, que é um santo inocente, e que seu pai é que é cruel e o perseguiu por pura maldade.

– Ela está errada! Meu pai não o perseguiu. Ele apenas descobriu a verdade... sem querer...

– Ela diz que foi por vingança. Só porque seu pai não conseguiu prendê-lo no passado, porque *seu* João o fez de tolo e fugiu bem debaixo do seu nariz.

– Não pode ser! Marisa mesma desconfiava dele... eu sei, meu pai me contou. Ela e Lídia estavam investigando um segredo do passado, ao qual eu mesmo não quis dar ouvidos.

– Só que ela jamais imaginou que o segredo fosse esse. Pensou que fosse algo relacionado a amores obscuros e impossíveis. Nada comparado a jagunços ou a crimes.

– Como Marisa pode ter mudado tanto? Estou decepcionado!

– Talvez seja melhor você ir conversar com ela – arriscou temerosa. – Quem sabe assim, ela não esclarece tudo?

– Esclarecer o quê? Que acusa meu pai de ter atirado num homem fraco e indefeso? Não, Sandra, obrigado. Não preciso passar por essa humilhação. Vim aqui disposto a aceitar tudo do jeito como Marisa desejava e, por sorte, não a encontrei. Teria feito papel de palhaço e idiota, implorando o amor de uma mulher que me acusou de ser rancoroso e não poder perdoar, quando é ela que tem o coração cheio de ódio.

Com ar de preocupação e empatia, Sandra acrescentou:

– E foi sorte Lídia não a ter encontrado também. Não sei o que Marisa teria dito a ela.

– Imagine só! E Lídia ainda a defende!

– Ela não tem culpa, Vinício, não sabe de nada. Para Lídia, Marisa é apenas mais uma vítima. Até concordo que seja mesmo, mas isso não lhe dá o direito de acusar pessoas inocentes e dignas feito o seu pai.

Vinício não respondeu. Estava arrasado. Fora até ali com um propósito e saía coberto de tristeza e decepção. Pensava que Marisa fosse uma pessoa justa, mas agora percebia o quanto se enganara. Podia entender o seu sofrimento, a sua confusão, o seu desejo de perdoar os pais. Estava disposto a compreender e aceitar tudo em nome do seu amor, menos que ela acusasse seu pai de algo que ele não era. Marisa não tinha o direito de odiá-lo nem de fazer João passar por vítima e seu pai, por algoz. Ao contrário do que ela dizia, João era forte como um touro, e não seria nada fácil para seu pai dominá-lo apenas com as mãos. Se não tivesse atirado, talvez estivesse morto àquela hora. Não era justo.

– Eu... – balbuciou ele – preciso ir, Sandra. Obrigado pelo refresco.

Com as mãos trêmulas, despediu-se de Sandra. Mal conseguiu ligar o carro e guiar até sua casa. Entrou cabisbaixo, procurando pela irmã, e foi encontrá-la na piscina.

– Você é mesmo uma tola, Lídia – sibilou entre dentes, curvando-se para ficar na altura dela. – E eu, um tolo ainda maior do que você!

– O que fiz de errado, Vinício? – revidou ela, surpresa.

– Você? Nada. Quem fez foi a sua amiguinha.

– Que amiguinha? Marisa?

– Sou mesmo um idiota! Ia pedir-lhe desculpas... para quê? Para que ela me humilhasse e me dissesse que o pai dela é um coitadinho e nós é que somos maus e o perseguimos injustamente?

– Do que é que você está falando?

– É isso mesmo que você ouviu. Marisa está acusando papai de ter atirado no pai dela de propósito, só para se vingar pelo fato de ter-lhe escapado no passado.

– Quem lhe disse isso? Foi Marisa?

– Imagine se ela teria coragem de me falar uma coisa dessas. Foi Sandra quem me contou.

– Só podia ser! E desde quando o que Sandra diz é digno de crédito?

– Sandra não teria motivos para mentir sobre uma coisa dessas.

– Ela tem todos os motivos do mundo para mentir sobre uma coisa dessas. Seria uma ótima oportunidade de afastar Marisa de seu caminho.

– Sandra não é essa mulher mesquinha que você pensa! Você nem a conhece!

– Ah! Claro, nenhum de nós aqui a conhece tão bem quanto você.

Arrependeu-se no instante mesmo em que falou, mas Vinício não pareceu importar-se com o comentário maldoso.

– Não a culpo por tentar defender Marisa, Lídia. Você também foi enganada, assim como eu fui.

– Será que você não percebe que isso não faz sentido? Marisa o ama, não faria uma acusação dessas.

– Ela não me ama. Acho mesmo que nunca me amou.

De forma sucinta, Vinício narrou a Lídia toda a conversa que tivera com Sandra. A cada palavra, Lídia ia franzindo a testa e, quando ele terminou, falou convicta:

– Não acredito em uma única palavra do que Sandra disse. Ela é uma despeitada e está tentando envenená-lo contra Marisa. E você é muito tolo de acreditar.

– Não é verdade. Ela mesma me sugeriu que fosse esclarecer tudo com Marisa.

– E por que não faz isso?

– Para quê? Para ouvir de seus próprios lábios que deixou de me amar quando papai atirou em *seu* João? Que não me perdoa porque meu pai é um homem mau, que atirou de propósito no pai dela por um motivo mesquinho e torpe? Não, Lídia, não preciso passar por isso.

– Você é mesmo um idiota! Será que não percebe o que Sandra está fazendo?

– Ela está apenas tentando ser minha amiga.

– E a amizade que ela dizia ter por Marisa? Será que já acabou?

– A amizade não a tornou cega. Sandra está vendo o que Marisa faz e não concorda.

– Imagino que não. Sandra é uma mentirosa. Como é que você pode ser tão burro?

– Pare de me ofender, Lídia, ou não lhe direi mais nada. Vim avisá-la apenas para que você também não seja mais enganada por Marisa.

– Não entendo você, Vinício. Dizia-se tão apaixonado por Marisa e, no entanto, não hesita em acreditar na primeira mentira que aquela mulherzinha invejosa e à-toa inventa de sua noiva. Onde está o amor que você dizia sentir por ela?

– É ela que não me ama. Deixou que o amor fosse sufocado pelo ódio que sente por papai.

– Sabe o que eu acho, Vinício? Acho que você gosta mesmo é da Sandra. Sempre gostou.

– Não é verdade. Eu amava Marisa, mas foi ela quem escolheu mentir para mim.

– Sabe de uma coisa? É você quem mente para si mesmo. Você e aquela víbora. Por que não assume o que realmente sente? Se gosta de Sandra, por que não é honesto consigo mesmo?

– Não gosto de Sandra...

– Se não gostasse, não daria tanto crédito ao que ela diz. Nem ligaria para ela. Mas não. É Sandra isso, Sandra aquilo. O que há? O que é que Sandra tem que o impressiona tanto? Só você não nota o fascínio que ela exerce sobre você. Por quê? Foi porque dormiu com você? E daí? Com quantas mulheres você já dormiu antes? Ou será que ela tem algo de especial e você, com o seu preconceito, não consegue aceitá-la e, por isso, escolheu ficar com Marisa?

– Isso não lhe interessa, Lídia. Não é assunto para você.

– Se você vem me procurar fazendo acusações a Marisa com base nas afirmações de Sandra, é problema meu sim. Se não fosse, não deveria ter-me dito nada.

– Estou apenas tentando alertá-la, nada mais.

– Quem precisa de alerta é você. Sandra o está usando, só você é que não vê.

– Pense como quiser – rebateu em tom agressivo. – Não preciso lhe dar satisfações nem justificar o que faço.

– É claro que não. Mas devia justificar-se para si mesmo. Está se enganando, dizendo que ama Marisa quando, no fundo, está fascinado por Sandra. É exatamente isso o que sente por ela, um fascínio que o está consumindo. Não se iluda, Vinício, isso não é amor.

– Está errada, Lídia. Gosto de Sandra como amiga. Amava Marisa e queria casar-me com ela, e foi ela quem inventou desculpas para me afastar. Sandra não tem culpa de nada, apenas quis alertar-me.

– Muito generosa, não é mesmo?

– Não precisa ser sarcástica. Sei que não gosta de Sandra, mas isso não lhe dá o direito de duvidar de tudo o que ela diz.

– Bom, conhecendo Marisa e Sandra, fico com Marisa. É mais digna e mais honesta.

– Diz isso só porque Sandra é uma mulher bonita e liberal. Está com inveja.

– Inveja, eu? Era só o que me faltava! Inveja de uma vagabunda.

– Pense como quiser, Lídia, mas depois não diga que não avisei.

– Não preciso disso, meu irmão. Eu mesma vou procurar Marisa e tirarei essa história a limpo.

– Cuidado para não se machucar.

– Marisa não pode me machucar mais do que você está me machucando agora.

– Sinto muito... não queria magoá-la. Pensei que estivesse falando para o seu bem.

Lídia não respondeu. Lançou-lhe um olhar frio e se levantou, tomando o caminho de casa. Não acreditava em uma palavra do que Sandra dissera. Ela estava tentando afastar Marisa e Vinício de vez, aproveitando-se da fragilidade de ambos naquele momento. Duvidava muito que Marisa tivesse dito qualquer coisa semelhante ao que Vinício lhe contara. Só ele era tolo o suficiente para acreditar.

Somente Vinício não conseguia enxergar. Deixara-se cobrir pelo véu do fascínio, que lhe aquecia o desejo e esfriava o coração. Vinício estava deixando-se levar pelo ardor do sexo, que lhe entorpecia a razão e os sentimentos. O desejo e a atração que sentia por Sandra eram tão fortes que ele não conseguia ver ou dar ouvidos à voz da razão.

E o pior era que estava iludindo-se, tentando convencer-se a si mesmo de que não sentia nada por Sandra e que só amava Marisa. Não conseguia assumir o que sentia, fosse amor ou paixão, e insistia em dizer coisas que não refletiam o que ia no seu coração. Era por tudo isso que acreditava em tudo o que Sandra dizia, porque o desejo que explodia em seu íntimo o impulsionava na direção do sexo, e não do amor.

23

Ao abrir a porta do quarto do hospital, Marisa sentiu a aura de tristeza que vinha lá de dentro. O pai estava recostado na cama, de olhos cerrados, e a mãe, a seu lado, parecia orar baixinho. Marisa se comoveu. Jamais, em toda a sua vida, vira ou ouvira seus pais rezando. Entrou na ponta dos pés e se postou atrás dela, à espera de que terminasse. Assim que Antônia acabou de rezar, João abriu os olhos e duas grossas lágrimas lhe escorreram pela face, ao avistar Marisa de pé, atrás da mãe. Não conseguiu falar. A emoção o dominava por completo, e ele chorou de felicidade. Antônia também estava comovida. Fora procurar a filha sem muita esperança, e agora ali estava ela, com o olhar sereno e úmido, fitando-os com seu antigo e conhecido jeito de amor.

– Minha filha! – falou emocionada. – Não sabe a alegria que nos dá vê-la aqui.

– Tive que vir. É o meu pai que está nessa cama...

A voz embargada pela emoção, Marisa não conseguiu terminar e prorrompeu num pranto sentido. A mãe a abraçou com ternura, chorando também, amparando seu corpo sacudido pelos soluços. Alisou seus cabelos e pacientemente esperou até que ela se acalmasse. Sentindo as mãos suaves da mãe sobre a sua cabeça, Marisa se perguntou como é que pudera duvidar de que ela a amava. Aos pouquinhos, os soluços foram acalmando-se, e Marisa conseguiu desgrudar-se da mãe. Enxugou os olhos e tentou sorrir, virando-se para o pai em seguida.

Deitado sobre a cama, João também chorava, as mãos postas diante dos lábios como que em oração. Marisa aproximou-se e colocou suas mãos sobre as dele. Afastou-as por uns minutos e permaneceu acariciando-as, beijando-lhe as palmas em seguida.

– Pai... – balbuciou, a voz carregada de emoção. – Perdoe-me...

Encostou as mãos dele em seus olhos e chorou de mansinho. João retirou uma das mãos com cuidado e afagou sua cabeça, e novamente Marisa sentiu que jamais poderia ter duvidado de tanto amor. João ficou alguns segundos acariciando-a, organizando os pensamentos para poder falar. Finalmente, reuniu forças suficientes e disse emocionado:

– Sou eu quem deve pedir-lhe perdão, minha filha. Quem falhou com você, e com sua mãe, fui eu, e mais ninguém.

– Não... jamais deveria tê-lo renegado como pai...

– Não se culpe, Marisa, jamais se culpe de nada! Você é a única pessoa no mundo que não tem culpa de nada. Fui eu que errei. Matei... – engoliu em seco, mas continuou: – Matei, sim... só Deus sabe quantas pessoas matei... homens, mulheres, crianças... muitos morreram pela boca do meu trabuco...

Teve que parar de falar, corroído de remorso e de dor.

– *Sh...!* João... – Antônia procurou sossegá-lo. – Não tem que falar nisso agora.

– Não, Antônia, ela precisa saber. Precisa conhecer o homem que foi seu pai.

– Já sei de tudo – contrapôs Marisa. – Já me contaram tudo.

João a interrompeu com um gesto trêmulo. Precisava desafogar o peito, senão morreria carregando a mágoa de todos aqueles anos. Sentia-se fraco e temia não ter outra oportunidade. Quando falava, seu peito doía, e ele pensava que não conseguiria mais respirar. Fez uma oração singela, pedindo forças para poder terminar, e, imediatamente, Mateus se acercou dele. Fez como que uma transfusão de energias revigorantes, e João conseguiu falar.

– Não lhe contaram o principal. Não lhe contaram o quanto eu a amei desde o primeiro momento em que a vi naquele berço, os braços estendidos, berrando de desespero e susto. Não lhe contaram que não tive coragem de matá-la, não por piedade ou medo, mas por amor. Sim, Marisa, por mais que possa parecer-lhe impossível, foi naquele momento que descobri que também era capaz de amar.

– Pai... não precisa relembrar o passado.

– Não, eu quero, é importante. Por favor, deixe-me terminar. Deixe que alivie minha alma e meu coração. Não falar de meus crimes não vai fazer com que desapareçam. Hoje, Marisa, depois de quase dezenove anos, posso dizer que me arrependi. Se tivesse que começar tudo de novo, jamais escolheria o caminho do crime. Teria sido mais um lavrador morto de fome no sertão, mas não iria matar. Só agora consigo compreender que ninguém tem o direito de matar. Mas naquela época, eu não pensava assim. Queria uma vida fácil e que me desse um bom dinheiro. Conheci o coronel Agostinho, e a oportunidade surgiu. Eu sempre fui um homem violento, gostava de matar. Sinto muito se a decepciono, Marisa, mas eu gostava de matar, e foi por esse motivo também que escolhi aquela vida. Ia ganhar dinheiro com o prazer de matar – deu uma parada, respirou fundo e continuou: – Mas aí, aconteceu uma coisa estranha. Fui encarregado de matar Zé Mario e Edilene. Sabe quem são?

– Não.

– Seus pais verdadeiros.

Ela teve um sobressalto. Era a primeira vez que ouvia os nomes de seus pais biológicos.

– Ninguém nunca me disse como se chamavam – retrucou Marisa, pausadamente.

– Eram a família Santos Fonseca. Zé Mário e Edilene dos Santos Fonseca, um casal retraído e discreto, vivia para arar a terra. Só que a terra de Zé Mário interessava coronel Agostinho. Era grande, fértil e possuía uma nascente muito boa. Coronel Agostinho quis comprar, mas Zé Mário não quis vender. O que faria com o dinheiro? Não sabia fazer outra coisa, a não ser arar a terra. Por esse motivo, não vendeu. Coronel Agostinho insistiu, ameaçou, mas não houve jeito. Zé Mário não vendia. Um dia, coronel Agostinho não agüentou mais. Mandou que eu fosse à casa do homem fazer o serviço. Sabia-se que a mulher havia tido criança por aqueles dias, mas era preciso eliminar todo mundo, para que a terra fosse vendida a preço de banana. A irmã de Zé Mário, a quem caberiam as terras por herança, não hesitaria em vendê-las por qualquer valor. Pois bem, fiz como ele me mandou. Numa noite escura, parti rumo à casa de Zé Mário e os matei, a ele e a mulher. Não me peça para descrever como fiz isso, porque é muito doloroso. Já não gosto mais de relembrar esses feitos, embora essas lembranças não saiam da minha cabeça.

Fez uma pausa e enxugou os olhos, já vermelhos de tanto chorar. Antônia permanecia a seu lado, de cabeça baixa, chorando ante aquela confissão tenebrosa. Marisa também chorava muito. Ficava imaginando a cena em que os pais verdadeiros eram mortos por um jagunço impiedoso, mas o mais engraçado era que aquele jagunço não tinha rosto. Imaginava um homem imenso e forte, mas não conseguia divisar-lhe as feições. Só o que sabia é que não tinha a fisionomia de seu pai. Aquele jagunço de dezoito anos atrás era alguém que ela não conhecia, era outra pessoa, um homem sem rosto... não era seu pai.

– E depois? – murmurou ela, entre um soluço e outro. – O que aconteceu depois?

– Depois? – ele fixou os olhos no vazio e estreitou os lábios, remoendo a dor da recordação. – Depois, era a sua vez. Coronel Agostinho fora claro comigo: era preciso matar todo mundo, inclusive a criança. Não deveria ser difícil para mim, já havia matado muitas crianças. Mas o fato é que não consegui. Mirei seu corpinho várias vezes, mas minhas mãos começaram a tremer. Não pude atirar. Pensei no quanto queríamos ter filhos, Antônia e eu, e fiquei imaginando se Deus não estaria me punindo por matar os filhos dos outros. Por esse motivo não tinha os meus. Eu não tinha direito, não merecia...

– Mas então... você só não me matou porque queria um filho... foi isso?

– Eu não queria um filho. Eu queria você. Eu poderia ter tido qualquer filho que desejasse. Já havia visto muitos bebês feito você e nunca nenhum deles me impressionou. Mas com você, foi diferente. Ao ouvir o seu choro, senti vontade de estreitá-la em meu peito, de protegê-la, de acariciá-la. Nem sabia se você era menino ou menina, nem pensei nisso. Eu estava completamente hipnotizado por você, não conseguia desviar os olhos de você, lutando comigo mesmo entre cumprir o meu dever ou salvar a sua vida. O amor falou mais alto. Vendo você naquele bercinho, senti que não poderia mesmo matá-la, porque você já havia entrado em meu coração. Quando poupei a sua vida, não o fiz por piedade, compaixão ou arrependimento. Fi-lo por amor, porque senti que jamais poderia amar alguém como amava aquele serzinho desconhecido que via pela primeira vez. Salvei a sua vida porque senti que era uma parte de mim que estava salvando. Só Deus sabe o quanto a amei naquele momento.

Marisa já havia escutado aquela história praticamente como João estava contando. No entanto, ouvi-la dos lábios do pai era algo comovente e, ao mesmo tempo, assustador. Ela estava diante de um homem que sempre julgara inofensivo, ingênuo e até meio bobo. Contudo, esse mesmo homem não era nada do que ela pensava. Era agressivo, cruel e sanguinário. Não, aquele homem fora, um dia, agressivo, cruel e sanguinário. Hoje era apenas seu pai.

– Muitas vezes fiquei imaginando por que você teve que fazer o que fez – argumentou Marisa. – Desde que conheci a verdade, questionei-me sobre o seu amor e o de mamãe, julgando-me uma infeliz por ter sido tirada da casa de meus pais, mortos pela sua fúria. Não posso dizer que não os odiei. Por vários momentos, odiei-os tanto que pensei que fosse capaz de matá-los. Mas depois, refleti. Imaginei a minha vida com e sem vocês e consegui tirar uma conclusão.

Fez um minuto de silêncio, olhando do pai para a mãe por diversas vezes.

– Qual foi? – quis saber Antônia, ansiosa.

– Não posso dizer que concordo com o que vocês fizeram. Foi errado, foi criminoso. Matar, seqüestrar, ser cúmplice. Mas aprendi que não concordar não significa ter que odiar. Não tenho que odiar vocês para discordar de seus erros. Tampouco tenho que compactuar com eles para ter o direito de amá-los. Hoje compreendo que posso amá-los sem ser conivente com as suas atitudes e, mesmo me opondo a elas, posso compreendê-los e aceitá-los do jeito que vocês foram, porque compreendo que só fizeram aquilo que podiam fazer.

Apesar de tudo, o amor falou mais alto também em meu coração, e os crimes que ambos cometeram não possuem força suficiente para sepultar o amor que vocês mesmos plantaram em mim.

– Quer dizer então que nos perdoa? – tornou Antônia, aflita.

– Sim – respondeu Marisa, mal conseguindo conter a emoção.

– Perdoe somente a mim – objetou João, tentando segurar as lágrimas –, pois sua mãe nada fez de errado.

– João...

– É verdade, Antônia. Marisa precisa saber. Sua mãe sempre foi uma mulher maravilhosa, e o único pecado de que pode ser acusada é de ter amado o homem errado.

– Não diga isso, João...

– Digo sim. Quando voltei para casa com você nos braços, Marisa, sua mãe não sabia de nada. Disse que a havia tirado de um incêndio. Só mais tarde foi que lhe contei a verdade.

– Não precisa mentir por mim, João. Embora eu não soubesse o que seu pai realmente fazia, Marisa, acho que sempre desconfiei, mas preferi calar-me. A verdade era por demais dolorosa para ser conhecida e, para mim, mais valia permanecer na ignorância, fingindo que seu pai era o marido perfeito. Depois, quando descobri a vida de crimes que ele levava, continuei calada. Eu o amava tanto quanto o amo ainda hoje e não queria arriscar-me a perdê-lo. E depois, ele me jurou nunca mais matar, e foi o que fez. Durante quase dezenove anos, vivemos em paz, até que...

– Até que o dr. Conrado veio para cá, não foi?

– Sim, minha filha. Quando soubemos quem ele era, ficamos muito assustados.

– Foi por esse motivo que tentou matá-lo, não foi, papai? Para que ele não o reconhecesse?

– Foi... – sussurrou. – Não sabe o quanto me arrependo. Mas eu fiquei desesperado. Ele era o único homem que me podia reconhecer. Quando você começou a namorar o filho dele, quase enlouqueci. Tive medo de perder você, Marisa. Agi movido pelo desespero, não por ódio ou vingança.

– Por que não me contou tudo, pai? Eu teria dado um jeito.

– Você nos teria odiado, a mim e a sua mãe. Eu jamais poderia suportar o seu ódio. Quando a verdade veio à tona, tive medo de nunca mais tornar a vê-la. Foi só então que percebi que nada na vida vale mais do que o amor. Foi na iminência de perdê-lo que aprendi o quanto de valor ele tem. E isso me fez modificar-me. Foi graças ao seu amor, Marisa, que consegui finalmente compreender que eu não sou Deus para matar.

Marisa abraçou o pai com emoção e acariciou-lhe a face. Em seguida, estendeu a mão para a mãe, e os três se envolveram num abraço mágico de amor. Enxugou os olhos e falou com carinho:

– Se não se importar, mamãe, quero voltar para casa amanhã.

– Amanhã? – repreendeu Antônia, mal contendo a alegria e a excitação. – Pensei que fosse voltar hoje mesmo.

– Quero primeiro agradecer a d. Albertina. Ela foi muito boa comigo, ajudou-me muito com suas palavras sábias e amigas. Espero-a chegar à noite, despeço-me dela e amanhã, bem cedo, volto para casa.

– Fico muito feliz com essa notícia – falou João. – Sua mãe vai precisar muito de você. Agora, mais do que nunca.

– Como assim, pai?

– Não nos enganemos, minha filha. Mesmo que eu saia desse hospital, não estarei livre para voltar para casa com vocês. Está na hora de acertar as contas com a justiça. Terei que responder pelos meus crimes e duvido que me livre da cadeia.

– Vamos arranjar um bom advogado, pai.

– Nenhum advogado no mundo vai conseguir absolver-me, minha filha. Tenho consciência do que fiz e não vou mais mentir para tentar salvar-me. Se esse é o preço que terei que pagar à justiça do homem, estou pronto para ser punido.

Marisa e Antônia se entreolharam com tristeza, e a moça indagou curiosa:

– E mamãe? Vai ser acusada também?

– Ninguém tem nada contra sua mãe.

– Fui cúmplice num seqüestro...

– Ninguém precisa saber disso. Para todos os efeitos, diga-lhes o que lhe disse a princípio: que salvei Marisa de um incêndio e fugi com ela por medo da sanha de coronel Agostinho.

De olhos baixos, sem coragem de encarar Marisa, Antônia confessou:

– Ia acobertá-lo no assassinato do dr. Conrado. Seria sua cúmplice também...

– Você não tem nada a ver com isso! Fui sozinho à casa do dr. Conrado, e ninguém poderá acusá-la de nada.

– Por favor, papai, não falemos mais nisso – implorou Marisa. – Não importa mais.

João silenciou. Durante o resto do dia, Marisa permaneceu com os pais. Não queria afastar-se do leito de João, com medo de que ele morresse quando estivesse ausente. Ele parecia bem. Inexplicavelmente, tivera uma melhora e não sentia muita dor, o que levou Antônia a ter uma pontinha de esperança. Talvez ela estivesse enganada, e ele se recuperasse afinal. Quem poderia saber? Somente Deus saberia.

Pensando em Deus, convidou Marisa para acompanhá-los em suas orações. A moça se sentou ao lado do pai, segurou a sua mão e a da mãe e se entregou às palavras que ela, calmamente, ia recitando. Sentiu uma paz inexplicável. Era como se algo ou alguém estivesse derramando uma chuva suave e refrescante sobre eles. Por uns instantes, pensou ter visto um raiozinho de luz partindo da janela, mas achou que estava imaginando coisas. De qualquer sorte, aquela prece tivera um resultado poderoso, e agora ela compreendia de onde provinham o bem-estar e a coragem que os pais haviam adquirido. Tinham-se reencontrado com Deus.

***

Quando Marisa voltou para a casa de Sandra, contou a ela e Albertina tudo o que havia acontecido entre ela e seus pais. A velha senhora ficou muito satisfeita com a atitude de Marisa e parabenizou-a, não só porque havia conseguido perdoá-los, mas, principalmente, por ter tido a coragem de assumir esse perdão.

– Muitas vezes o orgulho nos impede de seguirmos o nosso coração – disse ela, afagando a mão de Marisa. – Temos vontade de tomar certas atitudes, mas o danado do orgulho nos impede, chamando-nos de tolos e de covardes. Mas eu acho que é preciso muita coragem para deixar de lado a altivez daninha e nos enfrentarmos a nós mesmos, porque o orgulho, sozinho, ocupa grande parte da nossa personalidade.

– Não havia pensado nisso, d. Albertina – retrucou Marisa, refletindo sobre as palavras dela. – Mas acho que é uma verdade. No fundo, no fundo, damos muitas desculpas em nome do orgulho e sentimos orgulho de procedermos assim. Não é engraçado?

– Isso tudo é falta de amor, minha filha. No dia em que realmente aprendermos o real significado do amor, aí sim, estaremos prontos para nos libertar do orgulho e de tantos outros sentimentos difíceis.

– Talvez precisemos ainda aprender a amar. Acho que só conhecemos o amor egoísta, que tudo pede e nada dá em troca.

– O amor é um só, Marisa. Nós é que não entendemos muito bem o que é amar e costumamos ter uma visão meio distorcida do amor. Acho que nós só conseguimos ver o amor desse jeito porque temos uma percepção muito limitada da vida. Por tudo isso é que costumamos dividir o amor. Amor aos pais, aos filhos, aos amigos.

– E não é assim? Não são formas diferentes de amar?

– Acho que essa é a forma como vivenciamos as coisas, talvez porque precisemos experienciar vários momentos da vida para conseguirmos entender essa coisa única que é o amor. O amor não se divide. Ele é um só, embora se manifeste sob várias formas, e, aí sim, vem essa classificação: amor de mãe, de filho, de amigo etc. Mas tudo é a revelação de uma mesma verdade, que é única. Talvez seja para isso que estejamos aqui, para aprender a amar. Desde as formas mais rudimentares de amor até a mais sublime, vamos aprendendo a conquistar esse sentimento. Devemos respeitar e compreender aqueles que aparentemente não conseguem amar. Porque, lá no fundo, o amor está presente – olhou de soslaio para Sandra e prosseguiu: – Ainda que seja apenas pelo seu cachorro, pela árvore no quintal ou até por si mesmo. Dessa pequenina semente é que se vai desenvolvendo o amor.

– Acha mesmo, d. Albertina, que todo ser humano é capaz de amar? Mesmo os mais empedernidos?

– Penso que o amor é o sentimento natural do ser humano, e é em direção a ele que todos estamos caminhando. Pode até ser que nos tenhamos distanciado dele em algum momento de nossas vidas, mas isso é porque fomos criados ignorantes e tivemos que aprender sozinhos, e os prazeres transitórios do mundo costumam ser bem mais atraentes, você não acha? Aos pouquinhos, porém, depois de alguns tropeços, de várias tentativas, erros e acertos, vamos aprendendo e integrando dentro de nós as várias facetas do amor. Primeiro, só aprendi a amar a mim mesmo. Depois, comecei a vislumbrar o outro e passei ao amor apaixonado. Depois, tive filhos e compreendi o que é o amor materno. No meio de tudo isso, senti amor pelas plantas, pelos animais ou até mesmo pelo trabalho. Não importa. É vivenciando todas essas experiências que vamos levando para nossas essências esses pedacinhos do que é o amor, para podermos integrá-lo em uma coisa única e maior. Até chegar o dia em que compreenderemos o que é o amor universal, que é o amor sem apegos, sem preconceitos, sem preferências, sem ciúmes. E, quando tivermos que fechar o ciclo de nossas existências, já teremos apreendido tudo isso e estaremos então aptos a vivenciar em nós a integralidade desse sentimento.

Marisa parecia maravilhada, mas, antes que pudesse dizer alguma coisa, escutaram um bocejo desdenhoso do outro lado da sala, e Sandra zombou com ar de pouco caso:

– Que conversa mais chata essa de vocês, hein? Será que você não tem um assunto mais interessante não, mãe? Marisa já deve estar aborrecida com essa baboseira toda de amor.

Albertina lançou à filha um olhar de censura e tristeza, mas não disse nada. Por mais que se esforçasse, Sandra não se interessava pelas verdades do espírito.

– Não seja grosseira, Sandra – repreendeu Marisa. – Sua mãe tem uma conversa muito agradável.

– Para d. Marocas, pode ser, mas para mim é uma chatice piegas e cansativa.

– Isso é porque você não se interessa por nada que não seja dinheiro ou posição social – objetou Albertina, finalmente.

Sandra sentiu o rosto corar e encarou a mãe com uma certa vergonha.

– Penso apenas em nos tirar dessa situação – esclareceu em tom de desculpa.

– Que situação? Podemos não ser ricas, mas não temos do que nos queixar. Dona Marocas é muito boa conosco, principalmente com você. Foi graças a ela que você estudou e se formou. Devia ser mais agradecida.

– Eu sei, mãe, não me tome por ingrata. Reconheço o que ela tem feito por nós, mas também não é de graça como parece. Também cobra a sua parte, fazendo você trabalhar feito uma escrava.

– Isso não é verdade. Dona Marocas é uma boa patroa e sempre me dá um dinheirinho extra. Manda tecidos para fazer roupas para você e sempre se interessou pela sua educação. Quem você acha que lhe comprou todos os livros da escola? Ela tem sido uma boa madrinha para você todos esses anos, desde que seu pai morreu.

– Não estou questionando isso, mas não é porque ela me ajudou que não posso desejar uma vida melhor.

– O que não pode é ser mal-agradecida.

– Desculpe.

Sentindo o rosto arder, Sandra encerrou a discussão e se retirou para o quarto. Sabia que a mãe estava certa, mas não se conformava. Era uma mulher bonita e inteligente, merecia uma vida melhor do que aquela. Não que não gostasse da madrinha. Reconhecia o bem que d. Marocas lhe fizera, mas achava que ela sugava tudo o que podia de sua mãe. Não precisava fazê-la trabalhar tanto. E depois, a mãe também já estava precisando descansar. Se fazia o que fazia, não era apenas pensando nela, mas na mãe também. Queria dar-lhe uma velhice tranqüila, sem que ela precisasse se matar.

Pouco depois, Marisa entrou no quarto e foi sentar-se junto a ela.

– Por que trata sua mãe desse jeito? – indagou, procurando não emprestar à voz um tom de cobrança ou recriminação.

– De que jeito? Não a trato de jeito nenhum.

– Ela sempre fez tudo por você, Sandra. Não podia ser mais agradecida?

– Você também acha que sou mal-agradecida? Não precisa responder, já vi que acha. Pois está enganada. Você e ela estão erradas. Pode não parecer, Marisa, mas amo muito minha mãe e quero ajudá-la a sair dessa vida também. Será que é errado querer ter uma vida melhor?

– Não, Sandra, mas nem sempre aquilo que desejamos é o melhor para nós ou é o que merecemos. Pode ser que, para você, o melhor da vida seja esforçar-se para viver.

– Deus me livre! Vire essa boca para lá! Se isso é o melhor que a vida pode me dar, então é melhor não me dar nada. Pode deixar que eu mesma vou cavar o meu destino, mesmo que seja contra tudo e contra todas as expectativas do mundo!

Marisa suspirou e retrucou sem muita convicção:

– Você é quem sabe. Só tome cuidado para não se machucar depois. O que a vida não dá não é adquirido por direito.

– Você agora deu para filosofar, é? – Marisa sorriu, e Sandra mudou de assunto: – A propósito, sabe quem esteve aqui hoje procurando você?

– Quem?

– A Lídia.

– Ah!

– E o Vinício também.

– Foi? E o que ele queria?

– Veio atrás da irmã. Lídia queria muito falar com você, mas parece que Vinício não aprovou a idéia. Quando ela chegou, você já havia saído, e ela foi embora. Pouco depois, ele apareceu, mas ela também já havia ido.

– O que você quis dizer com não aprovou a idéia? Ele lhe disse alguma coisa?

– Para que quer saber?

– Acho que tenho o direito de saber, não tenho?

– Não sei se lhe fará bem.

– Por que não? Se ele falou algo de mim, quero saber. O que foi?

– Tem certeza de que quer que lhe conte? Não vai ficar triste depois?

– Não vou. Por favor, Sandra, conte-me. Afinal, foi você quem começou, falando que ele havia vindo aqui atrás de Lídia. O que ele queria de verdade?

– De verdade, de verdade, ele queria levar Lídia de volta para casa. Achou um absurdo ela querer falar com você depois do que você lhe havia dito.

– Ele lhe disse isso?

– Disse. Quando chegou e não encontrou nem Lídia, nem você, foi comigo que falou. Eu puxei assunto, e ele acabou confessando. Disse que ficou muito decepcionado com a sua reação e que não acha direito manterem nenhum tipo de relação com você, depois do que *seu* João fez.

– Não acredito!

– Pois foi verdade. Vinício está muito mudado. Creio mesmo que jamais o conhecemos. Nunca pensei que ele pudesse ser tão rancoroso. Depois de tudo o que lhe aconteceu, ainda ficou contra você.

– Ele está contra mim?

– Por causa do que o seu pai tentou fazer ao dr. Conrado. Disse que, não fosse a destreza do pai dele, *seu* João o teria matado, e que foi um covardia o seu pai, um homem forte feito um touro, investir contra pessoas dormindo indefesas.

– Não pode ser... Vinício não diria uma coisa dessas.

– Acha que estou mentindo?

– Não... mas talvez você tenha entendido mal.

– Se não acredita, pergunte a ele. Só tome cuidado para ele não a destratar, porque foi o que fez comigo.

– Ele destratou você?

– Disse que, se sou sua amiga, então é porque sou igual a você. Somos farinha do mesmo saco.

Ela abriu a boca, estarrecida, sem saber o que pensar. Aquelas palavras grosseiras não condiziam com o Vinício que ela conhecia, mas Sandra bem podia estar certa, e talvez ela nunca o tivesse conhecido de verdade. Afinal, ele mesmo deixara transparecer o seu rancor.

– Isso é um disparate! – protestou, sentindo o rosto afogueado pela raiva. – Nunca pensei que pudesse enganar-me tanto com uma pessoa.

– Também, o que você queria? Não terminou tudo com ele?

– Eu apenas fiz o que ele não tinha coragem de fazer. Não posso acreditar que o seu amor se tenha acabado.

– Não acredita em mágoas? Em ressentimentos?

– Tudo isso há de ser passageiro e se resolve quando se deixa o coração falar.

– Não foi você mesma quem disse que Vinício se deixou levar pelo ódio?

– Disse, mas não pensei que o seu ódio fosse tão grande que tornasse cego o seu coração.

– Pois parece que foi exatamente isso que aconteceu. Vinício se foi e parece que não vai mais voltar.

– Como é que você sabe?

– Foi ele quem falou. Disse que foi você quem escolheu terminar tudo com ele, e que realmente foi o melhor.

– Como ele pôde ter mudado tanto em tão pouco tempo?

– Ele disse que você abriu os olhos dele.

– Como assim?

– Foi você quem lhe mostrou que ele jamais poderia perdoar nem aceitar o seu pai depois de todo mal que fez à família dele.

Marisa escondeu o rosto entre as mãos e começou a chorar, despertando um pequeno remorso em Sandra. No entanto, seus propósitos eram firmes, e ela não podia voltar atrás. Não é que não gostasse de Marisa. É que o seu futuro importava muito mais, e Marisa não podia ser parte dele, justamente por ser ela o entrave.

Depois de algum tempo, Marisa enxugou os olhos e foi apanhar sua mala. Abriu a gaveta que Sandra lhe havia cedido e começou a arrumar suas roupas.

– Vou-me embora, Sandra – anunciou ela, enquanto dobrava os vestidos. – Volto para minha casa amanhã.

– Acho que é mesmo o melhor nesse momento. Agora que você e seus pais fizeram as pazes, sua mãe vai precisar de você.

– Sei disso. E eu preciso deles também. Preciso do amor que podem me dar.

– Se precisar de mim também, pode contar comigo. Sei que não é um amor igual ao deles, mas sou sua amiga.

Marisa sorriu e abraçou a outra, finalizando com uma certa amargura:

– Sei disso. Não esquecerei o que você e sua mãe fizeram por mim.

Depois de tudo arrumado, foram dormir. Deitada na cama de armar ao lado de Sandra, Marisa ia pensando em tudo o que lhe acontecera naquele dia. Foram muitos sentimentos misturados, muitas emoções com as quais ainda não sabia lidar. Contudo, de uma coisa tinha certeza: no dia seguinte, iria procurar Lídia e tirar aquela história a limpo. Não falaria com Vinício, com medo de ser repelida por ele, o que seria por demais doloroso. Romper o noivado com ele já fora difícil. Enfrentar o seu desprezo seria insuportável. Por tudo isso, tentaria Lídia primeiro. Sabia que ela ainda continuava sua amiga, do contrário, não teria ido procurá-la.

Sem que Marisa soubesse, em sua casa, Lídia pensava a mesma coisa. Mal podia esperar que o dia amanhecesse para sair à procura de Marisa. Aquela história que Vinício lhe contara não a convencera. Marisa também deveria estar iludida, o que era até natural. Ela e Sandra eram amigas de infância, e Marisa não sabia que Sandra já havia dormido com Vinício. Por isso, precisava procurá-la. Se ela realmente pensava tudo aquilo de Vinício, queria ouvir de sua própria boca.

24

Logo que o dia amanheceu, o telefone começou a tocar com insistência na casa de Sandra. Albertina já estava de pé e atendeu apressada, sentindo uma estranha opressão em seu peito. Do outro lado da linha, ouviu a voz aflita de Antônia:

– Alô? É d. Albertina quem fala?

– Sim.

– Desculpe-me ligar tão cedo, d. Albertina – interrompeu a fala com um soluço, para depois prosseguir num quase gemido: – Será que eu poderia falar com Marisa?

– Aguarde um instante, d. Antônia, que vou chamar.

Albertina largou o fone e correu a chamar Marisa. Não havia perguntado como estava João, porque, em seu íntimo, já sabia o que havia acontecido e não queria ser indiscreta nem provocar maiores comoções. Ela telefonara para dar a notícia à filha, e não era direito seu interferir. Tocou a menina com gentileza e informou-a de que a mãe estava ao telefone. Embora o coração de Marisa também lhe dissesse que o que ela mais temia acontecera, sua mente se recusava a acreditar no pior.

Apanhou o fone com pressa e falou com ansiedade:

– Alô? Mãe? O que houve? – o silêncio e o pranto de Antônia já diziam tudo, e Marisa começou a chorar. – Foi o papai? Ele...

Não conseguiu terminar a frase. Os soluços incontidos da mãe já o haviam feito por ela. Seu pai havia morrido, não havia mais dúvidas. Marisa desligou o telefone, e Albertina a abraçou, deixando que ela desse livre curso às lágrimas.

– Mãe... – chamou Sandra, que acabara de chegar, desperta pela movimentação no quarto. – O que foi que aconteceu, mãe?

Albertina olhou para ela e balançou a cabeça, mas foi Marisa quem respondeu:

– Meu pai morreu, Sandra. Minha mãe acabou de ligar.

– Vamos acompanhá-la até o hospital, querida – anunciou Albertina. – Sandra, ajude-a a aprontar-se.

Em silêncio, Sandra fez como a mãe lhe dizia. Levou Marisa para o quarto e ajudou-a a trocar-se. Depois, aprontou-se também. Quando as duas reapareceram na sala, Albertina já estava pronta. Havia acabado de telefonar para Marocas e fez sinal para que as moças a seguissem. Como ainda era muito cedo, não conseguiram encontrar um táxi e tiveram que ir de ônibus. Chegaram ao hospital mais tarde e foram direto para o quarto em que o pai estava. Encontraram Antônia do lado de fora, um lenço no nariz, olhos inchados de tanto chorar. Ao ver a filha, levantou-se de um salto e agarrou-se a ela, chorando copiosamente. Marisa também não agüentou e liberou o pranto. As duas ficaram assim por vários minutos, abraçadas uma à outra como se não houvesse mais ninguém no mundo além delas. Depois de muito tempo, Antônia falou:

– Ele morreu tranqüilo, Marisa, não sofreu.

– Parece até que estava me esperando para poder partir – tornou ela, a voz abafada pelos soluços. – Eu jamais teria perdoado a mim mesma se ele tivesse morrido sem que eu pudesse despedir-me.

– Tenha certeza de que você lhe proporcionou a maior alegria no final da sua vida. Era com o seu amor e o seu perdão que ele contava para poder partir.

– Por que, mãe? Por que, logo agora que ele estava disposto a se modificar, teve que morrer?

– Se ele continuasse vivo, seria preso, e não sei se seu pai agüentaria a vida na prisão.

Marisa não respondeu. Fechou os olhos e apertou os lábios, chorando nos braços da mãe.

– Será que há algo que possamos fazer? – perguntou Albertina, aproximando-se delas.

– A senhora já fez muito – respondeu Antônia, agradecida. – Cuidou de Marisa como se fosse sua filha.

– Marisa é um amor de moça.

Continuaram conversando, e Sandra as escutava sem nada dizer. Sentia-se penalizada com a dor de Marisa e de Antônia, mas não sabia o que falar para consolá-las. Sua mãe já se encarregara disso, e o melhor que tinha a fazer era calar-se. Ela e a mãe ficaram ao lado de Marisa e de Antônia durante todo o processo do sepultamento. Ajudaram-nas com os preparativos e avisaram algumas poucas pessoas conhecidas.

O enterro foi marcado para o mesmo dia, às cinco horas, mas ninguém compareceu. Além de Antônia e Marisa, apenas Albertina, Sandra e alguns dos criados estiveram presentes. Os poucos amigos que possuíam sequer telefonaram, provavelmente horrorizados com o passado negro de João e desejosos de não ter seus nomes ligados a um jagunço procurado e foragido.

Sem que elas percebessem, Sandra havia telefonado a Vinício e avisado à família dele. Queria parecer boazinha e achou que aquela seria a atitude mais de acordo com os laços de amizade que as uniam. A família de Conrado ficou consternada. Apesar do passado de João, não lhe queriam mal, e Conrado, na sua posição de magistrado, apenas achava que cumprira com a sua obrigação. João era um criminoso e devia ser punido pelos seus crimes. Contudo, não lhe guardaram rancor e até se condoeram com a situação de Marisa e de sua mãe.

Lídia queria ir ao enterro, mas foi desencorajada pelos pais. Malvina achou que não seria uma boa idéia, em vista das circunstâncias.

– Mas mãe – protestou Lídia –, preciso falar com ela. A senhora não faz idéia do que aquela Sandra andou inventando.

– Não é o momento, Lídia – objetou Malvina. – Marisa deve estar sofrendo muito e nem vai ter cabeça para isso.

– Ainda assim, sou amiga dela e queria dar-lhe meu apoio nesse momento difícil, mostrar-lhe que não lhe guardo mágoa ou rancor.

– Não sei se seria conveniente. Sua presença pode causar

mais dor do que conforto. Bem ou mal, foi o seu pai que matou o pai dela.

Embora não quisesse admitir, Lídia tinha que lhe dar razão. Estava muito ansiosa para falar com Marisa, mas precisava reconhecer quc talvcz aquele não fosse o melhor momento. Marisa podia inter pretar mal o seu interesse e se sentir ainda mais constrangida.

– Quando acha que poderei procurá-la?

– Espere um mês ou dois. Até lá, as coisas estarão mais calmas, e vocês poderão entender-se melhor.

Ao contrário do que Malvina dissera, a presença de Lídia teria feito enorme bem à Marisa, porque não há nada que possa abalar uma verdadeira amizade. Elas não compreendiam isso, e a ausência de Lídia pareceu a Marisa desinteresse e falta de afeto. Ainda assim, Lídia telefonou para lhe prestar condolências, embora sem tocar no nome de Vinício ou de Sandra. Depois desse dia, não telefonou mais. Queria dar um tempo para que a amiga se refizesse da dor e estivesse em condições de conversar sobre o ocorrido. Pretendia, não justificar a atitude do pai, mas reafirmar o valor de sua amizade, assegurando-lhe que estava acima de qualquer coisa, independente do que acontecera entre seus pais.

Naquele momento, porém, a única coisa que importava a Marisa era a mãe. Antônia estava sofrendo além do que ela esperava, e Marisa se preocupava em demasia, com medo de que ela acabasse morrendo também.

– Por favor, mãe – dizia ela –, tente reagir. Você tem que viver.

– Não precisa temer por mim, Marisa, porque não vou morrer como seu pai. Não agora, que você voltou para mim. Estou apenas triste, mas vai passar com o tempo.

– Nunca mais vou sair do seu lado, mãe, eu prometo.

– Não precisa deixar de viver por minha causa. Quero que você se case e seja feliz.

– Não sei se vou me casar – objetou Marisa, em tom de tristeza e revolta.

– Sei que você e Vinício romperam, mas isso passa.

– Não passa não, mãe. Não depois de tudo o que ele disse a meu respeito.

– O que foi que ele disse? Que não a ama mais?

– Dentre outras coisas. Ele não pôde perdoar papai.

– Agora que seu pai morreu, talvez as coisas mudem.

– Agora não me interessa mais. Aceitar-me somente depois que papai morreu só vem reafirmar a sua falta de amor.

Antônia suspirou e alisou os cabelos de Marisa, deitando sua cabeça em seu colo, como fazia desde quando ela era menina.

– Não quero que você sofra, minha filha, e seu pai também não gostaria.

– Vou superar, mãe, você vai ver.

– Por que não fazemos uma viagem? Creio que faria bem a nós duas.

– Uma viagem? Para onde?

– Pensei em alugarmos um chalé em São José dos Campos, como fazíamos quando você era pequena. Você sempre gostou de lá.

– Talvez seja uma boa idéia – assentiu mais animada. – Não temos mais nada que nos prenda aqui. Seria bom experimentarmos novos ares, onde ninguém nos conhece.

– É isso mesmo. Seu pai nos deixou muito bem, e já tratei um advogado para cuidar do inventário. Podemos vender tudo e aplicar o nosso dinheiro. Ele disse para comprarmos umas lojas para alugar, e teremos o suficiente até o fim de nossos dias.

Com a morte de João, seus muitos crimes haviam morrido com ele, ao menos no que dizia respeito à polícia e à justiça dos homens. Não havia por que ser aberto nenhum inquérito, e, como os negócios de João haviam sido erguidos com dinheiro que lhe pertencia, ninguém questionou mais nada. Se era dinheiro de crime ou se era dinheiro limpo, não interessava mais. O que interessava era que, enquanto morou no Rio de Janeiro, João sempre foi um homem honesto nos negócios e com o imposto de renda. Por tudo isso, não havia mais o que se investigar. Sua morte recebera uma breve notícia no jornal, nada de manchetes ou reportagens extraordinárias. Apenas uma notinha informando o falecimento do jagunço que atirara em um ministro do Supremo Tribunal Federal. Nada mais.

Marisa e a mãe, entretanto, não tinham interesse em prosseguir com os negócios. Nenhuma das duas entendia de materiais de construção, e Marisa não estava disposta a começar a aprender. Pensava em fazer faculdade de pedagogia mais tarde e montar um colégio. Assim teria com que ocupar o seu tempo, exercendo uma atividade necessária e útil. No momento, porém, não queria pensar em nada daquilo. Só o que queria era fugir de tantas lembranças.

Alugariam um pequeno chalé, onde permaneceriam por tempo indeterminado. Talvez até nem voltassem mais para o Rio de Janeiro. Marisa havia perdido o pai, Vinício não a queria mais, e até Lídia parecia haver se esquecido dela. Apenas Sandra e Albertina continuavam suas amigas. Marisa não podia ocultar uma pontinha de decepção. Lídia e Vinício eram pessoas importantes em sua vida, e ela lamentava muito a perda deles.

***

Quando João abriu os olhos, viu-se diante de um Kedar sarcástico e disposto a entregá-lo à malta de espíritos sedentos de vingança que se atropelavam atrás dele. Os espíritos gritavam e agitavam os punhos, xingando-o dos nomes mais tenebrosos e jurando infligir-lhe torturas que ele próprio jamais poderia imaginar. Sentiu um medo indescritível e tentou voltar para o corpo, mas não o encontrou mais. Sobre a cama em que ele jazera, apenas os lençóis amarfanhados davam mostras de que alguém estivera deitado ali.

– Não adianta procurar, porque seu corpo não está mais aí – anunciou Kedar.

– Por quê? – tornou assustado. – O que foi feito dele?

– Caso não saiba, levaram-no para o necrotério.

– Necrotério? Mas então, não estou sonhando de novo?

– Não, idiota, você está morto. Tão morto quanto eu ou eles.

Apontou para a súcia que se acotovelava atrás dele e soltou uma gargalhada histérica e irônica.

– O que eles estão fazendo aqui? – indagou João, cada vez mais aterrado.

– Não sabe? Eles vieram esperá-lo para dar-lhe as boas-vindas.

– Boas-vindas a quê?

– Boas-vindas ao nosso mundo, paspalho!

– Ao seu mundo?

– Ao meu não, ao nosso. Caso ainda não tenha percebido, esse mundo de sombras agora é seu também.

– Meu? Não... não quero.

– Não quer? E quem falou que você tem escolha? Você já está nele, imbecil, não tem para onde fugir.

– Mas... enquanto estava doente, conheci um outro espírito. Era bom, era iluminado. Onde está ele?

– Não me vá dizer que achou que algum dos espíritos branquinhos ia aparecer para levar você! Quanta ingenuidade! Você não merece essa gentileza do pessoal do lado de lá. Seu negócio é do lado de cá. Você não vai pegar o elevador para cima, vai cair direto no poço lá embaixo.

Esticou o dedo para baixo e riu novamente, deixando João cada vez mais apavorado.

– Por que está fazendo isso comigo, Kedar? Pensei que fôssemos amigos.

– Não tenho amigos traidores.

– Eu não o traí. Tentei fazer o que você me pediu, mas o homem foi mais rápido.

– Azar o seu. Agora, quem vai pagar é você.

– Não é justo, Kedar, sempre o servi com lealdade.

– No passado, pode ser. Mas o passado passou – ironizou –, e eu não sou homem de me prender a nostalgias.

– Não lhe comove a minha situação? Não se compadece de meu destino?

– Não. Por que deveria? Você alguma vez se compadeceu do destino de alguém?

– Estou muito arrependido. Hoje, não faria mais o que fiz dezoito anos atrás.

– Mais um motivo para entregar você a eles. Essa sua fraqueza mostra que você me traiu mesmo. Não matou o desgraçado do juizinho e ainda se regenerou. Quer mudar de lado agora, quer? Mas não vai. É um pouco tarde para isso, não acha? Se queria o perdão, devia tê-lo pedido há mais tempo. Agora, não dá. Dizer-se arrependido e pedir perdão só para ganhar o reino dos céus não adianta nada. Ninguém é trouxa por aqui, meu caro, nem por lá.

– Você não sabe o que está dizendo, Kedar. Não estou arrependido por medo de ir para o inferno, ou seja lá como você quer chamar. Estou arrependido porque meu coração não encontra mais prazer nas lembranças de tudo o que fiz. Estou arrependido porque hoje consigo enxergar o quanto me iludi com a impropriedade de meus atos.

– Que bonitinho! Impropriedade de seus atos? Essa agora é nova. Chama seus crimes de impropriedade? Que maneira de amenizar as coisas, hein? Quer diminuir o que fez? Você é um assassino, e assassinos não merecem perdão. Não enquanto não pagarem, tostão por tostão, por tudo aquilo que roubaram. Enquanto houver na treva uma só alma acusando você, Januário, não obterá perdão. Enquanto suas vítimas clamarem por vingança, você estará disponível aos seus ataques, e nada, ouviu bem, nada do que você fizer poderá livrá-lo disso!

Os espíritos, aglomerados atrás de Kedar e contidos pelas lanças de seus soldados, começaram a gritar e a urrar feito dementes, tentando empurrar seus contendores e avançar.

– Viu como estão ansiosos? – prosseguiu Kedar. – Mais um pouco e não conseguirei contê-los.

– Por favor – implorou João –, não deixe que eles me peguem.

– Não tenho nenhum motivo para não fazer isso. A não ser...

Contraiu os lábios num esgar fantasmagórico e soltou uma risada infernal, fazendo com que João se ajoelhasse no chão e tapasse os ouvidos.

– A não ser o quê? – retorquiu ele, em tom de súplica. – O que posso fazer para você me ajudar?

– Bom, acho que nem tudo está perdido. O traidor escapou, mas ainda podemos tentar alguma coisa.

– Que coisa? – indagou desconfiado.

– Hum... quem sabe não podemos atormentá-lo? Levá-lo à loucura? Ao suicídio?

– Não vai adiantar. Conrado é um homem íntegro e protegido da luz.

– Ah! Aí é que entra você. Soube que o espírito a que você se referiu há pouco é o mesmo que protege o traidor. Parece que se tornaram amigos...

– Não sei se nos tornamos amigos. Mateus é um espírito muito iluminado e tem-me ajudado bastante.

– Dá no mesmo, Januário. Para o que eu quero, vai servir.

– O que é que você quer?

João estava cada vez mais desconfiado, certo de que a mente doentia de Kedar estava preparando algo tenebroso e atroz. O espírito soltou mais uma de suas gargalhadas horrorosas e cravou em João os olhos frios.

– É o seguinte, meu velho. Você ludibria o tal Mateus, cola-se ao traidor e suga as suas energias. Depois, o induz à loucura e, finalmente, ao suicídio.

– Está louco. Pensa que Mateus iria permitir uma coisa dessas? Pois se nem você conseguiu aproximar-se de Conrado.

– Porque eu não sou amiguinho do otário lá de cima! – vociferou irado.

– Mateus não é nenhum otário. Pensa que ele não vai descobrir as minhas intenções? Acha mesmo que poderei enganá-lo? Se pensa assim, então o otário e o tolo é você. Mateus é muito mais poderoso do que eu, você ou qualquer um desses que você tem preso aí. Não se vai deixar enganar por mim, muito menos permitir que eu me aproxime de Conrado com intenções escusas.

Kedar fitou-o com tanta raiva que ele cambaleou e quase caiu.

– Pois então, pior para você! – rugiu colérico. – Se não quer tentar, enfrente sozinho os seus inimigos e veja se eles aceitam o seu perdão!

Havia muito medo e muita tristeza no olhar de João naquele momento. Estava apavorado ante a possibilidade de ser entregue àquela horda enfurecida, mas não podia fazer o que Kedar lhe pedia. Sabia que não conseguiria nem chegar perto de Conrado, mas não era por isso que se recusava. Podia muito bem aceitar aquele encargo e se comprometer a tentar, livrando-se daquele destino cruel. Mas algo dentro dele não permitia que aceitasse. Não era medo nem fraqueza. Era uma questão de princípios. O coração de João lhe dizia que aquilo não era certo, que não devia se entregar mais ao crime, ainda que desencarnado, que devia se esforçar para seguir o caminho do bem e da verdade. Ainda que isso lhe custasse a sanidade, não podia ceder às ameaças de Kedar. Preferia antes sucumbir nas garras de seus inimigos a infligir mais tormentos a qualquer pessoa.

– Lamento, Kedar – respondeu ele, sustentando o olhar de fúria do outro –, mas o que me pede é impossível. Conrado não é meu inimigo, nem qualquer desses que se encontra aí. Se quer entregar-me a eles, muito bem, estou pronto a aceitar o meu destino. Já tenho culpas demais a me atormentar e não preciso que você me impinja mais uma. De hoje em diante, quero diminuir minhas culpas, não acrescê-las de outras.

– Tolo – retrucou com desdém. – Deixou-se levar pela fala macia daquele espírito de luz. Se pensa que essa fé idiota, se é que isso é mesmo fé, vai livrá-lo dos tormentos que preparamos para você, está muito enganado. Continue pensando assim e vai ver aonde essa fé vai transportá-lo.

– Não me importo mais, Kedar. Mais valem os tormentos dos seus asseclas do que a tortura da minha consciência.

Apesar de suas palavras, João estava com medo. Podia imaginar o que o esperava e sentiu o corpo todo tremer. Lembrou-se da figura alva e acolhedora de Mateus e chamou por ele em silêncio. Não foi propriamente uma prece, mas uma súplica muda de seu coração.

Enquanto isso, Kedar dava ordens a seus soldados, que levantaram as lanças e deram um passo para o lado, deixando livre a malta enfurecida. Os espíritos, vendo-se fora da ameaça das lanças, a princípio não entenderam bem o que estava acontecendo, mas em breve se deram conta de que recebiam autorização de Kedar para avançar sobre João. O espírito mais à frente na fila deu um passo adiante, logo seguido pelos demais. Começaram então a se aproximar de João, com os dentes à mostra, as garras afiadas apontando ameaçadoramente para ele. João suava frio e tremia da cabeça aos pés, pensando em Mateus desesperadamente. Até que aconteceu...

De um canto escuro, uma pequenina luz começou a luzir e a se projetar sobre o ambiente, alcançando João e logo tocando os pés daqueles vultos de treva. A luz foi subindo por suas vestes imundas e maltrapilhas, alastrando-se por seus corpos, infiltrando-se ao redor e dentro deles, passando por suas cabeças e atingindo o teto. Os soldados, assustados, recuaram espavoridos, e Kedar arregalou os olhos, estarrecido, tentando entender o que estava se passando.

Em pouco tempo, todo o quarto se inundou de luz, e vários espíritos surgiram do meio daquela claridade branca. Primeiro apareceram soldados, mas, ao contrário dos de Kedar, vestiam-se de branco e também portavam lanças, no entanto, de suas pontas parecia que saíam pequeninos raios de uma luz transparente e quase imperceptível. Os soldados se postaram diante da turba e esperaram. Pouco depois, surgiram três outros espíritos, e João reconheceu, no primeiro, o amigo Mateus. Os outros dois, um homem e uma mulher, não conhecia.

Os espíritos, assustados com os soldados que apontavam lanças faiscantes para eles, começaram a retroceder. Alguns, mais empedernidos e furiosos, viraram as costas e correram, desaparecendo pela parede. Outros permaneceram estáticos, como se uma estranha força os paralisasse. Outros, ainda, atiraram-se de joelhos no chão e começaram a chorar, implorando que os levassem dali. Aos pouquinhos, mais espíritos de luz foram surgindo e acercando-se dos que ali estavam. Os que se haviam ajoelhado choravam muito e logo se agarraram àqueles que tentavam ajudá-los, e João percebeu que eram espíritos amigos que os haviam precedido na morte. Outros procuravam conversar, como se pedissem explicação para o que estava acontecendo. Esclarecidos sobre o auxílio, alguns pediam para ser levados ou aceitavam ser conduzidos. Outros recuavam e sumiam também. Até mesmo alguns guardas de Kedar arriscaram-se a pedir ajuda, sob o olhar furioso de seu mestre. Mas não havia nada que Kedar pudesse fazer. Também ele estava paralisado e não possuía poderes nem força para impedir seus soldados e prisioneiros de partir, muito menos os espíritos de luz de chegar.

João estava maravilhado. Por fim, todos os que quiseram partir já haviam partido, e os que não queriam tinham desaparecido. Apenas Kedar, João, Mateus e os outros dois espíritos ficaram no local, acompanhados de alguns poucos soldados que haviam permanecido para lhes garantir a segurança.

– Muito bem – falou Mateus sorridente. – Vejo que nosso trabalho aqui, hoje, foi dos mais proveitosos. Conseguimos auxiliar muitas almas.

Kedar mal podia acreditar no que ouvia e, no começo, não esboçou nenhuma reação. Parecia mesmo petrificado, tentando assimilar tudo o que havia presenciado na última hora. Olhou ao redor, procurando seus comandados, mas nenhum estava visível. Os que não haviam seguido com os emissários da luz tinham fugido esbaforidos, com medo de caírem prisioneiros dos soldados de lanças cristalinas.

– Vocês são uns intrometidos, atrevidos, desordeiros! – berrou Kedar do alto de sua arrogância, retornando de seu torpor. – Quem foi que os chamou aqui, hein?

– Diretamente, João nos chamou – esclareceu Mateus. – Indiretamente, todos aqueles que partiram e ainda alguns outros, que mais tarde nos seguirão.

– Devem ter adorado essa demonstração de superioridade e

poder, não é mesmo? – revidou Kedar, os olhos mais vermelhos chispando de ódio. – Quem lhes deu autorização para se intrometerem nos meus assuntos? Por acaso me intrometo nos seus? Já me viram por aí, aliciando seus protegidos a fim de convencê-los a me seguir? Não, eu respeito o direito de cada um. E vocês, que se dizem tão evoluídos, tão certinhos, tão disciplinadores, não souberam respeitar a minha autoridade e passaram por cima de mim como um trem desgovernado! Cadê o respeito de vocês, hein?

– Meu amigo, longe de nós nos intrometermos em seus assuntos, e não viemos aqui com nenhuma intenção de demonstrar superioridade ou poder. Tampouco queremos desrespeitar os seus direitos, e, se analisar bem, verá que quem não sabe o significado da palavra respeito é você. Quer impor a sua vontade e a sua autoridade, como você mesmo diz, pelo medo e pela ameaça, utilizando-se, você sim, da sua superioridade em força e do poder das sombras para incutir terror nesses infelizes. Se é seu direito atormentar espíritos já atormentados, é direito deles escapar do seu jugo, assim como é o nosso dever atender àqueles que nos chamam.

– Por que é que você sempre vem com esse seu joguinho de palavras, Mateus? Quem o investiu na qualidade de salvador dos fracos e oprimidos?

– Nem eu sou salvador, nem eles são fracos ou oprimidos. Sou apenas mais um trabalhador do invisível, e eles, espíritos comuns cansados de sofrer.

Kedar bateu palmas com vagar e pendurou aquele sorriso sarcástico nos lábios, para depois revidar em tom de zombaria:

– Lindo! Sublimes palavras! Parece até que ouço a voz dos anjos. Quanta cretinice! Por que não carrega umas vadias lá para cima e me deixa em paz?

Mateus já conhecia bem as palavras grosseiras de Kedar, que gostava de falar coisas obscenas e chulas, e respondeu com serenidade e equilíbrio:

– Estou mesmo de partida, Kedar, mas antes gostaria de saber algo de você.

– Vai mesmo embora? Que maravilha! – olhou para João, que permanecia calado, assustado demais para falar, e retrucou com ferocidade: – Não vai levar o jagunço, vai? Ele me pertence, temos contas a acertar.

– Ele não pertence a ninguém, senão a si mesmo. E contas, ele só tem a acertar com a sua própria consciência. Não deve nada a você nem a ninguém.

– Ah! Que gracinha! Agora ele virou bonzinho. Só falta você colocar uma hóstia na mão dele e mandá-lo rezar a missa.

– Por que, em vez de se ocupar com o que João fez, você não se preocupa com as suas próprias atitudes? Ou será que você é diferente dele ou dos demais e se acha apto a julgar e condenar segundo suas próprias leis?

– Agora você está entendendo, Mateus. As leis por aqui, sou eu mesmo que faço. E eu decretei que Januário tem que me pagar.

– Ele não lhe deve nada.

– Deve-me dezoito anos de proteção e abrigo! Quem o defendeu da horda de vingadores que queria destruí-lo? Você é que não foi.

– Você não defendeu ninguém, a não ser os seus próprios interesses mesquinhos. Protegeu-o com a única finalidade de utilizá-lo para matar Conrado.

– Ah! É, o seu queridinho Conrado. É um traidor!

– Por que pensa que é melhor do que ele ou qualquer outro? Será que não percebe a sua infelicidade?

– Não sou infeliz!

– Já respondeu à pergunta feita ao seu coração, Kedar?

– Que pergunta?

– Será que você é realmente feliz?

– Não me venha com essa ladainha de novo! Já disse que sou feliz, e pronto!

– Quantos amigos partilham dessa sua felicidade?

– Não preciso de amigos, não preciso de ninguém!

– Então, não há de se incomodar se João nos acompanhar. Ele

não é seu amigo, nem os outros que já partiram, e certamente, nenhum deles fará falta a você.

– Isso é diferente! Januário é meu prisioneiro!

– Sabe, Kedar, você é que é prisioneiro de si mesmo. Está preso ao medo da responsabilidade que terá que enfrentar ao admitir que não é feliz e que precisa modificar-se. É muito difícil proceder à reforma interior, e ninguém passa por esse processo sem se defrontar com a responsabilidade que tem de assumir por tudo aquilo que fez.

– Cale a boca! – berrou ele, afastando-se de Mateus e buscando o refúgio da escuridão. – E vá embora. Quer levar Januário com você? Pois o leve. Mas pare de me atormentar com essa sua conversa mole de espírito caridoso e compreensivo.

– Não sou propriamente caridoso, Kedar, apenas cumpro o meu dever com amor.

– Você é muito esperto, Mateus. Pensa que pode enganar-me com essa sua retórica de espírito de bem, mas não vou cair nessa, ouviu? Também tenho meu posto lá onde vivo, sou um espírito bem colocado e bem relacionado. Não preciso dos seus favores nem da sua generosidade. Muito menos do seu amor.

– Como quiser, meu caro, não estou aqui para me impor a ninguém. No entanto, quero que saiba que tem em mim um amigo. Quando quiser, pode me chamar. Estarei pronto a atendê-lo, assim como atendi, de imediato, ao chamado de João.

– Vá com ele. Não o quero mais por aqui mesmo. Ele é um vira-casaca e também me traiu, bandeando-se para o lado da luz. Não merece sequer o meu esforço de castigá-lo, muito menos a minha atenção. Vá! E faça dele o que bem quiser. Apenas tome cuidado para que ele não venha a atraiçoá-lo como fez a mim e aos tantos outros que matou.

João empalideceu e sentiu os lábios trêmulos. Quis revidar, mas os espíritos a seu lado não permitiram, fazendo sinal para que se calasse. João não os conhecia, mas algo em seus semblantes lhe pareceu familiar. Teriam sido alguém que matou? Impossível. Se tivessem sido suas vítimas, não estariam ali para ajudá-lo, mas sim para exigir-lhe vingança, assim como todos os outros.

A voz de Mateus chamou novamente a sua atenção:

– É o seu desejo que nós vamos embora, Kedar?

– Você sabe que é.

– Não gostaria de nos acompanhar?

– Jamais! Não sou traidor feito esse aí. Sou fiel a meus princípios e àqueles que me servem.

– Seja como quiser. Contudo, volto a afirmar que a minha proposta ainda está de pé. Quando desejar seguir-nos, basta chamar-nos.

Mateus sorriu para Kedar pela última vez e deu a mão a João, sumindo com ele no ar.

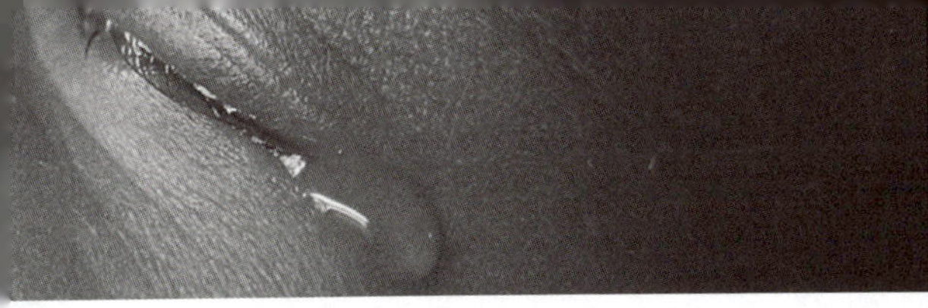

25

Um mês e meio já se havia passado desde a morte de João. Durante todo esse tempo, nem Lídia, nem Vinício, haviam ido procurar Marisa. A conselho de Malvina, Lídia se absteve até mesmo de telefonar, para que a lembrança do que Conrado fizera não aguçasse ainda mais a sua dor. Vinício, por sua vez, não se esquecia das mentiras que Sandra lhe contara, nas quais acreditara sem muito esforço.

Depois desse período, Lídia decidiu que já era hora de se falarem. Já se passara tempo suficiente para que Marisa acolhesse a sua visita e entendesse os seus propósitos. Afinal, eram amigas, e Marisa deveria saber que podia contar com todo o seu apoio. Não fora ao enterro de João por insistência dos pais, que achavam que Marisa e Antônia podiam não gostar. Mas agora era o momento de esclarecer tudo, principalmente as intrigas de Sandra. Lídia duvidava muito que Marisa estivesse a par do que ela andara falando, e Vinício estava enfeitiçado sem saber, agindo feito um tolo hipnotizado pela imagem de uma deusa. Mas a deusa era uma cobra e não tardaria a dar o bote.

Quando Lídia resolveu procurar Marisa, acordou cedo e se vestiu com simplicidade e bom gosto. Tomou café em silêncio, sem participar a ninguém o que iria fazer, pois não queria que os pais se preocupassem nem precisava das recriminações de Vinício. Depois do desjejum, apanhou a bolsa e saiu, com a desculpa de que ia ao cabeleireiro. Não pediu motorista. Tomou um táxi e rumou direto para a casa no Alto da Boa Vista.

Desceu e tocou a campainha, mas ninguém veio atender. Tocou de novo e de novo, mas nada. Afastou-se um pouco do muro, tentando ver o casarão mais ao fundo. Parecia fechado. Tocou ainda uma vez a campainha, caminhou ao longo do muro, experimentou o portão da garagem, tudo sem sucesso. Estava claro que não havia ninguém ali. Foi recuando pela rua quando ouviu uma voz desconhecida:

– As senhoras não estão mais aí. Mandaram os criados embora, fizeram as malas e partiram.

Lídia fitou o desconhecido e retrucou desapontada:

– Não sabe para onde elas foram? Nem quando voltam?

– Não, senhora.

Com ar de tristeza e decepção, Lídia agradeceu e tomou o caminho de volta, imaginando o que levara Marisa a viajar sem comentar nada com ninguém. Mas também, com quem iria falar? Os amigos lhe haviam virado as costas, temerosos de ver seus nomes associados ao da família de um jagunço, e Marisa não tinha mais ninguém. Parentes, que ela soubesse, só mesmo os pais. Com João morto, apenas a mãe lhe restara.

Ainda tinha Sandra. Se alguém sabia de alguma coisa, esse alguém era Sandra. Afinal, fora na casa dela que Marisa se refugiara enquanto o pai estava no hospital. Sandra, na certa, saberia onde ela estava e quando voltaria. Talvez até tivesse o endereço do lugar em que se encontrava. A idéia de ir procurar Sandra não lhe agradou, contudo, precisava ter notícias. Por mais que não quisesse falar com ela, reconhecia que era a única pessoa, no momento, capaz de ajudá-la. Assim, mesmo contrariada, foi procurá-la.

– Isso é que é surpresa, Lídia! – falou Sandra, beijando-a nas faces. – Pensei que nunca mais fosse vê-la novamente.

– Como é que você vai, Sandra? E a sua mãe?

– Estamos bem, e você? O que a traz aqui?

– Para falar a verdade, vim em busca de notícias de Marisa. Fui à sua casa e soube que ela viajou.

– Ah! Foi... ela e d. Antônia foram passar uns tempos em São José dos Campos.

– Sabe quando é que voltam?

– Ih! Lídia, não marcaram data, não. Marisa disse que nem sabe se vão voltar.

– Por acaso não sabe o endereço delas?

– Hum... não.

– Não acredito que ela não escreva para você.

– Nem deve ter tido tempo para isso. Ainda deve estar num hotel e só quando conseguir alugar um chalé é que vai me escrever. – Lídia fez um muxoxo, e ela prosseguiu: – Mas por que tanto interesse em falar com Marisa?

– Porque somos amigas, e eu gostaria de lhe prestar minha solidariedade.

– Por que não fez isso no enterro do pai dela?

– Não fui ao enterro de *seu* João.

– Ah! É verdade. Mas também, quase ninguém foi... nessas horas é que se vê quem são os amigos.

– Não concordo com você – rebateu Lídia, indignada com a insinuação de Sandra. – As circunstâncias nem sempre revelam o que vai no coração. E depois, há pessoas que se fazem presentes apenas para destruir, nunca para ajudar.

Apesar de furiosa, Sandra não discutiu. Limitou-se a balançar a cabeça e consultar o relógio, o que fez Lídia acrescentar:

– Bem, creio que já vou indo. De qualquer sorte, muito obrigada pela informação.

– Não há de quê, Lídia.

– Quando ela der notícias, se não for muito incômodo, será que poderia dizer que a procurei?

– Claro, pode deixar.

– Obrigada. Até outro dia.

– Até logo, Lídia. Foi um prazer.

Sandra fechou a porta com um sorriso irônico nos lábios. Agora Vinício ficaria sabendo que Marisa fora viajar e, na certa, acabaria indo procurá-la. Durante todo aquele mês, ela permaneceu em casa, grudada ao telefone, decidindo se lhe telefonava ou não, e sempre acabava não ligando, com medo de que ele a interpretasse mal. Não queria que pensasse que ela estava se aproveitando da situação. Precisava fazer com que ele tivesse vontade de procurá-la e sabia que a visita de Lídia, apesar de desagradável, ainda acabaria por ajudá-la.

Pensando nisso, sorriu satisfeita. Dentro de pouco tempo poderia considerar-se namorada de Vinício. Um pouco mais ainda e estariam casados. Vinício seria seu marido, e ela se mudaria para sua mansão no Jardim Botânico. Não tinham por que não morar com os pais dele. A casa era grande o suficiente para recebê-las, a ela e a mãe, e, além do mais, ela não iria perder a oportunidade de ficar perto de Conrado.

Fazia já muito tempo que não o via, mas sua imagem jamais saíra de seus pensamentos. Casar-se-ia com o filho, mas o que esperava mesmo era conquistar o amor do pai. Sabia que ele era muito bem casado com Malvina, mas a esposa não seria páreo para ela. Malvina já não era nenhuma mocinha, ao passo que ela era jovem, linda e, acima de tudo, extremamente sensual.

Lídia fez exatamente o que Sandra imaginou que faria. Foi correndo contar a Vinício que Marisa havia viajado sem avisar ninguém além de Sandra. Fazia isso sem imaginar que estaria estimulando nele o desejo de procurá-la, sob o pretexto de que ia informar-se sobre Marisa. Queria que ele intercedesse junto a Sandra, a fim de descobrir o endereço de Marisa em São José dos Campos, pois duvidava que ela não o tivesse dado à amiga. Queria escrever-lhe e contar-lhe de sua amizade, afirmando que tudo continuaria como antes.

– Olhe, Vinício – disse ela –, você sabe melhor do que ninguém que não gosto de Sandra e não me agrada nada que você vá à casa dela. No entanto, preciso falar com Marisa, dizer-lhe que sinto muito e que ainda sou sua amiga. Infelizmente, Sandra é a única pessoa que parece saber onde ela está, e você é o único a quem ela vai revelar esse endereço. Por favor, procure-a e faça com que ela lhe dê o endereço. Faça isso por mim, por favor.

– Não tem medo de que ela me ataque? – rebateu ele, em tom de ironia.

– Na verdade, tenho sim. Mas o desejo de falar com minha amiga é muito maior. Por esse motivo, vou arriscar e confiar no seu amor por Marisa.

– Olhe, Lídia, se quer escrever a Marisa, o problema é seu, não tenho nada com isso. Mas não pense que vai dar uma de cupido, porque não vai. Marisa não me quer mais, e eu também não a quero. Está encerrado.

– Espere só até eu esclarecer toda aquela conversa da Sandra. Aposto como não foi nada daquilo.

– Quem lhe garante? Se fosse mentira e Marisa me amasse de verdade, não teria ido embora sem nem mesmo se despedir.

– Talvez ela estivesse muito magoada para falar com você.

– Por quê? Não lhe fiz nada. Foi ela quem me deu um fora.

– E você se conformou rapidamente, não foi?

– Fiz o que ela me pediu.

– Está certo, Vinício, não adianta mais discutir com você sobre isso agora. Marisa está longe e não pode esclarecer nada. Mas, ainda assim, será que você podia prestar-me esse favor e pedir o endereço a Sandra?

– É claro que posso fazer isso, irmãzinha, não me custa nada. Sandra não é o diabo que você pinta e, se souber onde Marisa está, tenho certeza de que não me vai negar o seu endereço.

– Obrigada, Vinício. E por favor, peça apenas o endereço. Não lhe dê a chance de enfeitiçá-lo ainda mais, está bem?

Vinício riu gostosamente e encerrou o assunto. No dia seguinte, logo após o trabalho, foi direto para a casa de Sandra, dando-se a desculpa de que iria apenas fazer um favor à irmã. Pediria o endereço e iria embora calmamente; nada além iria acontecer.

Quando chegou à casa de Sandra, ela estava no jardim, regando as plantas, e levou um susto quando ouviu o ronco do motor do seu carro parando diante de sua porta. Depositou o regador a seu lado, enxugou as mãos no vestido e ajeitou o cabelo apressadamente, abrindo o portão assim que ele saltou do automóvel. Vinício se aproximou e, ao vê-la, seu coração disparou. Ela estava mais linda do que nunca e parecia muito frágil sem a máscara da maquiagem e dos penteados da moda.

– Olá, Sandra – cumprimentou ele, com um sorriso encantador. – Como vai?

– Vou bem, Vinício, e você? – tornou ela, em tom meloso.

– Tudo bem.

Ela balançou a cabeça e o olhou com ar embevecido, falando com voz melíflua:

– Senti saudades...

– Eu também... mas é que andei ocupado...

– Não precisa tentar desculpar-se, Vinício, eu entendo – ele a fitou confuso, e ela prosseguiu: – Não gostaria de entrar?

– Só por um minuto.

Sandra chegou para o lado e deixou que seus seios esbarrassem propositalmente em seu braço quando ele passou, o que o fez corar e encher-se de desejo por ela.

– Muito bem – disse ela, assim que se acomodaram no sofá. – O que o traz aqui?

– Bom, na verdade, soube que Lídia veio procurá-la...

– É verdade. Queria saber notícias de Marisa, mas não sei onde ela está. Só o que sei é que foi para São José dos Campos com a mãe.

– Mas você disse que elas vão demorar a voltar.

– Foi o que Marisa me disse.

– E você não sabe onde elas vão ficar?

– Saber, eu não sei, porque Marisa não me disse. Falou apenas que me mandaria o endereço depois que se ajeitassem.

– E ela ainda não se comunicou com você?

– Ainda não. Elas viajaram na semana passada e ainda não devem ter tido tempo de providenciar nada, e Marisa disse que só iria escrever quando já estivessem instaladas.

– Sei... bom, Sandra, foi para isso que vim, para lhe pedir um favor.

– Que favor?

– Será que você poderia me fornecer o endereço assim que ela entrar em contato com você? É para minha irmã, Lídia.

– E você? Também não vai corresponder-se com ela?

– Eu? Não... não estou pensando nisso.

– Por quê? Não sente falta dela?

– Na verdade, Sandra... sinto falta de você.

Vinício nem sabia ao certo por que dissera aquilo, as palavras saltaram de sua boca antes mesmo que ele pudesse raciocinar no que estava dizendo. Na verdade, pensava que sentia falta de Marisa, mas a presença de Sandra aguçava nele sentimentos contraditórios e escondidos.

– Sente falta de mim? – tornou ela, encarando-o sedutora. – Pois não parece. Nunca mais me veio procurar.

– É que... depois de toda essa confusão com *seu* João, e você sendo tão amiga de Marisa, achei que não ficava bem.

– E fica bem agora?

– Marisa está longe, não está?

– Isso o legitima a ser sincero?

– Sempre fui sincero! – rebateu ofendido. – O caso é que não queria magoar Marisa. Nem você.

– Por que acha que me magoaria? Não sou eu que sou apaixonada por você.

– Não é? – confundiu-se. – Bem... pensei que... isto é, achei que fosse... um dia...

Ela não respondeu. Ficou olhando-o daquele jeito sedutor, sem, contudo, aproximar-se, apenas lhe dando a entender, pelos lábios entreabertos, o quanto o desejava também. Quando falou, foi com um sofrimento fingido, mas convincente:

– Sei em que está pensando, Vinício. Só porque sou uma moça liberada e você está livre, pensa que pode aproveitar-se de mim. Mas não é assim que eu sou. Não quando me interesso realmente por alguém.

– Está interessada em alguém?

– Sempre estive.

– Em quem?

– Você sabe.

– Em mim? Mas você disse, agora há pouco, que não estava apaixonada por mim.

– Tem razão, eu disse, porque não estou, realmente. Apaixonada, não. Na verdade, Vinício, o que sinto por você é bem mais do que paixão... é amor.

Movido pelo impulso, Vinício tomou-a nos braços e beijou-a com ardor. Sem hesitar, Sandra lhe correspondeu, entregando-se a ele ali mesmo, na sala. Amaram-se com um quase desespero, e Vinício só então percebeu o quanto sentira falta daquele corpo ardente e sensual. Pensou em Marisa por uns instantes, mas logo afastou o pensamento. Marisa agora pertencia ao passado, fora ela mesma quem escolhera assim. Sandra, por outro lado, talvez estivesse entrando em seu futuro. Apesar de sua liberalidade excessiva, de seu comportamento quase sem pudor, o sangue lhe fervia todas as vezes em que a tocava, e Vinício sentia-se presa de uma paixão desenfreada e irreversível. Queria Sandra com todas as suas forças, e agora que não havia mais nenhum obstáculo entre eles, faria dela a sua eleita, a mulher a quem caberia o privilégio de dividir com ele a vida e o coração.

***

A indignação de Lídia cada vez crescia mais. Não entendia como Vinício, que chegara um dia a afirmar que Marisa era a única mulher com quem poderia casar-se, envolvia-se agora com Sandra a tal ponto de já pensar em noivado e, posteriormente, em casamento! Como se arrependia de haver-lhe pedido o endereço de Marisa em São José dos Campos. Não fosse isso, talvez ele e Sandra nunca tivessem se encontrado novamente. Sabia que estava se arriscando com tal pedido, mas a saudade de Marisa falou mais alto, e ela, no fundo, não acreditava que aquilo pudesse realmente acontecer. Achava que Vinício amava Marisa e que Sandra, por mais que lhe despertasse o desejo, jamais conseguiria roubar-lhe o amor.

O endereço de Marisa chegou duas semanas depois, e Lídia ficou segurando-o nas mãos, fitando o irmão com cara de assombro.

– O que foi? – indagou ele espantado. – Não era isso o que você queria, o endereço de Marisa? Pois agora já o tem. Pode escrever-lhe quando quiser.

Lídia guardou o papel que ele lhe entregou e foi para o quarto pensativa. De que lhe adiantava agora aquele endereço? Para que iria escrever a Marisa? Para contar-lhe que Vinício a trocara por Sandra? Que vivia com ela para cima e para baixo, ostentando-a em lugares públicos como se ela fosse um troféu? Como lhe dizer que o irmão se sentia apaixonado por aquela que, Marisa dizia, sempre fora a sua melhor amiga?

Agora Lídia não tinha mais dúvidas de que tudo o que Sandra dissera a respeito de Marisa era mentira. E sabe-se lá que outras tantas mentiras ela não havia contado a Marisa! Na certa, inventara coisas sobre Vinício também, coisas tão pavorosas a ponto de levar Marisa a fugir do Rio de Janeiro logo após a morte do pai. Isso explicava por que ela e a mãe haviam partido de forma tão repentina; porque não podia suportar a indiferença de Vinício, uma indiferença criada pela imaginação destrutiva e pérfida de Sandra.

Não se sentia mais capaz de lhe escrever. Sentia-se culpada pela aproximação de Vinício e Sandra, e jamais poderia perdoar-se caso eles acabassem casando-se, e Vinício, esquecendo-se de Marisa completamente. Não adiantava nem falar com o irmão. Desde que assumira que gostava de Sandra, Vinício não permitia que ninguém falasse mal dela. O pai também não a aprovava, mas ele cortara logo seus comentários, afirmando que a escolhera para namorar e que não admitiria que maculassem o seu nome. Ninguém disse mais nada. Embora não gostassem muito de Sandra, por respeito a Vinício, todos se calaram, inclusive Lídia.

Estavam terminando de jantar quando a criada veio informar que Sandra havia chegado. Desde que começara a namorar Vinício, adquirira o hábito de ir sozinha à casa dele. Sandra entrou na sala de jantar e sentou-se na cadeira ao lado de Vinício, posta ali para ela. Não se serviu do jantar, mas aceitou um pedaço de sobremesa, como sempre fazia. Entre uma garfada e outra, olhava para Conrado pelo canto do olho. Apesar de perceber, Conrado não lhe dava a menor importância. Além de amar a esposa, não gostava de mocinhas, muito menos as oferecidas.

– Tem escrito a Marisa? – indagou ela a Lídia, desviando os olhos de Conrado.

– Não – foi a resposta seca.

– Não entendo, Lídia. Fez tanta questão de saber o endereço e, quando o tem, não escreve.

Lídia cravou nela os olhos argutos e redargüiu:

– E você, Sandra, por acaso tem-lhe escrito? Afinal, foi para você que ela mandou o endereço, a melhor amiga dela.

– Não tenho tido tempo, mas acho que minha mãe se encarregou disso.

– Imagino que você deva estar muito ocupada, com todas aquelas revistas de moda para ler.

O olhar de censura de Malvina a incomodou um pouco, e Lídia buscou apoio no ar de aprovação do pai. Sem dizer nada, Conrado aprovava as investidas da filha, pois alguém tinha que colocar aquela Sandra em seu devido lugar. Não lhe ficaria bem esse papel, mas Lídia era moça e estava livre para demonstrar publicamente o seu desagrado.

– Hum, hum... – pigarreou Malvina, desconcertada. – Está procurando emprego, Sandra?

– Ainda não. Quero fazer faculdade.

– De quê? Estudos avançados de como agarrar um marido?

– Lídia! – repreendeu Malvina, que não aprovava sarcasmos.

– Deixe estar, Malvina – intercedeu Conrado. – Lídia está apenas brincando, não é, minha filha?

Ela aquiesceu a contragosto e falou com irritação:

– Universidade é para gente séria.

– Por esse motivo você resolveu fazer, não é mesmo? – replicou Sandra, fuzilando-a com um olhar de raiva. – Você é, realmente, a pessoa mais séria que conheço.

– Por que não mudamos de assunto? – sugeriu Vinício, incomodado com o rumo que a conversa estava tomando.

– Já terminei de jantar – avisou Lídia, de mau humor. – Vou retirar-me, com licença.

Levantou-se arrastando a cadeira e foi para fora respirar um pouco de ar puro. Por mais que se esforçasse, não conseguia tolerar aquela vagabunda. Ela era intrometida, arrogante e se portava como se já fosse dona da casa. Logo em seguida, Vinício e Sandra saíam de carro. Iam para o apartamento que ele alugara do outro lado da cidade, onde podiam encontrar-se sem despertar a curiosidade de ninguém.

– Não vejo jeito de Lídia gostar de mim – queixou-se Sandra, debruçada sobre o peito de Vinício logo após fazerem amor. – Faço tudo para agradá-la, mas não adianta.

– Lídia está chateada por causa de Marisa. Pensou que poderia reaproximar-nos e ficou decepcionada.

– Mas não foi por minha causa que você e Marisa brigaram. Foi ela quem terminou tudo com você.

– Foi o que tentei dizer a Lídia, mas ela não acredita. Acha que você inventou todas aquelas coisas só para nos separar.

– Imagine se eu seria capaz de uma baixeza dessas! O que falei foi a verdade. Não tenho culpa se não agradou a Lídia.

– Ela tem razão numa coisa, Sandra. Por que não escreveu a Marisa?

– Ora, Vinício, o que poderia dizer-lhe? Que estou namorando sério com você? Acho que ela ficaria chateada, não acha?

– Por que, se foi ela mesma quem não me quis mais? Por acaso ela pensou que eu iria ficar sozinho o resto da vida, chorando porque ela me abandonou?

– Não sei o que ela pensaria, mas não me sinto à vontade para lhe contar.

– Quando ela voltar ao Rio, ficará sabendo de tudo.

– Até lá, já devemos estar casados.

Vinício riu e beijou-a apaixonadamente. Mais tarde, levou-a para casa. Como sempre fazia desde que Sandra e Vinício começaram a namorar, Albertina a esperava acordada. Não aprovava aquele namoro e tentava incutir algum juízo na cabeça da filha. Sandra abriu a porta e encontrou-a sentada na sala, balançando-se em sua velha cadeira de balanço.

– Ainda acordada, mãe? – indagou ela, em tom de recriminação.

– Estava esperando você.

– Já lhe disse que não precisa me esperar. Não tenho hora para voltar e não quero que fique acordada até tarde.

– Tenho que trabalhar de manhã cedo, Sandra, mas não me agrada sair e deixá-la dormindo até tarde. Isso não está direito.

– Não se preocupe com isso, mãe. Em breve, você não vai mais precisar levantar-se de madrugada para ir à casa de d. Marocas. Quando eu me casar com Vinício, vamos morar na mansão do Jardim Botânico, e a sua vida vai ser muito mais tranqüila. Dona Malvina é uma pessoa agradável, e tenho certeza de que vocês terão muito que conversar.

– Deus me livre de abandonar a minha casa! Seu pai fez tanto sacrifício para nos deixar essa casinha!

– Papai morreu há muito tempo, mãe. Não vai importar-se se a vendermos.

– Não quero vendê-la.

– Alugue-a então. Pode tirar um dinheirinho extra.

– O que ganho em casa de d. Marocas é suficiente para nos manter.

– Não seja ingênua, mãe. Acha que, depois que me casar com Vinício, ele vai permitir que você continue trabalhando de doméstica? Não fica nem bem, a esposa de um capitão-tenente da Marinha, nora de um ministro do Supremo Tribunal Federal, deixar a mãe trabalhando em casa de família. O que acha que as pessoas vão dizer?

– Não estou preocupada com o que elas vão dizer, e você também não devia estar. Gosto de trabalhar para d. Marocas e gosto da minha casa, que eu mesma mobiliei e arrumei com o fruto do meu trabalho. Não quero ir morar na casa dos outros.

– Por que não está feliz por mim, mãe? Não pode ficar feliz com a minha felicidade? Vou me casar com um homem rico e bem situado. Por que não fica satisfeita?

– Porque você não o ama. Pensa que não sei? Quer casar-se com ele só por causa do dinheiro e nem se incomodou de roubar o namorado da melhor amiga. Isso não está direito. Imagine o que a Marisa não vai dizer quando souber. Vai ficar triste e decepcionada com você.

– Foi Marisa quem terminou com Vinício! Foi ela quem não o quis mais. Será que é errado eu me apaixonar por um homem livre, só porque um dia foi namorado de uma amiga minha?

– Duvido muito que não tenha tido o seu dedo nessa história. Então, Marisa e o rapaz, num dia, estão apaixonados e, no outro, já nem se olham mais. Não acha isso estranho?

– Não tenho nada com isso. Marisa escolheu o caminho dela e não incluiu Vinício nele. Deixou-o livre para qualquer uma.

– Sandra, minha filha, tenha juízo. Você é uma moça bonita, inteligente, estudada. Não estrague a sua vida com um casamento sem amor, só por causa do dinheiro. Isso vai fazê-la infeliz e ao moço também. Ele é um bom rapaz e não ama você.

– Como pode dizer isso, mãe!? Vinício é louco por mim.

– Ele me parece muito apaixonado mesmo, mas eu noto a diferença de comportamento dele com você e com Marisa. Com você, ele parece mais entusiasmado, mais eufórico. Já com Marisa, era mais tranqüilo, mais seguro, mais confiante.

– Então? Não vê que isso é mais uma prova de que ele está apaixonado por mim?

– Não se iluda, minha filha. Ele pensa que a ama porque está impressionado com você. Mas amor mesmo, de verdade, é por Marisa que ele sente.

– Está falando besteira, mãe. Vinício me ama e vai casar-se comigo.

Albertina suspirou tristemente e quase suplicou:

– Termine com isso enquanto ainda é tempo. Você não ama esse rapaz, e ele não ama você. Procure um moço que realmente possa fazê-la feliz, alguém a quem você ame de verdade. Não se deixe conduzir pela ilusão das riquezas materiais. Elas são passageiras e não são o que constrói a nossa felicidade.

– Diz isso porque nunca teve nada e não sabe o que é viver bem.

– Digo isso porque sei o que realmente tem valor na vida.

– E o que é que tem valor na vida? A pobreza? A miséria? Será que é preciso ser pobre e miserável para se ganhar o reino dos céus?

– Ninguém disse isso, nem eu estou negando o valor do dinheiro. É claro que dinheiro é bom, e todo mundo gosta de ter. Se não fosse bom, Deus não permitiria que existisse, e até eu, se tivesse um pouco mais, não me queixaria. Mas não vale a pena ter dinheiro se não se tem amor, nem o dinheiro é o que mais tem valor na vida. E depois, dinheiro é bom quando é conquistado legitimamente, não quando se tenta ludibriar o destino para usurpá-lo daquele a quem realmente pertence.

– Não estou usurpando nada de ninguém! E depois, eu amo Vinício. Vou casar-me com ele por amor. Não tenho culpa se ele tem dinheiro.

– Você está tentando enganar a si mesma. Vai casar-se com ele porque quer ter boa vida. Mas você não precisa disso. Tem uma profissão, por que não tenta arranjar um emprego digno?

– De que, de professora?

– É uma profissão muito bonita e até que paga bem.

– Mas eu não preciso disso! Nem você! Será que não entende, mãe? Estou fazendo isso por nós. Quero dar-lhe uma vida melhor e mais tranqüila. Não acha que já trabalhou demais? Não tem direito a um descanso? Pois então? Depois que eu me casar, você não vai mais precisar trabalhar para nos sustentar. Não quero mais ver você se matando. Quero que tenha conforto, tranqüilidade. Por que não compreende que estou tentando fazer o melhor por você também?

Os olhos de Albertina se encheram de lágrimas. No fundo, sabia que Sandra estava sendo sincera quando dizia que queria ajudá-la, e isso a emocionou. Sandra não era uma menina ruim, era apenas desorientada. Em parte, a culpa deveria ter sido dela. Sempre tivera que trabalhar para que ela pudesse crescer e ser alguém na vida e não tivera muito tempo para orientá-la. Deixava-a sozinha em casa desde a idade de onze anos, e ela crescera praticamente solta. Não era isso, contudo, o que tinha em mente para ela. Queria que Sandra fosse uma pessoa honesta e que tivesse outros valores, mas nem sempre os filhos correspondiam às expectativas dos pais. Eles eram seres pensantes e independentes, e cada um era dono de sua própria consciência.

Albertina passou a mão pelo rosto da filha e respondeu sentida:

– Você é uma boa filha, Sandra, mas não precisa importar-se comigo. Estarei bem e feliz se você estiver feliz também. Não precisa sacrificar-se por minha causa.

– Não é sacrifício nenhum, mãe! Amo Vinício e ele me ama. Vamos nos casar, e ele tem dinheiro. Que mal há nisso?

– Você não entende mesmo, não é? O mal não está no dinheiro, mas na forma como você quer consegui-lo.

– Mãe...

– Deixe, filha, deixe. São apenas as palavras de uma velha que não têm importância nenhuma para você.

Sandra silenciou. A mãe era teimosa e não adiantava nada discutir com ela. Ainda assim, mesmo contrariando o seu desejo, casar-se-ia com Vinício, e quando ela estivesse de malas prontas para partir, queria ver se não mudava de idéia.

***

O casamento realizou-se dali a dois meses, apesar dos protestos de Lídia e do desagrado de Conrado. Malvina era a única que, apesar de não simpatizar muito com Sandra, não dizia nada que pudesse desgostar o filho. Por Vinício, ter-se-iam mudado de imediato, mas Sandra não quis. Preferiu morar no Jardim Botânico, onde a proximidade do sogro poderia valer-lhe algum benefício.

Por mais que Sandra insistisse, não conseguiu convencer a mãe a se mudar. Albertina foi ao casamento e subiu ao altar ao lado da filha, que acabou convidando Marocas para madrinha, não apenas pela insistência de Albertina, mas porque ela era uma senhora importante na sociedade, e não seria nada mau ter uma conhecida dama como madrinha. Depois que eles voltaram da lua-de-mel, Sandra insistiu com a mãe para que ela fosse viver com eles no Jardim Botânico, mas não houve meio. Até Marocas intercedeu, achando que já era mesmo hora de que ela abandonasse a lida. Mas Albertina era teimosa e não queria viver com a filha num lar sem amor.

Apesar de tudo, porém, deixou de trabalhar. Já estava ficando muito velha e a labuta do dia a dia a estava cansando. Marocas arranjou uma moça mais nova, a quem Albertina ensinou todo o serviço e depois foi descansar. A única coisa que aceitou, por insistência do próprio Vinício, foi uma mesada um pouco superior ao salário que ganhava quando trabalhava, além das contas pagas por ele. Assim, o que ela ganhava era só para sua alimentação, vestuário e pequenas compras.

Numa carta singela, Albertina contou a Marisa sobre o casamento da filha. Não lhe agradara nada ter que lhe dar aquela notícia, mas achou que seria o mais correto a fazer. Marisa recebeu a notícia com muita tristeza, embora procurasse não deixar transparecer na frente da mãe. Não queria admitir nem para si mesma, mas o fato era que não se esquecera de Vinício durante tudo aquele tempo em que estiveram separados.

Sandra jamais lhe havia escrito uma linha sequer. Passava os dias sem nada para fazer, tomando banho de piscina ou fazendo compras. Enquanto Lídia se dedicava à faculdade e Malvina se ocupava com os afazeres domésticos, Sandra não queria saber nem de estudo, nem de trabalho, nem de cuidar da casa. Só o que queria era aproveitar a vida sem quaisquer compromissos além dos sociais.

No princípio, Vinício parecia fascinado. Sandra era uma mulher linda e encantadora, e fazia de tudo para agradá-lo. Com o tempo, porém, as máscaras foram caindo, e a mulher que antes lhe parecia perfeita passou a demonstrar um temperamento cada vez mais autoritário e irritadiço. Sandra não se interessava por nada além de moda e festas, o que já estava começando a cansá-lo. Não fazia outra coisa a não ser pedir-lhe mais e mais dinheiro e reclamar quando não era satisfatoriamente atendida. Suas roupas e jóias se multiplicavam, porém ela nunca estava satisfeita. Queria sempre mais e se queixava quando via nas outras objetos que ainda não possuía e logo ambicionava ter.

Era assim todos os dias e, naquele dia, não haveria de ser diferente. Sandra acordou mal-humorada como sempre e fitou o marido, que acabava de ajustar a farda da Marinha.

– Hum... – espreguiçou-se ela. – Que horas são?

– Sete e meia.

– Meu Deus, ainda é de madrugada!

Virou-se para o lado, fechou os olhos e escutou a voz de Vinício:

– Gostaria que fosse almoçar comigo hoje. Tenho algo a lhe mostrar.

– A mim? – interessou-se, esfregando os olhos. – O que é, uma surpresa?

– Pode-se dizer que sim.

– Vai me comprar alguma jóia nova? Eu bem que estou precisando.

– Você tem mais jóias do que orelhas e pescoço para pendurar. Não é nada disso. Quero que veja o novo apartamento que papai comprou para nós.

– Para quê? Não vai me dizer que quer mudar-se daqui.

– Acho que já está na hora, Sandra. Estamos casados há um ano, e nossa vida conjugal não vai lá muito bem. Meu pai diz que é porque não vivemos em nossa própria casa.

– Seu pai quer expulsar-nos daqui, isso sim. Será que estamos incomodando tanto?

– Não é nada disso, e você sabe. Meu pai gosta muito de nós, mas ele tem razão. Não é conveniente casar e continuar a viver com os pais. Precisamos ter a nossa própria vida, ser independentes. Você tem que ocupar-se com alguma coisa, e penso que talvez pegue o gosto se estiver numa casa que seja sua.

– Está insinuando que sou uma desocupada?

– Não é bem isso, mas você não tem mesmo muito que fazer, tem? Enquanto isso, fica por aí gastando o meu dinheiro.

– Ah! Agora o dinheiro é só seu, não é? Antes de nos casarmos, disse que o que era seu era meu.

– Foi só maneira de falar. Mas também, não sei o que houve com você. Onde está aquela Sandra que disse que queria ser uma mulher independente e liberada? Cadê a faculdade que você disse que ia fazer? Até hoje, não a vi interessar-se por nada.

– Isso é porque mudei de idéia. Não é que não goste de estudar, mas não acho que seja necessário. Minhas ocupações de esposa dedicada não me deixam tempo para os estudos. Sendo assim, de que adianta ingressar na faculdade? E depois, você corre o risco de ser transferido, e eu teria que abandonar os estudos para acompanhá-lo. Não seria um desperdício?

– Isso é desculpa. Mesmo que eu seja transferido, posso arranjar uma transferência de faculdade para você. Mas você prefere não fazer nada. Vive por aí tomando sol e fazendo compras. Devia seguir o exemplo de Lídia.

– Lídia... – tornou com desprezo. – Por que é que está sempre me comparando com a sua irmãzinha querida? Até parece que ela é perfeita, e eu é que sou cheia de defeitos.

– Não foi isso o que eu disse. Mas Lídia é uma moça inteligente e esforçada. Ela, sim, quer ser independente e faz tudo o que você disse que iria fazer. Onde está a independência de que você dizia não abrir mão?

– Isso foi em outros tempos, antes de nos casarmos. Agora tenho outros interesses e outras necessidades. E se quer mesmo saber, sou eu que não compreendo você. Quando nos casamos, você era carinhoso e atencioso. Agora, só sabe reclamar.

– Não venha distorcer as coisas. Eu é que não entendo como você conseguiu mudar tanto em tão pouco tempo.

Ela não respondeu. Levantou-se da cama e bocejou com enfado, entrando no banheiro e batendo a porta. Vinício permaneceu onde estava, boquiaberto, indignado com a atitude dela. Sandra estava mesmo diferente. Quando se casou, jamais pensou que ela pudesse agir daquela forma. Parecia até outra pessoa. Era como se tivesse encenado todo aquele papel só para enganá-lo e fazer com que ele acreditasse que ela era de um jeito que não era o seu de verdade.

Lamentou-se profundamente. Casara-se iludido, julgando-a a mulher perfeita, linda, inteligente e amorosa. Mas Sandra não era nada disso. Era egoísta, preguiçosa e fútil; não pensava em nada que não fossem roupas, jóias e festas. Mesmo o ardor que demonstrara no início parecia haver-se apagado. Sandra não era mais a mulher apaixonada e sensual de antes. Ao contrário, tornara-se mesmo fria e desinteressada de seus carinhos, entregando-se a ele mecanicamente, como se estivesse apenas cumprindo uma obrigação.

Bateu à porta do banheiro, mas ela não respondeu. Experimentou a maçaneta, mas estava trancada. Ouviu o barulho do chuveiro lá dentro e imaginou que Sandra, ou não o escutava bater, ou não queria mesmo abrir. De toda sorte, desistiu. Passou a mão na pasta de trabalho e saiu.

Cerca de meia hora depois, certificando-se de que ele já havia partido, Sandra resolveu sair do banheiro. Enxugou os cabelos e vestiu um vestido bem fininho, colado ao corpo. Como era muito cedo, Conrado ainda não deveria ter ido para o trabalho e, provavelmente, estava trancado no escritório, enfiado em seus processos. Penteou os cabelos cuidadosamente e borrifou um pouco de perfume no colo. Nada de maquiagem. Queria parecer natural e selvagem para o homem que desejava.

Com cuidado, abriu a porta do quarto e espiou. Não havia ninguém por perto. Lídia já havia saído para a faculdade, e Malvina devia estar ocupada com as empregadas. Era sempre assim. A sogra era uma mulher muito simplória e sem graça, e ela não entendia como um homem feito Conrado fora interessar-se por ela. Não era feia, mas totalmente despida de volúpia e daquele ar de mistério que tanto cativava os homens. Era, enfim, uma mulher comum, bonita, embora sem muitos atrativos. O tipo de mulher por quem nenhum homem mais atraente iria interessar-se.

Saiu caminhando devagar e desceu as escadas. Ouviu a voz de Malvina vindo da cozinha, dando ordens às empregadas, e sorriu satisfeita. A sogra estaria ocupada por toda a manhã, vistoriando a arrumação da casa, e não incomodaria Conrado, até porque, em sua submissão e idiotice, jamais iria pensar em atrapalhar ou incomodar o marido. Com esse pensamento, seguiu para o escritório do sogro e bateu à porta. Pouco depois, escutou-o dizer:

– Pode entrar.

Sandra abriu a porta somente o necessário para que ela pudesse passar. Entrou com ar matreiro e se aproximou do sogro. Ao vê-la, Conrado sentiu um leve mal-estar e não tentou disfarçar o seu desagrado.

– O que quer? – perguntou de má vontade.

– Vim saber se precisa de alguma coisa – respondeu ela, no tom mais sedutor que podia. – Uma água, um chá, um café...

– Preciso apenas ser deixado em paz.

– O senhor trabalha demais. Se quiser, posso fazer-lhe uma massagem.

Sem esperar resposta, Sandra se postou atrás do sogro e começou a massageá-lo nos ombros. Na mesma hora, ele se levantou de um salto e censurou com veemência:

– Devia arranjar o que fazer! Está se tornando inconveniente, e seu marido vai acabar se zangando com você.

– Por quê? Não estou fazendo nada de mais. E depois, fico imaginando o senhor...

– Veja lá o que vai dizer, menina, para não se arrepender depois!

Furioso, juntou os papéis que estava estudando, enfiou tudo numa pasta e saiu apressado. Não estava mais tolerando a nora. Ela o estava assediando abertamente, e Vinício nem se dava conta. O que queria? Destruir a harmonia de seu lar? Fora por isso que lhes comprara aquele apartamento. Queria aquela mulher longe de sua casa antes que perdesse a cabeça e a expulsasse dali.

26

Somente depois de muitos meses foi que João despertou no mundo astral. Sentiu-se extremamente leve e confortado naquele quarto simples e cheiroso de hospital, feliz com as flores que enfeitavam o ambiente e com a maravilhosa paisagem que se descortinava de sua janela. Estava sentado na cama, apreciando os raios alaranjados de um sol cintilante que se punha no horizonte colorido, quando escutou alguém entrar de leve, sem fazer barulho. Virou-se calmamente e sorriu ao ver Mateus parado a seu lado.

– Boa tarde, meu amigo – cumprimentou Mateus. – Vim logo que soube do seu despertar.

– Foi ontem que acordei. A enfermeira que cuida de mim foi muito atenciosa e esclareceu todas as minhas dúvidas.

– Fico feliz que não se tenha sentido um estranho ou que não tenha duvidado da morte de seu corpo físico.

– Oh! Não! Eu já esperava por aquilo. Lembro-me bem do hospital lá na terra e dos momentos que se seguiram à minha morte.

– Lembra-se de tudo com clareza?

– Sim. Lembro-me de Kedar e de seu bando de espíritos vingadores. Dos soldados, dos espíritos de luz, de você e daqueles outros dois que o acompanhavam, que não sei quem são.

Mateus sorriu bondosamente e estendeu a mão para ele.

– Não gostaria de dar um passeio?

– Será que posso?

– Sente-se forte o suficiente para isso?

– Sim. Como disse, a enfermeira me tratou muito bem...

– Excelente! Vamos dar uma volta pelo jardim, então. Vai fazer-lhe bem sentir o ar fresco de nosso mundo e admirar as estrelas sem o faiscar dos faróis e das luzes de sua cidade.

Saíram a caminhar lado a lado, e João foi-se admirando com o lugar em que se encontravam. Era um edifício muito branco, com janelas altas e muito limpas, erguido no centro de um maravilhoso jardim que, àquela hora, empalidecia, à medida que o sol se extinguia ao longe. Mateus tomou-o pelo braço e seguiu por uma alameda à esquerda, ladeando o prédio, e que conduzia aos fundos da construção. Ali, uma sucessão de alamedas perfumadas e floridas, com bancos dispostos dos dois lados, convidava ao repouso e à reflexão. Os dois foram caminhando em silêncio, pois Mateus, percebendo o quão maravilhado João se encontrava, preferiu silenciar a roubar-lhe aqueles momentos de íntima contemplação e prazer.

Chegaram, por fim, a uma espécie de clareira verdejante, onde vários outros bancos haviam sido dispostos ao redor. Já era noite então, e muitos espíritos ali se encontravam, em conversa com outros ou sozinhos, num diálogo mudo com o firmamento pontilhado de estrelas rutilantes. Mateus indicou-lhe um banco vazio e convidou-o a sentar-se.

– Muitos espíritos vêm aqui para conversar entre si ou com Deus – esclareceu ele. – Como vê, o lugar favorece a reflexão, pois o céu descortinado acima convida a mente a se libertar das amarras do pensamento racional, voando livre e em comunhão com a alma e o coração.

João fitou-o agradecido e sentiu o rosto úmido de lágrimas, que sabia serem da mais pura emoção.

– Não sei o que fiz para merecer isso – desabafou. – Sempre me julguei um criminoso, um pecador, um condenado. Pensei que o céu fosse somente para os puros de coração.

– Quem são os puros de coração, meu amigo, senão aqueles que reconhecem os seus erros e os seus pendores e conseguem, se não vencê-los, ao menos colocá-los sob o jugo de sua vontade?

– Como assim, Mateus?

– Imperfeições, meu caro, não há quem não as tenha, mas o importante não é ser perfeito, à imagem de Deus, como muita gente pretende por aí. O que importa é conhecer as imperfeições e lutar contra elas, dominando-as, em vez de permitir-se ser por elas dominado.

– Acha que dominei as minhas imperfeições?

– Quando digo dominar, não digo propriamente vencer, mas mantê-las sob controle. No dia em que todas as imperfeições forem dominadas e vencidas, teremos então evoluído o germe da perfeição latente em todos nós, e não haverá mais sofrimento no mundo. Mas, por enquanto, é suficiente para nós o esforço que envidamos no domínio de tudo aquilo que nos faz mal.

– E aos outros...

– O que faz mal aos outros faz a nós em primeiro lugar. Por esse motivo, tudo o que fazemos, seja de bom ou de ruim, fazemos para nós e por nós mesmos.

– Foi isso o que fiz, Mateus? Consegui dominar as minhas imperfeições?

– Em primeiro lugar, dominou a sua vontade e conseguiu redirecioná-la no caminho do bem. Impôs à sua vontade uma nova forma de proceder diante da vida e orientou-se segundo ela. Daí em diante, fez dessa vontade uma força positiva laborando a seu favor e, com isso, conseguiu modificar o seu padrão de pensamento, arrancando de seu íntimo o instinto doentio de muitos anos e plantando em seu lugar a semente do genuíno amor.

– Eu fiz tudo isso!? – espantou-se. – Nem percebi...

– A alma costuma trabalhar à revelia do pensamento, lapidando as emoções mais secretas e transformando-as em mensagens sadias para a mente. E tem de ser assim, pois, do contrário, a lógica do racional terreno sufoca a intenção genuína, para salvaguardar os prazeres e os desejos, do universo sutil.

– Não entendo bem o que você fala, Mateus, mas posso afirmar-lhe uma coisa: eu me modifiquei por causa do amor que sentia e ainda sinto por Marisa e por Antônia.

– Entende agora como só o amor transforma corações? Não fosse por ele, sua alma não despertaria para os verdadeiros valores do espírito, e sua consciência permaneceria ainda vagando nos umbrais da ignorância e da imaturidade.

– Sei que o amor me modificou. Ainda assim, sempre pensei que tivesse de ser condenado pelo meu passado de crimes e jamais imaginei merecer vir parar num lugar como esse.

– Somente quem pode condená-lo pelo seu passado de crimes é você mesmo, com a sua consciência desperta para as verdades divinas. E este lugar, João, é para todos aqueles que desejarem, com o coração, estar aqui. Se todos os espíritos que morressem tivessem essa consciência, o mundo das trevas seria bem menos populoso do que é hoje e estaria fadado à extinção.

– Não é culpa nossa, meu amigo. Todos os que se envolvem com o crime, o vício, a luxúria e tantas outras coisas se julgam réprobos que só merecem castigo e punição. Quem é que vai acreditar que é digno de algo melhor?

– Você mesmo respondeu a sua pergunta. Somente quem acreditar que é digno de algo melhor é que poderá alcançá-lo. Cada um tem ou vive aquilo que cria para si. Quem acredita em ódio vai viver num mundo de ódios. Quem só consegue ver-se no vício e no sexo vai unir-se a espíritos viciados e libidinosos. Mas isso não é obrigatório. Só vai ser assim se o espírito, carregado de medos, culpas, apego, ódio ou até afinidade com o obscuro, não desejar entrar em sintonia com o astral superior e se fizer cego ao auxílio divino.

– Foi por isso que recebi ajuda? Porque a desejei e acreditei nela?

– Exatamente. Você empreendeu uma mudança interior tão profunda que nem mesmo as ameaças de Kedar conseguiram levá-lo de volta ao crime. Foi isso que permitiu que nos aproximássemos e ajudássemos, não só a você, mas a tantos outros, intimamente desejosos de se libertar da subjugação de Kedar.

– Foi tão bonito, Mateus! Ainda hoje, quando me lembro... todos aqueles espíritos abandonando a treva e seguindo num rastro de luz. Confesso que fiquei tão emocionado que nem consegui falar.

– É verdade. Hoje, como você, eles também estão recebendo ajuda e esclarecimentos.

– E aqueles dois, Mateus? Aqueles que acompanharam você? Eles permaneceram o tempo todo ao meu lado, sem dizer nada, apenas me amparando com vibrações de amor e coragem. Não me lembro onde os vi, mas sei que os conheço de algum lugar. Será que estou enganado?

– Não, meu amigo, você não está enganado. Você os viu uma única vez, dezenove anos atrás.

– Não! Não me diga que são quem eu estou pensando que são!

– Exatamente, João. Aqueles são Zé Mário e Edilene, os verdadeiros pais de Marisa.

– Meu Deus! Eles devem odiar-me!

– Se o odiassem, não teriam ido ao nosso encontro de auxílio. Os dois são espíritos já com uma certa maturidade espiritual e não caíram nas garras de Kedar. Por sua fé e discernimento, logo foram recolhidos por uma de nossas turmas de socorro e se restabeleceram rapidamente.

– Por que foram ajudar-me? O que pretendiam?

– Apenas estar presentes no primeiro momento de sua vida espiritual. Como você mesmo disse, eles ficaram amparando-o com vibrações de amor e coragem. Eu estava ocupado com Kedar, e eles me ajudaram tomando conta de você.

Sentindo o rubor subir-lhe às faces, João ocultou o rosto entre as mãos e soltou um suspiro dolorido e profundo.

– Sinto-me envergonhado – desabafou. – Ser socorrido pelas pessoas que mais deveriam odiar-me no mundo.

– Não julgue os outros por si mesmo. Você está sendo orgulhoso, coisa que eles não são. Não quer ser ajudado por aqueles a quem prejudicou para não se sentir diminuído?

– Não... não é isso.

– É isso, sim. Faça uma análise interior e verá que é esse o motivo. É difícil aceitarmos o fato de que aqueles a quem julgamos superiores estão em situação melhor do que a nossa. Por esse motivo, camuflamos o orgulho e dizemos que é vergonha. – Vendo o constrangimento do outro, Mateus mudou de assunto: – Mas isso não tem importância no momento. Você terá muito tempo para rever suas atitudes e seus sentimentos. Vamos, por enquanto, contentar-nos com o progresso que já obtivemos até aqui.

– Obrigado, Mateus. Você é um bom amigo. E olhe que você é mais amigo dc Conrado...

– Ele foi meu filho em outras vidas, mas o fato de eu estar atualmente mais ligado a ele não me impede de me interessar por outras pessoas, conhecidas ou não, e o seu bem-estar é uma de minhas maiores preocupações no momento. Conrado está mais protegido agora, e Kedar não pode atingi-lo. Perdeu seus soldados, perdeu seus reféns, perdeu você. Ainda tem o seu poder nas trevas e é a ele que se agarra para não ter que encarar suas responsabilidades. Mas esse poder é efêmero, e Kedar já começa a se ressentir do conhecimento de sua fraqueza. Mais um pouco e se voltará para nós. E agora, vamos aproveitar esse momento fascinante que a natureza nos oferece. Olhe, meu amigo, e me responda: já viu céu mais lindo do que este?

Ao voltar os olhos para o céu, João quedou admirado. Jamais, em toda a sua vida, pensou que pudessem existir tantas estrelas. Mesmo lá no sertão, onde a claridade das ruas não era suficiente para ofuscar o cintilar dos astros, a noite não era tão linda e tão faiscante. As estrelas, aqui, não pontilhavam o céu, elas eram o próprio céu estendido sobre o fundo azul do veludo da noite...

27

Vinício atravessava mais um dia de tormentos em sua vida, com Sandra mais insuportável do que nunca naquele domingo. Como era de costume, foram apanhar Albertina em casa para passar o dia com eles, e, à hora do almoço, Sandra não parava de censurá-la por não querer mudar-se. A pobre senhora já não agüentava mais tanta insistência, e foi preciso que Conrado interviesse para que Sandra a deixasse em paz.

– Por que não respeita sua mãe, menina? – censurou irritado.

Com ar amuado, ela se calou, e Albertina agradeceu a Conrado com os olhos. Ao findar da tarde, Lídia saiu com o novo namorado. Finalmente, havia conhecido um rapaz por quem se interessasse, e a família estava muito satisfeita. Ele era professor de matemática, o que, naquela época, era sinônimo de status e boa situação financeira. Além disso, era culto, educado e gentil com todos, o que lhe granjeara a simpatia de Malvina e de Conrado.

Mais tarde, Albertina também pediu para ir, e Vinício foi levá-la, em companhia de Sandra. Naquele dia, porém, Sandra estava mais mal-humorada do que de costume. Sentou-se a seu lado no automóvel e não disse uma palavra, até que chegassem à casa da mãe. Albertina se despediu da filha e do genro com um beijo e entrou. A casa estava agora toda pintada e havia sido reformada por dentro, o que lhe dava um ar distinto e alegre.

Depois que ela entrou e acenou para eles da porta, Vinício ligou o carro e começou a fazer o caminho de volta. De vez em quando olhava para Sandra discretamente, mas ela permanecia carrancuda, como se tivesse brigado com o mundo. Vinício tentou iniciar uma conversa descontraída; falou sobre o tempo, sobre as notícias que lera no jornal, sobre as novas músicas em voga. Nada disso interessou Sandra, que fazia um muxoxo sem graça e virava o rosto para o lado todas as vezes em que ele lhe perguntava o que ela achava. Vinício já estava no seu limite e precisou de todas as suas forças para não gritar com ela.

Pela mente de Sandra, apenas uma coisa passava: a imagem de Conrado, sempre a esquivar-se dela, fingindo que não a via, evitando até mesmo sentar-se à mesa sozinho com ela. No princípio, ela chegou a pensar que fosse amor, mas agora compreendia tratar-se de avassaladora paixão. Sua presença mexia muito com ela, e ela sentia o corpo todo arder de desejo, só de olhar para ele. Por que ele não lhe dava uma chance?

– O que é que você tem? – ouviu Vinício dizer, interrompendo seus pensamentos.

– Nada – foi a resposta seca.

– Você anda muito esquisita ultimamente. O que há, não se tem sentido bem?

– Tenho-me sentido otimamente bem.

– Por que então anda tão estranha?

– Eu não ando estranha.

– Anda sim. Está fria, distante, ríspida.

– Esse é o meu jeito. Se não gostava dele, não devia ter-se casado comigo.

– Não precisa ser grosseira. Estou apenas tentando entender o que foi que aconteceu para você ter mudado tanto.

– Eu não mudei.

– Será então que você sempre foi assim, e eu é que me enganei?

– Pense como quiser.

– O que há, Sandra? Por acaso não me ama mais? – ela não respondeu. – É isso, deixou de me amar?

Ela evitou o seu olhar e falou com o rosto voltado para a janela:

– Deixe-me em paz, Vinício.

Ele freou o carro bruscamente e puxou o seu queixo, fazendo com que ela virasse o rosto para ele.

– Não estou agüentando mais essa situação – disse com raiva.

– Casei-me com você porque pensei que me amasse. Agora, no entanto, vejo que é diferente do que eu pensava que fosse.

Com a mão trêmula, ela afastou os dedos dele do seu queixo e revidou entre os dentes:

– Já disse para me deixar em paz.

– Quero que me diga agora, Sandra, aqui, olhando nos meu olhos. Você ainda me ama?

– Amo... – respondeu sem convicção.

– Não sei se acredito mais nisso.

– Se quer acreditar, acredite. Senão, o problema é seu.

– Como pode dizer uma coisa dessas? Você é minha mulher!

– O que não me obriga a responder a seus interrogatórios.

– Interrogatórios? Foi você quem criou essa situação.

– Não criei nada. E agora, será que dá para andar de novo? Está atrapalhando o trânsito.

Pelo espelho, Vinício viu que a rua estava vazia mas, ainda assim, engatou a primeira e colocou o automóvel em movimento.

– O que foi que lhe fiz, Sandra? – prosseguiu ele. – Por que tem-me tratado dessa maneira?

– Você não me fez nada, Vinício. E pare com essa choradeira! Detesto choramingos de homem.

Vinício sentiu o rosto arder de rubor e teve vontade de esbofeteá-la, mas conseguiu conter-se. Por mais que ela o irritasse, não iria permitir que o fizesse perder a dignidade.

– Desconheço-a, Sandra. Não é a mesma com quem me casei.

– Olhe, Vinício, pare com isso, está bem? – contemporizou. – Estamos casados, e é isso o que importa.

– Você não me ama mais. Será que me amou um dia?

– Casei-me com você, não foi?

– Isso não quer dizer nada. Você não me ama, dá para perceber. Só não entendo por que quis casar-se comigo. Por que não deixou que Marisa e eu nos entendêssemos?

– Eu não deixei? Essa é boa! Eu lhe fiz um favor, e é assim que você me retribui? Marisa ia humilhá-lo, e fui eu que o alertei, lembra-se? Foi graças a mim que você não precisou expor-se à humilhação novamente.

– Não estou bem certo disso. Deveria ter ouvido dos lábios de Marisa tudo o que você me disse.

– Pois ainda está em tempo. Escreva para ela e peça para lhe contar.

– Não posso fazer isso. Não depois de tudo o que lhe fiz.

– Não venha agora me acusar pelo fracasso do seu noivado com Marisa. Vocês terminaram porque não souberam entender-se. Os dois! Não tiveram respeito nem compreensão.

– Quem é você para falar em respeito? Você nem sabe o que é isso.

– Tem algo de que me acusar? Por acaso traio você, engano você, minto para você?

Ele a olhou sério e respondeu com azedume:

– Não sei.

Haviam chegado a casa, e Sandra desceu do carro furiosa. Bateu a porta e passou correndo pelo portão, entrando pela sala feito um tufão. Malvina teve um sobressalto, mas Conrado nem se abalou. Ouviu suas passadas pesadas pela escada e o bater de uma porta no segundo andar. Pouco depois, Vinício entrou pela porta dos fundos.

– Vinício! – chamou Malvina. – O que foi que aconteceu, meu filho? Vocês brigaram?

– Nada, mãe, não foi nada. Coisas de casal, isso passa.

Vinício duvidava. Do jeito que Sandra andava, as coisas iam de mal a pior. Não demoraria muito, e o seu casamento iria por água abaixo. Aturdido, começou a subir os degraus, mas parou no meio da escada. Deu meia-volta e rumou para o jardim. Foi caminhando aturdido e olhou para a janela de seu quarto, que estava acesa, com as cortinas cerradas. Mais um pouco e alcançou a piscina. Seria uma ótima idéia! Um banho frio era tudo de que necessitava naquele momento. Começou a se despir e nem ligou para o fato de que já era noite e ele não estava em trajes de banho. Só de cuecas, atirou-se na piscina e mergulhou bem fundo, deixando que a água cobrisse o seu corpo e a sua cabeça, aliviando sua alma do peso daquele casamento sem amor.

Mergulhou várias vezes e foi nadando até a borda, onde o pai estava parado, em pé, olhando para ele com ar de compreensão.

– O que está fazendo aí, pai? – indagou ele, saindo da piscina e apanhando a toalha que Conrado lhe estendia.

– Vim ver como você está passando.

– Bem, como vê.

– Não o vejo nada bem. Ao contrário, parece-me bastante abatido e zangado.

– Não é nada, pai.

– É sim. Você e sua mulher não estão bem, e isso é motivo para muitos aborrecimentos.

– Quem foi que lhe disse que não estamos bem?

– Ora, meu filho, eu não nasci ontem. Acha que não percebo o jeito como se estão tratando? Vocês mal se falam.

Não adiantava querer enganá-lo. Conrado já percebera tudo, e Vinício achou melhor não fingir. Precisava mesmo de um amigo com quem partilhar a decepção que sentia com o falência do seu casamento.

– Sandra não me ama – desabafou por fim. – Trata-me como um estranho e quase não faz amor comigo.

Calou-se, a voz embargada pela vergonha, e sentiu o abraço amoroso que o pai lhe dava.

– Não precisa envergonhar-se – disse ele, afagando o rosto do filho. – Se alguém tem algo de que sentir vergonha, esse alguém é Sandra.

– Por quê?

– Porque ela não está sendo digna nem decente com você, assim como não é com a mãe dela. Por que acha que d. Albertina se recusa a vir morar aqui conosco?

– Não sei, rabugice, mania, sei lá.

– Pois eu imagino. Aposto como d. Albertina não quer vir morar conosco porque sente vergonha da filha.

– Vergonha?

– Dona Albertina me parece uma mulher muito digna, e imagino como deve ter-se sentido ao ver a filha desposar um rapaz honesto e decente feito você apenas por interesse.

Disse aquilo com tanta naturalidade, que Vinício se chocou. Ficou parado, olhando para o pai com a boca aberta, pensando mil coisas ao mesmo tempo, até que conseguiu articular:

– Acha mesmo que ela só se casou comigo por interesse?

– Sempre achei isso e nunca escondi a minha insatisfação com esse casamento. Mas você insistiu, e eu respeitei a sua vontade.

– Tem razão... – concordou desanimado. – O senhor bem que tentou avisar-me. O senhor e Lídia.

– Sua irmã tem sérias razões para não gostar de Sandra, mas você também não quis ouvi-la. Na verdade, não quis ouvir ninguém.

– Eu... estava apaixonado, pai... não iria aceitar que falassem mal dela.

– Compreendo isso, mas agora, veja no que deu. Com a sua paixão cega, estragou a sua vida.

– Por favor, pai, não me acuse. Já é doloroso demais saber que Sandra não me ama e que o meu casamento é um fracasso.

– Não o estou acusando e acho mesmo que isso agora não iria adiantar de nada. Apenas quero que você reflita no que lhe está acontecendo. Sandra não é uma moça direita. Fez intriga para afastá-lo de Marisa, e você caiu feito um patinho.

– Não sabemos se ela fez intriga.

– Fez sim. Os argumentos de sua irmã são muito fortes, e acho que você deveria ouvi-la.

– Se Sandra fez intriga, por que é que Marisa também não me procurou?

– Porque ela deve ter feito intriga de você com Marisa também. E os dois, cada um pelos seus motivos, acreditou nas mentiras dela sem nem titubear.

– Acha mesmo, pai? Acha mesmo que Sandra me afastou de Marisa?

– Acho que você permitiu que ela o afastasse.

– Gostaria de voltar no tempo...

– Se voltasse no tempo, talvez tivesse feito tudo de novo. Faltar-lhe-ia experiência para fazer diferente.

Com o olhar transparente de angústia, Vinício olhou de novo para a janela de seu quarto, que permanecia com a cortina abaixada, e admitiu:

– Eu estava muito apaixonado. Achava que Sandra era a mulher da minha vida...

– Por quê? Por que essa paixão repentina?

– Acho que não foi tão repentina. Eu e ela já nos havíamos envolvido antes. Fizemos amor uma vez... e brigamos. Depois, quando Marisa me deixou, ela foi tão carinhosa, tão compreensiva. E é tão bonita e sensual...

– Aquela mulher é uma cobra, Vinício, não é compreensiva com ninguém. Age movida por seus interesses.

– Ela não pode ser tão mesquinha assim. Casou-se comigo, deve me amar ao menos um pouquinho.

– Ela não o ama! Será que você não vê que ela o está usando, que o usou todo esse tempo?

– Como é que o senhor sabe? Como sabe que ela não me ama? Por acaso está dentro do coração dela?

– Ela não tem coração! Ou se tem, é de pedra ou de gelo!

– Por que afirma isso com tanta convicção, pai? O que o senhor sabe que eu não sei?

Ele ficou aturdido. Não pretendia, jamais, dizer que Sandra tentava seduzi-lo a todo custo, mesmo antes de se casar. O filho podia não acreditar, afinal, ela nunca se declarara abertamente. Só o que tinha era o seu jeito e os seus olhares, o que bem poderia ser contestado por ela.

– Eu... – balbuciou confuso – não sei de nada. Nem preciso... basta ver o jeito dela para saber quem ela é.

Vinício deu-se por vencido. Enfiou o rosto entre as mãos e

começou a chorar, pensando na felicidade que havia jogado fora. Naquele momento, com o coração oprimido, sentiu imensa saudade de Marisa. Por onde andaria? Não tinha notícias dela havia quase um ano. Foi acometido por uma angustiante sensação de perda, como se tivesse perdido a felicidade por tê-la jogado fora. De uma certa forma, fora mesmo isso o que fizera. Era feliz com Marisa, mas não podia contentar-se com uma moça discreta e recatada a seu lado. Tinha que se deixar levar pela outra, pela vagabunda interesseira, que fingira ser o que não era só para enredá-lo em sua teia e agora mostrava as garras e arrancava as máscaras, revelando seu verdadeiro caráter. Fora por isso que jogara a felicidade fora, por trocar Marisa por alguém que não merecia sequer a sua amizade.

– Você precisa dar um jeito nessa situação – continuou Conrado. – Isso não pode ficar assim. Essa mulher está fazendo você de idiota.

– Por quê? Acha que ela está me traindo?

Mais uma vez, Conrado sentiu-se pressionado e tentou disfarçar:

– Não posso falar do que não vi. Mas não duvido que ela seja capaz disso.

– Entendo... mas desquite, pai? O que os outros não vão dizer?

– Não acha que está na hora de deixar de importar-se com o que os outros vão dizer? Não foi por isso mesmo que trocou Marisa por Sandra e hoje é infeliz?

O rubor subiu-lhe novamente às faces, e Vinício abaixou a cabeça, envergonhado. Dera tanta importância às aparências, mas não se incomodara em trocar a mulher que realmente amava por uma ordinária, que ainda acabaria enxovalhando seu nome com a mácula da traição. Só agora começava a compreender que jamais amara Sandra de verdade. Deixara-se levar pelo seu temperamento impetuoso e sensual, julgando-se, por isso mesmo, um homem moderno e acima das convenções sociais, alvo da inveja dos amigos por estar ligado a tão admirável e singular criatura. Sandra se mostrara, não uma liberal comportada, como ele esperava, mas uma ordinária interesseira e arrogante, em nada preocupada com a imagem de si mesma ou de sua família.

Fora-lhe difícil perceber, mas agora tinha certeza de que ela jamais lhe tivera amor.

28

A mansão do Alto da Boa Vista foi fechada com a partida de Marisa e Antônia, e os empregados, dispensados. Por esse motivo, quando elas voltaram, a casa cheirava a umidade e mofo, e Antônia teve que abrir todas as janelas para que o sol e o ar fresco renovassem o ambiente. Arrumaram apenas um quarto, e Antônia enviou telegramas aos antigos empregados, avisando de sua volta e indagando se não gostariam de voltar a trabalhar para elas. Os que estavam desempregados responderam ao telegrama e, em uma semana, as atividades na antiga mansão já haviam voltado ao normal.

Durante esses dias, Marisa não saiu de casa, com medo de encarar o mundo. Começava a arrepender-se de haver voltado, ao mesmo tempo em que sentia que jamais deveria ter partido. Nunca voltaria a ser feliz se continuasse presa às pendências do passado. Vinício, há muito, deixara de amá-la, e era preciso encarar essa verdade. Tinha o direito de ser feliz ao lado de Sandra, já que descobriram que se amavam. A única coisa que ela não compreendia era por que Sandra nunca lhe escrevera. Teria gostado de saber, por ela mesma, de seu casamento com Vinício.

Ainda assim, resolveu visitá-la. Ao parar defronte à casa de Sandra, notou que ela estava muito diferente, toda reformada e pintadinha de nova, com o jardim mais bem cuidado e florido. Saltou do carro e abriu o pequenino portão do jardim. Subiu os três degraus que levavam até a porta e tocou a campainha. Não foi preciso esperar muito até que Albertina viesse atender.

– Marisa! – exclamou Albertina, abraçando-a com genuína alegria. – Mas que surpresa agradável!

– Foi surpresa para mim também – declarou Marisa. – A casa

está muito diferente, tive medo de que se tivessem mudado e esquecido de me avisar.

– Ora, a casa passou por uma pequena reforma, só isso. Mas e você, como está? Quando chegou? E sua mãe, vai bem?

– Mamãe está ótima, obrigada. Chegamos há uma semana, e demorou um pouquinho até que conseguíssemos colocar a casa em ordem.

– Fico feliz que tenham voltado. Você sabe o quanto gosto de você.

– E eu, da senhora – fez uma pausa, olhando ao redor, e tornou a indagar: – E Sandra, como está?

– Bem... está casada... – calou-se constrangida, sentindo-se envergonhada pela atitude da filha.

– Por que ela não me escreveu? Esperava receber notícias suas.

Albertina soltou um suspiro triste e retrucou em tom de desculpa:

– Acho que ela se sente pouco à vontade. Afinal, Vinício era seu noivo.

– Bem, d. Albertina – ponderou cautelosa –, Sandra e Vinício eram solteiros... ela não precisava sentir-se constrangida.

– Eu falei para ela não fazer isso, mas Sandra não quis ouvir-me. Disse que o moço era seu noivo. Sandra não ouve ninguém, ela nunca me obedeceu.

– Por que, d. Albertina? Se eles estavam apaixonados, era natural que quisessem casar-se. Nós já havíamos rompido. E depois, Vinício já não gostava mais de mim...

– Ah! Mas ele gostava. E ainda gosta, tenha certeza.

– Como pode dizer uma coisa dessas? Ele se casou com a sua filha!

– Eu sempre fui contra esse casamento. Sei que minha filha não gosta desse rapaz e só se casou porque ele é rico. Agora vive por aí, sem fazer nada, às turras com o marido.

– Quer dizer que o casamento deles não vai bem?

– Qual é o casamento sem amor que pode ser bom?

– Não é possível que ela não o ame.

– Ela não o ama, tenho certeza. Sandra é uma menina fútil e interesseira. Por esse motivo eu não quis ir morar lá com eles. Eu não! Não ia concordar com uma farsa daquelas. Ela fez de tudo para eu me mudar, mas eu me recusei a sair daqui e a vender a casa. Quero só ver quando ele a largar, onde é que ela vai viver. Não, senhora. Por esse motivo tenho a minha casinha. Quando todo mundo descobrir quem ela é, e Vinício a expulsar da casa dele, temos ainda o nosso cantinho, e é aqui que a acolherei de volta.

– A senhora acha isso? Acha que Vinício vai expulsá-la?

– Expulsar pode ser exagero. Mas que ele não vai querer continuar casado com ela, isso não vai. Ainda mais agora, que você voltou.

– Eu!? Não tenho nada com isso.

– Ele a ama, tenho certeza, e deve estar muito arrependido de não ter casado com você.

– Ele fez a escolha dele. Demonstrou-se rancoroso e vingativo.

– Tem certeza disso?

– Foi o que Sandra me disse...

Albertina viu a interrogação no olhar de Marisa, mas preferiu não dizer nada. Afinal, Sandra era sua filha, e ela já havia desabafado demais.

– Por que não vai falar com a irmã dele? Ela não é sua amiga?

– Ela era, mas não sei se ainda é.

– Ela é, tenho certeza. Sempre fala em você com muito carinho.

– Não sei se terei coragem de procurar Lídia depois de tudo o que aconteceu.

– Não seja orgulhosa, Marisa. Lídia é uma moça maravilhosa, e eu gosto muito dela. É ajuizada, sensata e estudiosa. Sabia que está na faculdade?

– Sério?

– É sim. Como Sandra disse que faria. Mas Sandra, depois que se casou, não quis saber de mais nada.

– Não fique triste, d. Albertina. Talvez a senhora esteja enganada, e Sandra seja feliz.

– Duvido muito. Ninguém pode ser feliz passando por cima da felicidade dos outros.

– Ela não fez isso. Vinício e eu já havíamos terminado.

– Você é uma moça muito boa. Como eu gostaria que Sandra fosse igual a você!

– Olhe, d. Albertina, vamos fazer uma coisa. Eu vou telefonar para Lídia e pedir que vá encontrar-me em algum lugar. Não quero ir à casa dela depois de tudo. Não sei se serei bem recebida, ainda mais agora, que Vinício está casado com Sandra.

– Você é quem sabe, minha filha. Acho que deve fazer como se sentir melhor.

– Vou-me sentir melhor assim.

– Muito bem, Marisa. Você é uma menina de ouro. Sua mãe deve estar muito feliz com você.

Mudaram de assunto. Marisa se esforçava ao máximo para não pensar em Sandra e Vinício juntos. Concentrou a atenção na conversa e procurou contar a Albertina tudo o que haviam feito durante aquele último ano em São José dos Campos. Albertina escutou tudo atentamente, tomando o cuidado de não fazer nenhuma referência ao acontecido com seu pai. Já quase à noitinha, Marisa voltou para casa, tentando não deixar transparecer o ressentimento que lhe ia na alma.

– Como foi a visita? – quis saber Antônia.

– Bem.

– Sandra estava lá?

– Não. Não pensei mesmo que estivesse.

Antônia largou o que estava fazendo e encarou a filha, percebendo, em seus olhos brilhantes, toda a tristeza que lhe ia na alma.

– E você? Como é que está se sentindo?

– Por enquanto, não sei ao certo. Fiquei feliz por rever d. Albertina, mas só vou saber como realmente me sinto no dia em que reencontrar Sandra e Vinício.

– Vai procurá-los?

– Não. Talvez Lídia. Nunca lhe escrevi, sequer lhe dei nosso endereço, mas sei que continua minha amiga. Dona Albertina falou.

– Faça como achar melhor. Só não deixe a tristeza dominá-la.

– Acha que estou triste?

– É o que seus olhos dizem.

Marisa silenciou. Sabia que a mãe tinha razão, mas não podia voltar atrás agora. Sua vida estava no Rio de Janeiro, e precisava encará-la. Sabia que ainda amava Vinício, mas se ele escolhera outra mulher para dividir a sua felicidade, tinha que se conformar. Vinício não a amava, e melhor seria não pensar mais nele.

***

Finalmente chegou o dia em que Marisa resolveu procurar Lídia. Telefonou para sua casa e mal conseguiu conter a emoção quando ela atendeu o telefone:

– Alô? Quem é que está falando?

– Lídia? Sou eu, Marisa.

– Marisa? Meu Deus do céu, isso é que é surpresa boa! Onde você está? Está no Rio?

– Estou, Lídia, estou em casa.

– Quando voltou?

– Há pouco mais de uma semana.

– Nossa, Marisa, você nem imagina o quanto senti a sua falta e como me alegra ouvir a sua voz!

– Estou morrendo de saudades, Lídia. Será que não podemos nos encontrar em algum lugar?

– Mas é claro que sim! Onde você quiser.

– Será que você se incomodaria de vir à minha casa?

– É claro que não. Se não houver problema...

– Não há problema nenhum. Assim você fica conhecendo minha mãe melhor e nós poderemos conversar.

– Excelente! Já estou indo para aí agora mesmo.

– Tem o endereço?

– Tenho sim. Pode me aguardar, já estou chegando.

Quase duas horas depois, Lídia chegou à casa de Marisa. Cumprimentou Antônia com alegria e abraçou a amiga com efusão.

– Você não faz idéia da saudade que senti – declarou Marisa, os olhos marejados.

– E eu! Oh! Marisa, tantas coisas aconteceram!

– Bom, meninas – interrompeu Antônia de repente. – Imagino que devem ter muito que conversar. Por que não vão para o quarto, e eu as chamo na hora do jantar? Vai jantar conosco, não vai, Lídia?

– Se isso é um convite, já está aceito – respondeu Lídia de bom humor.

De mãos dadas, as duas subiram para o quarto. Marisa abriu a janela, deixando que o ar fresco de outono entrasse pelo aposento. Lídia sentou-se na cama da amiga e abraçou-a novamente, comovida e feliz com a sua chegada.

– Você não imagina o quanto desejei falar-lhe – começou Lídia, encarando-a com uma certa seriedade. – Muitas coisas aconteceram desde que você partiu.

– Já sei. Vinício se casou com Sandra.

– Foi d. Albertina quem lhe contou? – ela assentiu. – E como foi que você se sentiu?

– Para falar a verdade, fiquei muito decepcionada. Pensei que Vinício gostasse um pouco mais de mim, mas hoje vejo que ele nunca me amou.

– Não é bem assim, Marisa. Vinício ficou com um pouco de raiva de você, mas Sandra jogou muito veneno na relação de vocês dois. Aproveitou-se da situação para colocar Vinício contra você, e acredito que tenha feito o mesmo com você, colocando-a contra ele.

– Por que diz isso? Foi Vinício quem não me quis mais.

– Quem foi que lhe disse isso? Sandra?

– Foi.

– Pois ela mentiu. Caso você não saiba, Vinício foi à casa de Sandra, no dia anterior à morte de seu pai, desculpar-se com você e pedir que o aceitasse de volta. Lamentavelmente, porém, foi Sandra quem o recebeu, e você pode imaginar a história que ela contou para ele.

Diante do ar de surpresa de Marisa, Lídia narrou tudo o que Sandra havia dito a Vinício. Contou todas as suas mentiras, desde que Marisa não amava Vinício, até que acusara seu pai de assassino. Marisa ficou estarrecida. Jamais poderia imaginar que Sandra fosse tão maquiavélica e intrigante.

– Ela me contou a história inversa – esclareceu Marisa. – Falou que Vinício não queria nem permitir que você viesse me procurar... disse que ele não poderia nunca aceitar o meu pai... que o odiava pelo que ele fizera e que jamais o perdoaria.

– E você acreditou, não foi?

– Não tinha motivos para duvidar. Sandra sempre foi minha amiga.

– Desculpe-me, Marisa, mas se há algo que Sandra nunca foi, é sua amiga. Ela sempre quis ficar com Vinício. Sempre, desde o início.

– Não é verdade, não pode ser verdade. Sandra e eu nos conhecemos desde crianças.

– Você nunca conheceu Sandra de verdade. Ela é falsa, mentirosa, manipuladora. Casou-se com Vinício, mas nunca o amou. Você é que não conseguiu enxergar, porque temos o costume de ver o outro como nós mesmos. Achamos que o outro é nosso espelho e só conseguimos enxergar o que tem reflexo dentro de nós.

– E quanto a mim? Vinício também acreditou em tudo o que Sandra lhe disse?

– Acreditou. Como foi procurá-la e não a encontrou, preferiu ficar com a verdade de Sandra. Eu bem que tentei falar com você, mas o seu pai morreu, e eu não tive oportunidade. Depois, quando fui procurá-la, você já havia viajado. Pensei em lhe escrever e até consegui o seu endereço com Sandra. Mas não tive coragem. Eles se casaram e eu me culpei, porque fui eu que insisti com Vinício para que lhe pedisse o seu endereço. Foi isso que os reaproximou.

– Você não fez nada, Lídia. Eles se casaram porque tinha que acontecer. Não foi culpa sua. Se não tivesse sido porque você pediu meu endereço, teria sido por um outro motivo qualquer. Eles teriam se encontrado de qualquer jeito.

– Não está chateada comigo? Por não lhe ter escrito e por ter causado a aproximação de Vinício e de Sandra?

– É claro que não! Imagine, logo você, que sempre foi tão minha amiga!

– Por que você não me escreveu também? Você sabia o meu endereço, podia ter-me enviado ao menos um cartão postal.

– Assim como você, também não tive coragem. Tive medo de que estivesse com raiva de mim por causa do que aconteceu entre nossos pais.

– Eu jamais ficaria com raiva de você!

– Mas Vinício ficou.

– Vinício foi um tolo. Pena que, quando abriu os olhos, já era tarde demais.

– E o seus pais? Como puderam não me odiar?

– Que motivos teriam eles para odiá-la? Meus pais lamentaram muito o ocorrido, principalmente porque você e Vinício romperam o noivado. Eles sempre gostaram muito de você.

– Depois do que houve, devem ter lá as suas reservas.

– Engano seu. Meu pai ficou muito triste porque... bem, você sabe, pelo seu pai ter morrido.

– Foi muito difícil para nós.

– Eu sei. Espero que compreenda que meu pai não teve escolha. Era ele ou...

– Por favor, Lídia, não relembre esses momentos dolorosos. Entendo que seu pai agiu em legítima defesa e jamais o acusaria de assassino ou qualquer outra coisa, como Sandra parece ter sugerido. Contudo, fui eu que perdi o meu pai e, independentemente de como ele morreu, o fato é que já não está mais conosco. E é isso o que dói.

– Tem razão – concordou Lídia, apertando-lhe a mão. – O que importa é a nossa amizade.

Marisa tentou sorrir e retrucou com interesse:

– Conte-me de você. O que tem feito?

Lídia inflamou o peito e respondeu com orgulho:

– Estou na faculdade.

– Sério? Você é mesmo danadinha. Conseguiu o que queria. E está estudando o quê?

– Estudo Direito. E essa não é a única novidade. Também estou namorando.

– Não me diga! E quem é ele? Por acaso é alguém conhecido?

A conversa mudou de rumo e, por alguns momentos, Marisa conseguiu desviar o pensamento de Vinício e do pai, e se entreter com as novidades que Lídia lhe contava. No fundo, era isso mesmo o que importava. As duas eram amigas e não precisavam afastar-se por algo que só dissera respeito a seus pais.

***

No dia seguinte, à hora do jantar, Lídia reparou na cara de mau humor de Sandra e sorriu satisfeita. Se ela já estava mal-humorada, ficaria ainda pior depois da notícia que tinha para dar. Esperou até que servissem o prato principal, tomou um gole de suco e perguntou, fazendo cara de mistério:

– Sabem quem está de volta? – esperou que todos olhassem para ela e anunciou com ar solene: – A Marisa.

Sandra quase engasgou. Sentiu o sangue ferver e fitou Lídia com raiva, mas a outra fingiu não perceber.

– Marisa voltou? – tornou Vinício, mal conseguindo ocultar a excitação. – Quando?

– Semana passada.

– E como ela está? – indagou Malvina, notando o excessivo interesse do filho.

– Muito bem.

– Como é que você sabe que ela voltou? – retrucou Sandra, mordendo os lábios.

– Ela me ligou ontem, e eu fui à sua casa.

– Você esteve com ela? – continuou Vinício interessado.

– Estive sim. Passei a tarde com ela.

– Foi por esse motivo que não apareceu para jantar? – tornou Sandra, com desdém. – Podia ao menos ter tido a consideração de ligar e avisar seus pais. Eles ficaram preocupados.

– Deixe que falemos por nós mesmos, Sandra – protestou Conrado, ignorando o rubor que tingia as faces da nora. E, virando-se para a filha: – Você fez muito bem em ir à casa dela. Apesar de tudo o que aconteceu, temos por Marisa uma grande estima.

– Será que ela já perdoou o assassino do pai dela? – retrucou Sandra, agora com raiva.

– Será que você é amiga dela mesmo? – rebateu Lídia friamente.

Sentindo o perigo velado, Sandra engoliu em seco e respondeu com uma serenidade falsa e trêmula:

– Sou.

– Pois não é o que parece. Devia estar feliz com a sua volta e, no entanto, parece ter ficado com raiva.

– Raiva, eu? Por que ficaria?

– Talvez porque esteja com a consciência pesada e não queira que ela venha aqui para acusá-la.

– Acusar-me de quê?

– De mentirosa, para começar.

– Por que mentirosa? Não contei mentira nenhuma.

– Só aquelas para afastar Marisa de Vinício e permitir que você se casasse com ele.

Sandra sentiu o sangue gelar e quase avançou na cunhada. No entanto, tinha que manter a calma e aparentar inocência.

– Não sei do que está falando, Lídia. Não precisei de nenhuma mentira para me casar com Vinício.

– Não. Só que Vinício odiava o pai dela e o acusou de covarde.

– Eu jamais falei um absurdo desses! – protestou Vinício, mal contendo a fúria.

– Ah! Não? Pois foi o que a sua mulher disse a Marisa. E você nem imagina o que ela falou a Marisa de você.

– Por acaso eu falei alguma mentira, Vinício? – indagou Sandra, fazendo ar de mofa. – Ou você vai negar o que sentiu por *seu* João na época?

– Ele não tem que negar nada! – adiantou-se Lídia. – Meu irmão estava confuso, e você tratou de se aproveitar da confusão dele para inventar as suas mentiras maldosas.

– Já chega, Lídia! – censurou Malvina, com medo do rumo que aquela conversa estava tomando. – Para que isso agora?

– Para vocês saberem quem é essa daí.

– Não fale comigo nesse tom – revidou Sandra, rilhando os dentes. – Você não tem o direito.

– Você é que não tem o direito de inventar mentiras para conseguir o que quer e entrar aqui na minha casa para infernizar a nossa vida e a do meu irmão.

– Não estou infernizando a vida de ninguém! E não se meta onde não é chamada, sua feiosa recalcada!

– Pare com isso, Sandra! – repreendeu Vinício, estupefato com as palavras da mulher. – Isso não é jeito de tratar a minha irmã.

– Ah! E ela, porém, pode me destratar, não é? Pode me chamar de mentirosa, que ninguém liga?

– Estou apenas falando a verdade – defendeu-se Lídia.

– E eu também.

– Posso não ser bonita como você, Sandra, mas de que vale a beleza se você não tem o principal, que é caráter? Só beleza cansa, mas caráter é algo para a vida inteira.

– Ora, sua atrevida...

Sem que ninguém tivesse tempo de impedir, Sandra saltou na frente de Lídia e estalou-lhe um tapa no rosto, deixando todos surpresos e estarrecidos. Lídia, porém, reagiu depressa e devolveu-lhe a bofetada com outra, mais forte, que fez com que Sandra cambaleasse e caísse no chão com estrondo.

– Jamais ouse bater-me novamente! – rugiu Lídia. – Não sou da sua laia, mas não me custa descer ao seu nível para lhe dar o que você merece!

Mal acreditando no que havia acontecido, Sandra se levantou

chispando fogo, sentindo o rosto arder, não só pelo tapa, mas principalmente, pela vergonha. Olhou Lídia com tanto ódio, que ela chegou a sentir-se mal. Esfregou a face e rodou nos calcanhares, saindo pela porta da frente, em direção à rua.

– Não vai atrás dela? – indagou Malvina a Vinício, ainda tentando recuperar-se do susto e da surpresa.

– Não – respondeu ele entre os dentes. – Deixe que se vá e que não volte mais, se for de sua vontade. Será melhor para todo mundo.

Ninguém disse mais nada. Conrado pouco falara mas, intimamente, exultava. Cada vez mais admirava a filha. Ela era uma moça corajosa e sabia impor-se com dignidade e respeito. Duvidava muito que Sandra, dali para a frente, fosse enfrentá-la novamente. E depois, ela fizera o que ele tinha vontade de fazer e não podia. Era por meio de Lídia que ele conseguia extravasar a sua repulsa por aquela mulher. Só Lídia tinha coragem de enfrentá-la como igual, o que o deixava muito satisfeito.

O jantar terminou por ali mesmo, e Vinício foi para o jardim. Precisava refletir sobre tudo o que acontecera. Nas palavras de Lídia, na grosseria de Sandra, na volta de Marisa. Pensando nela, sentiu o coração se apertar. Por que não acreditara em Lídia? Por que fora dar ouvidos ao que Sandra lhe dissera, às mentiras que inventara? Precisava descobrir toda a verdade, e só Lídia, naquele momento, podia esclarecê-lo. Foi procurar a irmã, e ela não hesitou em lhe contar tudo o que sabia.

– Por que, Lídia? – suspirou ele. – Por que fui deixar que Sandra me convencesse? Por que não lhe dei ouvidos? Você bem que tentou avisar-me.

– Isso não adianta muito agora, não é mesmo?

– Marisa deve odiar-me.

– Não. Ela também foi envolvida.

– Gostaria de vê-la, falar com ela. Preciso explicar-me.

– O momento não é esse. Marisa pode pensar que você está querendo vê-la só porque seu casamento com Sandra não vai bem. E acredite-me, ela não vai querer servir de consolo para você.

– Consolo? Acha que é isso o que penso dela?

– Não sei bem, Vinício. E será que você sabe? Você, que se dizia tão apaixonado por Marisa, não hesitou em acreditar nas mentiras de Sandra e trocá-la por ela. Será que você sabe o que realmente sente?

– Não... você tem razão, fui volúvel e acreditei no que me parecia mais conveniente no momento. No fundo, foi isso. Por mais que amasse Marisa, eu estava triste e frustrado, e Sandra me acenou com a possibilidade de um relacionamento sem manchas ou ressentimentos. Deixei-me levar por uma ilusão.

– Pois então, não se iluda mais. Tente ser sincero, principalmente, com você mesmo. Analise os seus sentimentos antes de tomar qualquer atitude. Senão, você estará ferindo, não apenas você, mas outras pessoas também.

– Tem razão. Antes de definir os meus sentimentos, não posso procurar Marisa. Não quero envolvê-la de novo sem ter nada a lhe oferecer.

– Isso mesmo. Pense bem. Será que você gosta mesmo dela ou só a quer para suprir as suas carências?

– Não sei.

– Pois então, descubra. Marisa é uma pessoa muito especial e preciosa demais para você ferir. Ela já sofreu muito e não merece mais uma decepção.

Vinício olhou-a magoado. Dava-lhe razão em tudo e sentia raiva de si mesmo. Deixara-se levar pelas conveniências e permitira que o desejo falasse mais alto dentro dele. Jamais amara Sandra. Desejara-a louca e ardentemente, mas nem isso sentia mais. A relação entre eles havia se tornado fria e distante, e Sandra já não lhe despertava mais o desejo de outrora. Não apenas porque deixara de lado o ardor, mas, principalmente, porque ela se revelara uma pessoa sem caráter e sem princípios. Tinha beleza, mas era só. E Lídia tinha razão: a beleza cansa, o caráter fica pelo resto da vida.

29

Tantas mentiras estavam cansando o coração de Marisa. Queria poder passar uma borracha sobre seu passado e apagar os episódios infelizes que haviam acontecido, mas isso era impossível. Seu pai mentira, sua mãe mentira, Sandra mentira também. Vinício, embora não tivesse propriamente mentido, não tivera coragem de assumir os seus sentimentos e preferira um casamento de mentira. Os pais, mesmo que tardiamente, haviam encontrado a paz e a verdade, mas Sandra e Vinício pareciam bem longe disso. Lídia dissera que eles levavam uma vida infeliz e marcada pela incompreensão e o desrespeito, algo com que Marisa jamais sonhara para ela. Apesar da infelicidade dos dois, não se sentia confortável, porque não lhes desejava mal.

Precisava pensar em algo para fazer de sua vida. Lídia estava na faculdade, e ela queria a mesma coisa. Sempre sonhara em fazer pedagogia, e talvez agora fosse a hora de ingressar na universidade. Ouviu a campainha do telefone tocar, mas não fez sinal de atendê-lo e aguardou. Pouco depois, a mãe veio bater à sua porta, informando que Lídia pedia para falar-lhe.

– Estou precisando fazer umas compras – informou Lídia, do outro lado da linha. – Não gostaria de me acompanhar e me ajudar a escolher um vestido novo?

Marisa considerou por alguns segundos, até que respondeu:

– Está bem.

– Ótimo! Daqui a pouco, passo aí na sua casa para apanhá-la.

Desligaram. Mais tarde, quando Lídia chegou e buzinou, Marisa foi ao seu encontro, e as duas foram fazer compras em Copacabana. Entraram em várias lojas e já estavam carregadas de bolsas quando resolveram ir embora.

– Acho que exagerei – comentou Marisa. – Não estava precisando de tantas roupas assim.

– Ora vamos, não seja tão rígida. Você estava precisando divertir-se, e fazer compras é sempre uma ótima diversão.

– Você mudou, Lídia. Nos tempos da escola, não ligava para essas coisas.

– Não é que não ligasse. É que não tinha estímulo.

– Ah! Sim, o namorado – gracejou. – Como é mesmo o nome dele?

– Antonio Paulo. Não vejo a hora de apresentá-lo a você, Marisa! Meus pais estão encantados. Ele é tão fino e educado, e inteligente também...

Só então Lídia percebeu que falava sozinha, pois Marisa não a acompanhava. Ela se virou para trás e viu a amiga parada há alguns metros, o olhar fixo em um ponto adiante. Instintivamente, Lídia seguiu o seu olhar e franziu o cenho, com ar de desagrado. Pela vitrine de uma loja do outro lado da rua, viu o irmão e Sandra numa joalheria, ela experimentando o que deduziu ser um anel.

– Vamos embora daqui – falou rapidamente.

Mas Marisa não se mexia. Estava fascinada com a visão que tinha. Há muito não via Sandra, e ela lhe parecia bem diferente. Mais velha, mais mulher, os cabelos tingidos, a boca pintada, os gestos de uma vulgaridade contida e muito mal disfarçada pelos trejeitos afetados de dama da sociedade. A seu lado, Vinício ostentava um ar cansado, tamborilando com os dedos no balcão, enquanto, com a outra mão, cobria a boca para que não percebessem os seus bocejos. Em dado momento, ele virou a cabeça para o lado e seus olhares se cruzaram. Por um segundo, Vinício não acreditou no que via. Do outro lado da rua, Marisa o fitava com um misto de ternura e tristeza, tendo ao lado a irmã, que lutava inutilmente para arrastá-la dali.

Mais que depressa, Vinício se levantou, e Sandra nem percebeu. Continuava vidrada nas jóias que a vendedora ia-lhe mostrando e nem viu quando ele saiu apressado. Na calçada, teve que esperar para atravessar a rua, o que deu a Marisa tempo para se refazer e tomar uma atitude. Não queria encontrar-se com ele. Não naquelas circunstâncias. Por esse motivo, puxou Lídia pela mão e começou a caminhar apressadamente, mas não teve tempo de dar nem dois passos. Na mesma hora, Vinício se postou diante delas, o que as fez parar num sobressalto.

Ele estava lindo em sua farda branca, e Marisa sentiu que lágrimas lhe vinham aos olhos. Conseguiu controlar-se, porém, e deixou que ele lhe tomasse a mão e a apertasse com efusão.

– Marisa! – exclamou, sem largá-la. – Há quanto tempo não a vejo! Isso sim é que é uma surpresa agradável.

– Onde está sua mulher, Vinício? – cortou Lídia, olhando para Sandra, que permanecia experimentando os anéis.

– Não a está vendo? – respondeu ele de má vontade, sentindo a aspereza da irmã.

– E você não deveria estar com ela?

– Vim apenas cumprimentar Marisa. Afinal, faz tempo que não a vejo.

– Já cumprimentou. Agora pode voltar para sua mulher.

– Espere um instante, Lídia. Por que tanta pressa?

– Porque você é um homem casado e não tem que ficar de olho na ex-namorada.

Direta como sempre, Lídia queria afastar o irmão dali a qualquer custo. Ainda se lembrava do episódio da outra noite, quando ela e a cunhada haviam brigado, e sentia-se extremamente ofendida de ver o irmão ali, feito um idiota, comprando-lhe jóias depois de tudo o que ela fizera.

– Não estou de olho em ninguém – defendeu-se Vinício. – Marisa é minha amiga, e eu só quis cumprimentá-la. Ou será que não é?

– Você não tem mais amigas além daquela víbora que escolheu.

– Está tudo bem, Lídia – cortou Marisa, recuperando a fala. – Vinício e Sandra ainda são meus amigos.

– Como é que você ainda tem a coragem de dar jóias para Sandra depois de tudo o que ela fez? – tornou Lídia, incrédula. – Não tem vergonha?

Aquele era um assunto que, absolutamente, Vinício não queria discutir na presença de Marisa.

– Isso não é problema seu, Lídia – revidou ele, tentando não parecer muito grosseiro.

– Tem razão. Sandra é sua mulher, não minha.

– Por que vocês dois não param de brigar? – interrompeu Marisa novamente. – Vinício só veio cumprimentar-me e já está voltando para junto de sua esposa. Ou será que ela não prefere juntar-se a nós? Afinal, faz tempo que não a vejo também.

Ele sentiu o rosto arder e balbuciou confuso:

– Ela... está na loja... não sei se vai querer vir...

– Ela não é amiga de Marisa? – provocou Lídia. – Ou será que não é mais? Bem, não deve ser, depois de ter roubado o namorado da melhor amiga.

– Por favor, Lídia – protestou Marisa, os olhos ardendo de vontade de chorar.

Nesse instante, Sandra também se aproximou. Chegou cautelosamente e pôs a mão no braço de Vinício.

– Olá, Marisa – falou com voz metálica. – Não sabia que havia voltado.

– Sabia sim – objetou Lídia. – Fui eu mesma que contei. Na noite em que nós brigamos e você chamou o pai dela de assassino.

Sandra fuzilou-a com o olhar, mas não respondeu. Virou-se para Vinício e falou calmamente:

– Vamos, querido, a vendedora o está esperando para fazer o cheque. Já escolhi o que quero.

Cada vez mais sem graça, Vinício achou melhor ir com ela, já arrependido de haver-se apresentado a Marisa de forma tão intempestiva.

– Já estou indo – concordou Vinício. – Bem, até logo, Marisa. Tive imenso prazer em revê-la.

– Digo o mesmo – falou Sandra, com um certo ar de desdém. – Venha visitar-nos quando quiser.

Saiu puxando o marido pelo braço e atravessou a rua, entrando de volta na joalheria, onde a vendedora os aguardava, com largo sorriso no rosto.

– Meu irmão não toma jeito – censurou Lídia. – Sandra faz o que faz, e ele ainda lhe dá jóias.

– Talvez ele não queira aborrecer-se.

– É claro que não quer! Por esse motivo, pensa que compra o seu sossego com brilhantes e esmeraldas. É por conta disso, também, que ela está do jeito que está. Vinício a acostumou mal, e ela agora se comporta como uma rainha.

– Você viu como ela me tratou? Mal falou comigo.

– Já era de se esperar. Depois de haver-lhe roubado o noivo, como você queria que ela a tratasse? Com beijinhos e abraços?

– Ela está mudada. Nem parece mais a mesma.

– Parece uma vagabunda. Não duvido nada que comece a arrumar amantes. Se é que já não os tem.

Marisa não respondeu. Não sabia mais o que pensar de Sandra. Sempre a considerara sua amiga e pensava que ela poderia ter uma explicação razoável para as mentiras que contara. Talvez o amor por Vinício a tivesse motivado a mentir, mas Lídia tinha razão: Sandra não parecia amar Vinício, e ele, por sua vez, também não lhe tinha nenhum amor.

– Venha, vamos tomar um sorvete – sugeriu Lídia, afastando-se dali com Marisa.

Enquanto iam em direção a uma sorveteria próxima, Vinício entregava o polpudo cheque para pagar o anel e recebia o recibo da loja. Depois que Sandra apanhou o embrulhinho que a sorridente vendedora lhe oferecia, cravou as unhas no braço de Vinício e saiu com ele da loja, caminhando em silêncio até o local onde ele havia estacionado o carro.

– Por que saiu da joalheria sem me avisar? – perguntou ela, controlando a raiva.

– Você estava vidrada demais naquele anel. Não pensei que fosse interessar-se por Marisa e não quis tirar sua atenção.

– Não se faça de tonto, Vinício! É claro que Marisa me interessa.

– Por quê? Não me vá dizer que ainda é amiga dela.

– Amiga, amiga, não sou, porque agora nós somos casados e não fica bem eu ficar de amizades com sua ex-noiva.

Estava encerrada a conversa. Sandra não quis mais falar de Marisa, e Vinício não insistiu. Estavam indo ver o apartamento novo, e ele não queria mais aborrecimentos. Embora Sandra insistisse em não se mudar, já estava tudo acertado. Por esse motivo ele lhe dera aquele anel valioso: para que ela não o incomodasse tanto com seus queixumes e aceitasse melhor a mudança. Seria sua última tentativa pela felicidade dos dois.

***

No dia da mudança, Sandra mal conseguia esconder o desagrado. Fazia as malas de má vontade e blasfemava a todo momento, xingando roupas e objetos que caíam ao chão.

– Não sei por que tanta pressa para nos mudarmos – disse ela com azedume. – Estamos indo muito bem aqui.

– Não concordo – respondeu Vinício friamente. – Não temos um dia sequer de paz nesta casa.

– A culpa não é minha.

– Minha é que não é. Nem de ninguém da família. É você que não se adapta e vive implicando com tudo. Reclama das empregadas e não perde a oportunidade de dar alfinetadas em Lídia. Minha vida virou um inferno.

– E acha que vai melhorar se nos mudarmos?

– Pior do que está, não pode ficar. E, se isso acontecer, é porque nós já não temos mais nenhuma chance juntos.

Ela soltou os vestidos que dobrava e olhou para ele com cara de espanto.

– Como assim?

– Se, morando sozinhos, nós não voltarmos a nos entender como antes, podemos considerar nosso casamento acabado.

– Está querendo me dizer que vai pedir o desquite?

– É isso mesmo.

– Não acredito. Logo você, que dá tanta importância ao casamento e à família.

– Está na hora de deixar de dar valor a coisas que não têm valor algum.

– O que você quer dizer com isso? Que a família não é mais importante?

– A família é e sempre será o mais importante, mas não se pode construir uma família num lar sem amor.

– Acha que não temos amor em nosso lar?

– Acho que não somos felizes. Nem eu, nem você. Eu, porque joguei fora a oportunidade de ser feliz.

– Está referindo-se a Marisa? Acha que eu sou a responsável por você não se ter casado com ela?

– Eu não disse isso. Casei-me com você porque quis. Mas, se não fossem as suas mentiras, não sei se nosso casamento teria realmente acontecido.

– Boa desculpa. Como você mesmo disse, casou-se comigo porque quis. Se gostasse tanto de Marisa como quer fazer parecer, teria enfrentado o mundo para ficar com ela.

– Você mentiu para mim. Disse-me que ela não me queria.

– Eu disse apenas o que você desejava ouvir. E foi bem conveniente, não foi? Você nem pensou duas vezes antes de me levar para a cama.

– Pensei que estivesse apaixonado por você. Hoje vejo que me apaixonei por uma mentira, por uma mulher que nada mais tinha a oferecer além de um corpo bonito e alguns momentos de prazer.

– Você é um fraco, Vinício, um covarde! – rebateu ela com ódio. – Não se casou com Marisa porque foi orgulhoso demais para perdoar o que o pai dela fez ao seu. Você não podia aceitá-la sem mostrar ao mundo a sua superioridade de oficial diante do assassino condenado.

– Tem razão, Sandra. Fui covarde, idiota, infantil, orgulhoso... tudo o que você possa imaginar. Por causa disso, deixei-me levar pela ilusão do sexo e me distanciei de meu verdadeiro amor. Agora é tarde para recomeçar, mas nunca é tarde para desfazer a ilusão. Posso ter perdido Marisa para sempre, mas ainda é tempo de me livrar de você.

– Não acredito que você vá se desquitar de mim.

– Ainda não. Resolvi dar-nos uma chance. Tudo vai depender de como você vai comportar-se no novo apartamento.

– Se pensa que eu vou virar dona de casa só para agradá-lo, está muito enganado. Não dou para essas coisas.

– Você só quer ser dondoca. Não gosta de estudar, nem de trabalhar, nem de cuidar da casa. O que gosta de fazer, Sandra? Compras? Ficar na piscina? Por que não nos dá filhos? Ao menos assim teria com que se ocupar.

– Deus me livre! Não suporto choro de criança. E depois, não quero ficar deformada. Acho horrível mulher grávida.

Ele a olhou magoado e terminou de fechar a mala. Encostou-a na parede, junto das outras, e disse, já da porta:

– Não se demore.

Desceu as escadas apressado e foi chamar os criados para ajudarem com a bagagem. Sandra ficou sozinha no quarto, remoendo a sua raiva. Não queria mudar-se, não podia ficar longe de Conrado, não enquanto não o seduzisse. Tinha que fazer isso antes de sair. Aquela seria sua última e única chance. Era sábado, e ele devia estar em casa. Foi até a janela e espiou para fora, mas não o viu nem no jardim, nem na piscina. Saiu do quarto cautelosamente e desceu alguns degraus da escada. Ouviu as vozes de Vinício e de Malvina vindas da sala e voltou para cima. De Lídia, não havia sinal, mas ela devia estar estudando no quarto. Fitou a porta do quarto de Conrado, que estava fechada, e tomou uma resolução. Iria ver se ele estava lá. Se estivesse, tentaria sua última cartada. Precisava agir rápido ou perderia para sempre aquela oportunidade.

Mais que depressa, correu para o aposento de Conrado e escancarou a porta, entrando afoita e esbaforida. O quarto parecia deserto, e Sandra olhou ao redor. A porta do banheiro estava entreaberta, mas ela sabia que Malvina não poderia estar ali. Ouvira-a há pouco conversando com Vinício, de forma que ele só podia estar sozinho. Conrado estava recostado na cama, lendo o jornal, e se surpreendeu com a chegada repentina da nora.

– O que quer aqui? – perguntou agressivo, levantando de um salto.

– Preciso falar com você.

– Saia!

– Não enquanto você não me ouvir.

– Nada vindo de você pode interessar-me.

– Até quando vai continuar me ignorando? Até quando vai fingir que eu não existo?

– Para mim, você não existe mesmo.

– Não é possível que não tenha percebido o meu interesse por você.

– Devia envergonhar-se! Você é mulher do meu filho!

– Seu filho está pensando em me deixar.

– Pois faz ele muito bem.

– Você não entende? Se ele me deixar, nós estaremos livres para nos encontrar.

– Ficou louca? Você seria a última mulher no mundo com quem eu iria encontrar-me.

– Não, ouça o que estou dizendo. Sei que você não quer separar-se de Malvina e entendo a sua atitude. Mas eu posso ser a sua amante. Ninguém precisa saber, e você não tem que ficar com remorso, porque não vai estar traindo o seu filho. Ele não me quer mais...

– Você é doida, Sandra, só pode ser. De onde tirou essa idéia?

– Sei que você gosta de mim. Tem que gostar! Sou bonita, não sou? E o meu corpo? Gosta do meu corpo? Não sente vontade de tocá-lo? Vamos, pode tocar.

À medida que ia falando, Sandra foi se aproximando de Conrado, que foi recuando instintivamente.

– Não faça isso, Sandra! – ordenou com austeridade. – Não me obrigue a tomar medidas drásticas contra você.

– O que pode fazer contra mim? Bater-me? Vamos, bata, eu vou gostar. Só de pensar em suas mãos sobre mim, sinto que meu corpo estremece. Você me enlouquece, morro de desejo por você.

– Cale-se, vagabunda, não quero ouvir mais nada! Tenha respeito pelo seu marido e por si mesma!

– Eu o quero, Conrado, loucamente, desesperadamente. Desde que me casei com Vinício, não passa um dia sequer em que não pense em você e não o deseje. Quando você está aqui, trancado com sua mulher, fico imaginando-a nos seus braços, sentindo-o dentro dela, e me mordo de ciúmes. Não sabe o quanto a invejo por poder sentir o seu corpo, o seu amor, o seu sexo...

O barulho de uma porta batendo na parede fez com que Sandra se voltasse e quase desmaiasse de susto. Diante da porta escancarada do banheiro, Lídia a encarava com uma fúria incontida no olhar. Ainda segurava os vidros de sais de banho que pedira emprestados à mãe e que fora buscar em seu banheiro. Pedira licença ao pai e entrara na suíte, indo direto ao armário onde a mãe os guardava. Estava distraída, cheirando e escolhendo os que queria, quando ouviu Sandra entrar. De onde estava, não podia vê-la e tinha certeza de que Sandra também não a via. A porta entreaberta não lhes dava visão, mas era suficiente para que Lídia ouvisse tudo o que diziam no quarto.

– Sua cadela! – esbravejou Lídia, quase atirando nela os frascos que segurava. – Eu sabia! Sabia que você estava se jogando para cima do meu pai.

Apavorada, Sandra olhava de Lídia para Conrado, que ostentava um ar de satisfação, grato porque a filha se encontrava ali e pudera ouvir tudo o que Sandra dissera.

– Lídia... – gaguejou ela – não é bem assim. Você não sabe de nada.

– O que é que eu não sei? Que você não presta? Que é uma vagabunda? Isso eu já sabia.

– Não é bem assim. Seu pai e eu...

– Não existe nada de seu pai e eu! – vociferou Conrado, mais que depressa. – Você ouviu muito bem, Lídia. Sandra veio aqui para tentar seduzir-me. Queria convencer-me a me tornar seu amante. A mulher do meu próprio filho!

Sem que Sandra percebesse, Lídia havia saído do quarto e gritara pela mãe e o irmão, que acorreram mais que depressa. Sem saber do que se tratava, os dois entraram esbaforidos e encontraram Sandra e Conrado discutindo, com Lídia ao lado, encarando-os com ar de vitória.

– O que está acontecendo aqui? – indagou Malvina, espantada com o ar de ira do marido.

– Não imagina, mamãe? – tornou Lídia. – Não faz a menor idéia do que essa vadia está fazendo aqui no seu quarto?

Apesar daquele vadia, ninguém ousou repreender Lídia. A aura de gravidade que impregnava o ambiente dava mostras de que algo muito sério havia acontecido. Malvina não conseguia falar, mas Vinício, de repente, teve uma rápida compreensão da situação. Ele pigarreou incomodado e perguntou, sem tirar os olhos da mulher:

– O que você está fazendo aqui, Sandra?

Ela não respondeu, e Malvina repetiu a pergunta, intimamente negando-se a acreditar que pudesse ser o que parecia:

– É, o quê?

– Vamos, Sandra, responda – estimulou Lídia. – Diga-lhes o que você veio fazer no quarto de meu pai.

Sandra queria fugir dali rapidamente. Sentiu-se acuada e com medo, temendo pela reação de Vinício. Ele não era violento, mas ninguém podia prever a reação de um homem ao saber que a mulher estava tentando seduzir o seu próprio pai.

– O que você veio fazer aqui? – repetiu Vinício, agora sentindo o ódio consumi-lo.

– Eu... – gaguejou ela, sem encontrar resposta que pudesse tirá-la daquele embaraço. – Nada...

– Nada? – retrucou Malvina. – Como assim, nada? Pois não é o que parece.

– E o que lhe parece, mamãe?

– Eu... bem, não sei exatamente...

– Custa-lhe crer que sua nora estivesse aqui para seduzir o seu marido, não é, mãe? – Malvina fitou Conrado com ar chocado, mas Lídia apressou-se em concluir: – Oh! Não se preocupe com papai. Ele jamais se deixaria seduzir por essa mulherzinha vulgar e desavergonhada. Ele nunca quis nada com ela, tenha certeza. Ela é que vive atrás dele, oferecendo-se feito uma prostituta.

– Não pode ser verdade – protestou Malvina, ainda não conseguindo crer. – Diga-me que houve um engano, Lídia. Sandra não seria capaz.

– Não houve engano algum. Hoje mesmo, pude ouvir as barbaridades que ela disse a papai. Ela não sabia que eu estava no banheiro e foi logo se declarando, dizendo coisas que nenhuma mulher decente se atreveria a dizer a um homem casado. Ainda mais, sendo casada também. Sinto muito, Vinício, mas sua mulher não presta.

Sandra não agüentou mais. Como odiava Lídia! Ela sempre estava se metendo onde não era chamada. De um salto, agarrou o seu pescoço e começou a gritar:

– Sua ordinária, por que não cuida da própria vida? Faz isso porque tem inveja de mim! O que foi que lhe fiz, sua invejosa, o quê?

Não conseguiu terminar. Vinício agarrou-a por trás e tirou-a de cima da irmã, saindo com ela, que se debatia em seus braços. Ele a apertou forte e entrou com ela em seu quarto, trancando a porta e jogando-a em cima da cama.

– Jamais imaginei que você pudesse descer tão baixo – rosnou, os olhos chispando de fúria. – Quero que você pegue suas coisas e desapareça daqui!

– Não pode fazer isso comigo, Vinício. Ainda sou sua mulher.

– Não me considero mais seu marido. Você me desrespeitou e não soube honrar a dignidade do nome que lhe dei.

– Se me deixar, vou acabar com você. Vou pedir uma pensão milionária, e você vai ser obrigado a me sustentar pelo resto da vida.

Ele a olhou com tanta frieza que ela retrocedeu. Mais que depressa, abriu a gaveta do criado-mudo e apanhou um maço de notas que havia guardado ali. Começou a atirar as cédulas sobre Sandra, ao mesmo tempo em que gritava transtornado:

– É dinheiro o que você quer? Pois tome o seu dinheiro. Pegue, vamos! Rasteje no chão e lamba cada nota, porque o cheiro e o sabor do dinheiro mostram bem o que você é: ordinária!

Terminou de atirar a última nota e abriu a porta do quarto, voltando a falar ameaçador:

– Você tem dez minutos para apanhar as suas malas e o dinheiro e sumir daqui. Se ainda estiver aqui quando eu voltar, eu mesmo tratarei de apanhá-la e colocá-la na rua a pontapés. E sem dinheiro!

Rodou nos calcanhares e saiu. Rapidamente, Sandra se recuperou do susto e se levantou. Ajeitou o vestido e começou a recolher as notas que ele atirara sobre ela. Guardou tudo na bolsa, apanhou duas das seis pesadas malas que possuía e saiu pela porta. No corredor, não havia ninguém. Chamou os criados para ajudar e desceu com tudo o que era seu. Os criados haviam recebido ordens para deixar sua bagagem na rua e foi o que fizeram. Humilhada, Sandra fez sinal para um táxi e entrou, enfiando as malas no porta-malas do carro e colocando algumas nos bancos. Deu o endereço da casa da mãe, e o táxi arrancou. Ao dobrar a esquina, Sandra teve ainda tempo de dar uma última olhada no casarão com que tanto sonhara viver e fechou os olhos, tentando engolir o sabor da derrota e da vergonha. E chorou.

30

Depois que os ânimos se acalmaram, Conrado conseguiu conversar com o filho. Ele estava chocado, mas não parecia muito abalado. No fundo, podia esperar qualquer coisa de Sandra, e o acontecido só vinha antecipar o fim de um casamento que já era inevitável.

– Vai desquitar-se dela? – perguntou Conrado.

– Creio que não há outra coisa a fazer.

– Para evitarmos escândalos que não trarão benefício a ninguém, ofereça-lhe uma pensão razoável e livre-se dela.

– E fazer o que ela quer?

– Não seja orgulhoso. Para que quer brigar com ela? Só para satisfazer o seu orgulho ferido e provar para si mesmo que é mais forte e mais poderoso? É melhor abrir mão do orgulho e ter paz. E depois, pense em d. Albertina. Ela não merece.

– Tem razão. Dona Albertina é uma mulher maravilhosa e não tem culpa da filha que tem. E já está ficando velha, não tem mais condições de trabalhar. Se Sandra não a sustentar, quem é que vai fazê-lo?

Ficou tudo acertado. Aquela seria a proposta que Vinício lhe faria e tinha certeza de que ela iria aceitar. Lídia, por sua vez, estava louca para contar a novidade a Marisa. Esperou até depois do almoço e foi procurá-la. Convidou-a para um passeio, e as duas foram até a pracinha tomar um sorvete.

– Queria muito lhe falar – começou Lídia. – Você nem imagina o que aconteceu hoje lá em casa.

– O que foi?

– Vinício e Sandra se separaram.

– O quê? Mas como? O que aconteceu?

Com a maior satisfação, Lídia contou tudinho a Marisa, em pormenores, não se esquecendo de nenhum detalhe.

– Sandra não é sua amiga – contestou Lídia. – Nunca foi. Não se sinta culpada por não se solidarizar com a sua dor.

– Não me sinto culpada, mas não sei se é direito sentir alegria também.

– Você ficou alegre?

Já era tarde para desmentir, até porque, o rubor que lhe subia às faces a delatava.

– Sei que é horrível, Lídia... e eu não devia... mas a verdade é que fiquei sim.

– Por quê? Ainda ama Vinício?

– Essa é uma pergunta difícil de responder. Passei os últimos meses da minha vida achando que Vinício não me amava e acreditei nisso ainda mais quando o vi casado com Sandra. Tentei não pensar mais nele, mas é difícil.

– Quer dizer que ainda o ama?

– Não sei...

– Pois eu acho que você o ama. Não quer é admitir, porque está magoada, ferida, sentindo-se traída, o que é muito natural. Eu, no seu lugar, talvez estivesse sentindo a mesma coisa. Contudo, não se apresse. Dê uma chance a ele. Sei que ele errou, mas quem é que não erra nesse mundo?

Imediatamente, Marisa se lembrou dos pais e sentiu um aperto no coração. Eles também haviam errado muito, e ela soubera perdoá-los e lhes dar uma nova chance. Por que é que não podia fazer o mesmo com Vinício? Ela podia. Perdoar era da sua natureza, e Marisa sabia que jamais poderia acusar ou condenar alguém. Nem Vinício, nem Sandra. Depois de tudo o que passara, tinha certeza de que não havia nada no mundo que não pudesse, sinceramente, perdoar. Assim como soubera perdoar os pais, saberia também perdoar Vinício. E até mesmo Sandra, se ela ainda quisesse a sua amizade.

– Vou pensar em tudo o que você disse, Lídia, mas a questão não é apenas de perdão.

preso e torturado, sendo sentenciado sumariamente à morte, sem qualquer julgamento ou chance de defesa. Era um traidor, um mercenário, e o tratamento dispensado aos traidores não podia ser outro senão a morte.

Essas lembranças doeram profundamente na alma de Kedar, que abriu os olhos, tentando espantar as imagens que ainda retinha na memória. Aquilo fora há muito tempo e, desde então, jamais reencarnara novamente. A princípio, fora escravizado por espíritos que encontrara na treva, até que conseguiu ir melhorando a sua situação e acabou conquistando um posto elevado na hierarquia das sombras. Com isso, foi ficando por lá. Assistiu ao retorno de muitos de seus companheiros ao caminho da luz, mas ele mesmo não se resolvia a partir. Alimentava o ódio por Conrado e pretendia vingar-se.

A cada nova reencarnação de Conrado, ele estava presente, acompanhando-o do invisível. João também reencarnou algumas vezes, embora não conseguisse a chance de estar junto do ex-comparsa. Somente agora, naquele século, que ele achava ser o XX, é que Conrado e João tinham a chance de se reencontrar. João não mudara muito. Ainda continuava o mesmo criminoso de sempre, ambicioso, cruel e frio. Conrado, ao contrário, fora aproveitando suas experiências através dos séculos e se modificara por completo. Nem parecia mais o mesmo. Era agora um homem que defendia a justiça, o que chegava a ser engraçado. Um traidor, que os vendera ao inimigo em troca de liberdade, era agora um homem da lei.

Enquanto isso, ele se debatia no horror de sua vingança. Fazia já quatro séculos que perseguia Conrado sem nunca conseguir alcançá-lo. O que será que havia de errado? Conrado, o traidor, era protegido de um espírito de luz, e João, o matador, conseguira a mesma proteção. As filhas de ambos estavam ali, sentadas diante dele, tomando calmamente o seu sorvete, e ele não conseguia fazer nada contra elas. Não conseguia nem aproximar-se.

De um salto, desceu da beira do chafariz e aproximou-se um pouco mais das moças, sem conseguir chegar muito perto. A aura que emanava delas funcionava como uma espécie de onda invisível que o repelia, e ele se afastou, incomodado com aquela vibração. A conversa delas havia mudado, e elas já não falavam mais daquelas coisas melosas de amor e de perdão. Agora, riam das histórias uma da outra. Kedar foi sentindo uma pontinha de inveja de sua amizade e se afastou acabrunhado.

Deu as costas para as moças e foi caminhando para dentro da floresta, procurando não se aproximar de outros espíritos que havia por ali, uns bons, outros, nem tanto. Ninguém o incomodou, e uma senhora vestida de branco chegou a sorrir para ele. Kedar não respondeu. No entanto, havia naquele sorriso algo que mexeu com ele. Durante algum tempo, ficou imaginando o que seria, até que, por fim, conseguiu descobrir. Aquele era o sorriso de quem tinha o coração em paz.

***

Sandra foi esperar Vinício na saída do trabalho e, assim que o avistou, foi ao seu encontro, caminhando vagarosamente. Estava vestida de forma diferente, com um vestido discreto e elegante. Usava pouca maquiagem e mantinha os cabelos presos em um rabo-de-cavalo gracioso. Quando a viu, Vinício experimentou uma sensação estranha. Achou-a muito bonita, muito mais do que quando usava aquelas roupas extravagantes e a pintura exagerada. No entanto, seu coração não estremeceu. Ele não sentiu por ela nada além do que sentiria ao examinar uma obra de arte. Pensou em desviar-se do caminho, mas achou melhor enfrentar a situação. Ela ainda era sua esposa e tinham assuntos a tratar.

– Boa noite, Vinício – cumprimentou ela, beijando-o na face.

O beijo não lhe causou nenhuma sensação diferente, a não ser, talvez, uma certa repulsa. Sandra já não tinha mais sobre ele o domínio de outrora. Seu apelo sexual não funcionaria mais, e ele tinha certeza de que não se deixaria envolver pelo seu ar de sedução.

– Boa noite, Sandra – respondeu ele, sem muita emoção. – O que veio fazer aqui?

– Precisava falar com você. Acho que lhe devo uma explicação.

– Creio que tudo já está mais do que explicado, você não acha? Já estou cansado de suas mentiras.

Ela abaixou os olhos, envergonhada, e tentou protestar:

– Não são mentiras...

– Verdades é que não são. Ora, Sandra, francamente, tentar seduzir o meu pai! É um pouco demais, não acha?

– Perdoe-me, Vinício... – apelou, a voz embargada. – Foi uma infantilidade, uma insensatez.

– Foi uma falta de vergonha, isso sim! Você é minha mulher, Sandra, e ele é seu sogro. Agiu feito uma ordinária.

– O que pretende fazer? – retrucou ela, mordendo os lábios e segurando as lágrimas.

– O que você acha? A única coisa possível num caso como esse. Vou separar-me de você. Já arranjei até um advogado, que vai procurá-la em breve.

– Não vou aceitar.

– É melhor pensar direito. Meu pai é um homem importante, e ninguém vai duvidar quando ele disser que você estava tentando seduzi-lo.

– Está me ameaçando?

– Não. Estou apenas colocando cada coisa em seu devido lugar. A importância de meu pai não vem propriamente do cargo que ocupa, mas da integridade com que sempre exerceu a sua função. O que quero dizer-lhe, Sandra, em outras palavras, é que ele goza de credibilidade no mundo jurídico e, ao dar o seu depoimento, todos acreditarão que está fazendo o que sempre fez: dizendo a verdade.

– Não pode fazer isso comigo, Vinício. Tenho meus direitos. Se pedir o desquite, vou tirar o máximo de você que puder.

– Você não vai conseguir nada de mim. Se não aceitar o desquite amigável, vou provar que você foi culpada na separação, e você vai ficar sem nada. Não vai ver um tostão do meu dinheiro.

– E os bens? Tenho direito à metade do que você tem.

– O que é que eu tenho? Não tenho nada em meu nome. Tudo é do meu pai.

– Você comprou um apartamento novo.

– O apartamento foi doado por ele, e ele pôs uma cláusula na doação que impede você de adquiri-lo. Ainda que eu quisesse, não poderia dá-lo a você.

Sandra sentiu o ódio subir-lhe às faces e revidou trêmula:

– Isso é um disparate! Como espera que eu sobreviva?

– Pode trabalhar, para começar. É jovem e tem uma profissão.

– Espera que eu dê aulas?

– Você não é professora? Pois pode começar a trabalhar, que é o que todo mundo faz.

– Não pode estar falando sério. Sou uma moça de sociedade, não uma professorinha qualquer.

– Quem foi que me disse que queria fazer faculdade, ter uma profissão, ser independente? Quem disse que jamais aceitaria ser sustentada por nenhum homem e queria ser dona do próprio nariz? Onde está a sua independência, a mulher moderna que não temia os conceitos ultrapassados da sociedade?

– Isso foi em outro tempo... – sussurrou.

– Ah! Foi. Foi no tempo em que você me queria impressionar e mentiu, como sempre faz, para me fazer enxergar em você a mulher que nunca foi nem nunca será.

– Não pode deixar-me sem nada, Vinício. Não é justo. Pense nos bons momentos que tivemos, nos momentos de prazer e alegria que lhe proporcionei.

– Teriam sido bons, se fossem verdadeiros. Hoje vejo que vivi um ano de mentiras. Você nunca me amou nem se preocupou comigo. Era ardorosa e apaixonada nos primeiros meses de casamento, mas depois, passou a ser fria, mesquinha e arrogante. Agora compreendo por quê. Porque andava atrás do meu pai e não tinha mais interesse por mim.

– Não preciso ficar aqui escutando isso.

– Foi você quem me procurou.

– Vim aqui em busca de uma tentativa.

– Tentativa de quê? De reconciliação? – ela assentiu mecanicamente. – Só pode ser brincadeira, não é? Depois de tudo o que você fez, acha mesmo que eu iria aceitá-la de volta? Nem que você fosse a última mulher na Terra.

– Vai dizer-me que não se sente mais atraído por mim?

– Não. Acho-a uma mulher muito bonita, mas é como uma boneca de porcelana: fria e sem vida. Não me deixo mais atrair por mulheres assim.

– Por quem é atraído, então? Por mulheres sem sal, do tipo da sua ex-namoradinha?

– Se está referindo-se a Marisa, só eu sei o quanto me arrependo de não ter casado com ela.

– Eu devia imaginar. Aposto como foi correndo para ela.

– Ao contrário de você, Marisa é uma moça digna e decente, e eu não me aproveitaria desse momento crítico para conquistar a sua piedade e me aproximar dela. Se um dia tivermos que nos reencontrar, deixo isso nas mãos do destino.

– Está-me dizendo que nós não temos mais nenhuma chance? É isso?

– Que chance haveríamos de ter depois do que você fez?

– E por isso, vai desquitar-se de mim e deixar-me na miséria?

– Sabe, Sandra, andei pensando muito nisso e tomei uma decisão. Você está morando com sua mãe, não está?

– Para onde mais haveria de ir?

– Você tem isso a seu favor. Ao menos sei que gosta de sua mãe. Pois bem. Minha proposta é a seguinte: porque d. Albertina é uma mulher muito boa e já não está mais em condições de trabalhar, resolvi dar a você uma pensão para cobrir os seus gastos, sem luxos, é claro. É o mínimo que posso fazer por ela.

– Você não pode estar falando sério!

– Ah! Mas estou, sim. Meu advogado cuidará para que você receba o dinheiro em uma conta corrente aberta especialmente para isso. Não lhes vai faltar nada. Vocês têm casa própria, que foi recentemente reformada, e o que pretendo dar-lhe vai cobrir os gastos com as contas e a alimentação. Sei que d. Albertina vai considerar mais do que suficiente.

– Mas e eu? Como é que vou cobrir os meus gastos pessoais?

– Como disse, você pode trabalhar. Se quiser, arranje um emprego. Senão, aprenda a viver com pouco. Garanto que, antes de se casar, apenas com o salário de doméstica da sua mãe, você ainda tinha muito menos do que o que lhe vou dar. Não vai ser difícil para você voltar à vida de antigamente.

– Por que está me humilhando?

– Não estou. Quem me humilhou foi você. Estou apenas colocando as coisas como ela são.

– Mas não é justo.

– É mais justo do que o que você fez comigo.

– Eu tenho alguma escolha?

– Ou você aceita essa proposta, ou vai ficar sem nada. Não tenha dúvidas de que, na Justiça, posso provar sua conduta desonrosa dentro do nosso lar, o que me desobriga de lhe pagar pensão.

– Então, não tenho mesmo nenhuma escolha.

– Você fez sua escolha quando resolveu tentar seduzir meu pai.

– Você não entende... eu pensei que estivesse apaixonada. Quem é que tem culpa de se apaixonar? Não se pode mandar no coração.

– No coração, não. Mas na dignidade, sim.

Estava tudo terminado. Já haviam alcançado o lugar em que o automóvel de Vinício estava estacionado, e ele abriu a porta e entrou.

– Adeus, Sandra – concluiu ele, dando partida no motor. – E pense bem no que lhe falei. Dentro de uns três dias, meu advogado vai procurá-la.

Engatou a primeira e partiu, deixando Sandra furiosa e desanimada. Perdera tudo por que lutara com tanto sacrifício e teve que aceitar o acordo que Vinício lhe propusera. Conforme ele dissera, seu advogado foi procurá-la em sua casa três dias depois. A mãe ainda tentou argumentar que não precisavam de nada, mas o advogado foi taxativo. Vinício gostava muito da sogra e não queria vê-la passando necessidades no fim da vida. Assim, embora a contragosto, Sandra aceitou. Tinha que reformular a sua vida e reaprender a viver com pouco.

31

Desde que Marisa voltara de São José dos Campos, a amizade entre ela e Lídia se havia estreitado ainda mais. As duas passavam horas e horas conversando, e Marisa estava se preparando para ingressar na faculdade de pedagogia, como era de seu desejo. Nas horas em que não estava estudando, e que Lídia também não estava na universidade, as duas costumavam se encontrar e iam juntas às compras ou ao cinema, ou então, ficavam em casa de Marisa até tarde, quando então o namorado de Lídia, Antonio Paulo, ia buscá-la.

Como era de se esperar, chegou o dia do casamento de Lídia e Antonio Paulo. Apesar de ela ainda não estar formada, eles não queriam mais esperar. Casamento, para ela, não era sinônimo de prisão, e Lídia continuaria a estudar e se formaria conforme planejara. A cerimônia estava marcada para o sábado, e uma bonita e luxuosa recepção havia sido preparada em um clube de elite da cidade.

Marisa e a mãe chegaram à igreja, e, enquanto Antônia se dirigia para um dos bancos da frente, Marisa tomava seu lugar no altar, ao lado de Vinício; os dois eram padrinhos de Lídia e, embora não se vissem há algum tempo, não puderam esconder a emoção que lhes causava aquele reencontro.

– Você está deslumbrante – elogiou ele, o coração aos pulos.

– Obrigada – respondeu ela, corando levemente.

A música começou a soar, e Lídia entrou na igreja, linda em seu vestido de noiva. A cerimônia transcorreu tranqüila, e, no final, quando Antonio Paulo ergueu o véu de Lídia para selar o compromisso com um beijo, Vinício, instintivamente, segurou a mão de Marisa e a apertou. Marisa sentiu como se um choque elétrico percorresse o seu corpo e deixou que duas lágrimas discretas lhe escorressem pelo rosto. Vinício percebeu que ela chorava, mas não saberia dizer se era de emoção pela felicidade da amiga ou pelo fato de ele estar segurando a sua mão.

Terminada a cerimônia, os noivos seguiram para a recepção no clube, e os convidados partiram logo em seguida.

– Posso oferecer-lhes uma carona? – indagou Vinício, que não queria sair de perto de Marisa.

– Obrigada, Vinício – respondeu a moça –, mas nosso motorista está aí fora com o carro.

Percebendo o ar de decepção de Vinício, Antônia se apressou em dizer:

– Por que você não faz companhia a ele, Marisa? Deixe que Damião me leve.

Ela quase pulou de alegria, mas conseguiu controlar-se e retrucou com delicadeza:

– Tem certeza, mãe?

– É claro que sim. Vão e não se preocupem comigo. Encontrar-nos-emos na festa.

Vinício passou o braço por sobre o ombro de Marisa, e os dois saíram em direção ao carro. Havia tantas coisas que gostariam de dizer! Mas o medo e a insegurança acabaram lhes tolhendo a palavra, e os dois seguiram de automóvel falando apenas de trivialidades e olhando-se muito.

– Que bom que você está aqui – comentou ele, embevecido.

– Sou a madrinha...

Alguns minutos se passaram antes que ele tornasse a falar:

– O que tem feito?

– Nada de mais. Tenho estudado muito e ajudo minha mãe a cuidar da casa.

– Lídia me disse que você vai fazer faculdade.

– Vou sim, de pedagogia.

Mais uma vez fizeram silêncio, até que ele prosseguiu:

– Lídia estava muito bonita, não acha?

– Estava sim.

– Ela nunca sonhou em se casar de véu e grinalda, mas ficou uma noiva maravilhosa.

– É verdade...

– E você? Sonha em casar-se na igreja um dia?

Ela o fitou pelo canto do olho e não respondeu. Notando o seu silêncio, Vinício também se calou, até que chegaram ao clube. Os dois saltaram, e Vinício lhe estendeu a mão, entrando com ela no salão.

Antônia ainda não havia chegado, e ele a conduziu para uma mesa próxima à de seus pais. Acomodou-a e sentou-se ao lado dela. Serviram-se de champanhe, até que Antônia chegou. Marisa acenou para ela, que foi juntar-se a eles. Pouco depois, Malvina e Conrado se aproximaram. Era um encontro que Antônia temia, mas que teria que enfrentar mais cedo ou mais tarde. Os dois chegaram discretamente e as cumprimentaram com cortesia.

– Como vai passando, d. Antônia? – indagou Malvina.

– Muito bem, obrigada. E a senhora?

– Vou bem. Mas não precisa me chamar de senhora, não. Afinal, nossas filhas são muito amigas.

– É verdade... Lídia está muito bonita. Devem estar orgulhosos de sua filha.

– Lídia é uma menina de ouro – elogiou Conrado, todo orgulhoso. – E vai formar-se em Direito, sabia? Vai seguir os passos do pai.

– Que beleza! Marisa também está pretendendo fazer faculdade.

– Que bom que as moças de hoje não são mais como as de nosso tempo – observou Malvina. – Antigamente, nós nem podíamos pensar em cursar uma universidade. E hoje, as moças estão querendo ter uma profissão também.

– Não se iluda, d. Malvina – objetou Marisa. – A maioria das moças ainda tem a educação voltada para o casamento.

A orquestra começou a tocar uma música da moda, e Conrado sugeriu:

– Por que é que vocês dois não vão dançar?

Com um sorriso galante, Vinício estendeu a mão para Marisa e saiu com ela para o meio do salão.

– Eles formam um bonito par, não acham? – observou Malvina, encantada.

– É sim – concordou Antônia, visivelmente sem graça.

Aproveitando que os filhos se haviam afastado, Conrado e Malvina puxaram duas cadeiras e se sentaram ao lado de Antônia.

– Espero que não se incomode se nos sentarmos um pouco – disse Malvina.

– É claro que não. Afinal, a festa é de vocês.

Conrado pigarreou e olhou de soslaio para a mulher, acrescentando com um certo constrangimento:

– Dona Antônia, minha mulher e eu gostaríamos de lhe agradecer por aceitar o nosso convite. Posso imaginar o quanto deve ter-se esforçado para estar aqui hoje.

– Não precisam agradecer-me. Lídia é amiga de Marisa e é uma boa menina. Tem ido à nossa casa com freqüência.

– Sabemos disso e lhe somos muito gratos – disse Malvina.

Mais uma vez, Conrado pigarreou e encarou a esposa, procurando forças para falar.

– Dona Antônia, sei que é difícil para a senhora relembrar o passado e imagino o que esteja sentindo.

Com os olhos brilhantes de lágrimas, ela respondeu:

– Acho que o senhor não pode avaliar o que estou sentindo, dr. Conrado. Perder o meu marido foi como perder parte da minha vida. – Ela engoliu um soluço e prosseguiu: – No entanto, compreendo o que aconteceu e não o culpo por defender-se. Outra mulher, no meu lugar, jamais voltaria a encará-los, e não posso dizer que não me tenha sentido tentada a não vir.

– Por favor, d. Antônia – intercedeu Malvina –, se não for de seu agrado, podemos levantar-nos e ir embora.

– Não, não. Como disse, a festa é de vocês...

– Não veja as coisas por esse lado. A senhora está aqui como nossa convidada, mãe da melhor amiga de nossa filha.

Ela deu um sorriso sem graça e retrucou com tristeza:

– Mãe... será que conseguem ver-me assim?

– A senhora a criou, não foi?

– O que estamos tentando dizer-lhe, d. Antônia – interpôs Conrado –, é que lamentamos muito o que aconteceu. E eu, particularmente, gostaria que me perdoasse. Não era minha intenção disparar aquele tiro...

– Por favor, dr. Conrado, não me faça relembrar aqueles momentos. Foram por demais dolorosos.

– Eu compreendo... perdoe-me...

Tomada pela dor, Antônia retirou da bolsa um lencinho e enxugou os olhos, acrescentando com profundo pesar:

– O senhor não tem que me pedir perdão. Fez o que era preciso e o que achou que era certo.

– Não gostaríamos que a senhora nos guardasse mágoa ou rancor – acrescentou Malvina. – Não lhe queremos mal.

– Tampouco eu lhes desejo mal. Do contrário, não estaria aqui.

– Eu sei. Ficamos muito felizes que tenha vindo. De verdade.

– Sabe, d. Malvina, depois disso tudo, consegui reencontrar Deus. É o que me tem sustentado. E o amor de minha filha.

– Marisa é uma excelente moça. Pena que não se tenha casado com Vinício.

– O destino não quis.

– Creio que o destino resolveu uni-los novamente – falou Conrado, apontando para os dois, que dançavam no meio do salão.

– Minha filha ama seu filho de verdade, dr. Conrado. Sempre o amou.

– Mas ele hoje é um homem desquitado. Isso não a incomoda?

– Já vivi muitas agruras para me deixar incomodar por tão pouco. Só o que me interessa é a felicidade de Marisa.

– Em nome dessa felicidade, será que poderíamos ter um bom relacionamento?

– Já não estamos tendo?

Coberta de emoção, Malvina abraçou Antônia, que correspondeu ao abraço com sinceridade. A seu lado, Conrado as encarava comovido e apertou a sua mão por cima da mesa. Podiam não se tornar amigos íntimos, mas ao menos não havia ódios ou ressentimentos entre eles, o que já era um bom começo.

Era importante para Conrado obter o perdão de Antônia. Por mais que estivesse com a razão e tivesse agido em legítima defesa, matara o marido dela, e deveria ser difícil conviver normalmente com ele. Ele também não se sentia à vontade com os seus pensamentos. Tirara a vida de um homem, o que não lhe fazia nada bem, e mesmo a legítima defesa não lhe retirava a tristeza que sentia por ter sido obrigado a matar para sobreviver. Mas enfim, aquilo era passado, e ele também precisava acostumar-se a conviver com aquela dor. Quem sabe, talvez, o amor de Marisa e de Vinício não o ajudasse?

No meio da pista de dança, Vinício enlaçou a cintura de Marisa e saiu rodopiando com ela pelo salão. A música era calma e romântica, de forma que ele a puxou ainda mais. À medida que iam dançando, e Marisa ia sentindo as mãos dele ao redor de seu corpo, a emoção voltou a invadir-lhe o coração, e ela pensou que fosse errar o passo. Sentiu as pernas bambas, e a respiração começou a ficar ofegante. Vinício, por sua vez, experimentava processo semelhante e estreitou-a com paixão. A emoção os foi dominando por completo, até que ele não agüentou mais. Segurou seu rosto com carinho, virou-o para ele e pousou-lhe delicado beijo nos lábios, que ela correspondeu com doçura.

– Isso não lhe faz lembrar nada? – perguntou ele, ainda roçando-lhe os lábios.

– Lembra-me a primeira vez em que nos beijamos, naquele baile, lá no Colégio Militar.

– Voltamos ao princípio... – sussurrou. – Podemos recomeçar... fazer tudo de novo... de maneira diferente.

Ela se apertou a ele e começou a chorar de mansinho.

– Não sabe o quanto senti a sua falta – murmurou, a voz embargada. – Pensei que o houvesse perdido para sempre.

– *Sh...!* Não diga isso nunca mais. Eu estou aqui e não pretendo deixá-la partir. Você nem imagina o quanto me arrependo...

O pranto invadiu a sua alma, e Marisa afundou o rosto no peito de Vinício, dando livre curso às lágrimas. Enquanto chorava, ele a ia embalando ao sabor da música, acariciando seus cabelos e beijando o seu rosto. Depois que ela serenou, ele a puxou pela mão e passou para a varanda, sentando-se com ela num pequenino sofá de dois lugares.

– Será que pode perdoar-me? Pode perdoar um idiota que se deixou levar pela conveniência da mentira e abriu mão de seu verdadeiro amor?

– Você não tem que me pedir perdão. Eu também fui intransigente. Fiquei cega pelo orgulho, preferi acreditar nas mentiras que Sandra me contou, porque só assim poderia justificar a decepção que senti por você não me amar como eu desejava.

– Não, Marisa, você tinha razão. Mais do que rancoroso e vingativo, fui orgulhoso. Perdoar o seu pai era sinal de fraqueza, e eu precisava ostentar a minha hombridade com o ódio e a ausência de perdão.

– Você fez o que achava certo.

– Perdi seu amor por ódio e orgulho. Paguei o preço da desilusão.

– Casou-se com Sandra porque quis. Devia amá-la.

– Na época, pensava que sim. Hoje sei que o que senti foi apenas desejo e paixão. Amor mesmo, sentia e ainda sinto por você.

– Oh! Vinício...

– Será que é tarde demais para recomeçarmos?

– Nunca é tarde para seguir o coração.

– Não poderei mais realizar o seu sonho de se casar na igreja, de véu e grinalda.

– Um sonho não pode ser mais forte do que o amor.

– Aceitaria viver comigo sem ser casada?

– Você sabe que sim. Não ligo para conceitos sociais nem para a opinião alheia. O que importa é o que nós sentimos.

– Sua mãe não vai desaprovar-nos?

– É claro que não. Ela gosta de você e só quer o meu bem.

– Podemos nos casar em outro país. Estados Unidos ou México, talvez.

– Isso não é importante para mim.

– Ah! Marisa, Marisa, como me arrependo de não ter-me casado com você antes. Como senti a sua falta. Foram noites e noites em que permaneci acordado, sonhando com o que você estaria fazendo, por onde andaria...

Na mesma hora, ela colocou os dedos sobre os lábios de Vinício e repreendeu docemente:

– Não falemos dessas coisas, não interessam mais. O passado deve ficar para trás, e devemos pensar agora em nosso futuro. Quero ser feliz ao seu lado, dar-lhe filhos.

Beijaram-se novamente. Estavam felizes e sentiam que nada nem ninguém poderia atrapalhar tanta felicidade. Finalmente, haviam-se reencontrado com eles mesmos.

Dali a um mês, foram viver juntos no apartamento que Conrado havia comprado para Vinício. Da formalidade do casamento, Marisa abriu mão. Não queria ausentar-se do país e deixar a mãe sozinha, e ela também não se dispunha a acompanhá-los. Como o novo apartamento ficava no bairro de Ipanema, muito distante do Alto da Boa Vista, Antônia e Marisa venderam a casa em que viveram por tantos anos, e Antônia se mudou para perto da filha.

Sandra não havia sido convidada para o casamento de Lídia, e Marisa não teve mais notícias suas durante muito tempo. Foi só no fim de outubro que soube dela. Albertina falecera na noite anterior, vítima de um infarto fulminante, e ela telefonara a Malvina para dar a notícia e comunicar onde seria o velório. Marisa sentiu-se profundamente triste e desgostosa, pois sempre gostara muito de Albertina. Todos da família foram ao velório, inclusive Lídia, que também gostava muito dela.

No cemitério, Sandra parecia desolada, e seu sofrimento era sincero. A mãe era a única pessoa no mundo que a amava e a quem ela amava também, e agora não sabia como viver sem ela. Apesar de tudo o que fizera, sua dor verdadeira causou comoção nos presentes, que muito se emocionaram com suas lágrimas sobre o túmulo da velha senhora. Terminado o sepultamento, Marisa se aproximou e abraçou a outra, falando com ternura:

– Sei que você está triste, Sandra, mas vai passar.

– Não tenho mais ninguém no mundo, Marisa. Não tenho mais marido, nem amigos, nem filhos com quem me consolar. A única pessoa que me restava era minha mãe. E agora, o que será de mim?

– Você vai superar.

– Não sei. Sinto-me completamente só e desamparada. Como é que vou sobreviver?

– Dona Marocas ofereceu-lhe um emprego. Por que não vai trabalhar na casa dela?

– E tomar o lugar de minha mãe? Nem pensar! Não quero passar a vida inteira esfregando o chão feito ela. Afinal, sou uma professora formada.

– Sua mãe era mais do que uma doméstica em casa de d. Marocas. Era amiga e companheira. Você seria sua dama de companhia.

– Não, obrigada. Já agradeci a d. Marocas e recusei a oferta.

– Ela é sua madrinha.

– Já disse que não. Não pretendo perder a juventude cuidando de uma velha.

Marisa suspirou fundo e tornou vencida:

– Muito bem, Sandra, você é quem sabe.

Marisa fez menção de se afastar, mas Sandra a deteve com um gesto de mãos. Sabia que, a partir dali, Vinício lhe cortaria a pensão, e ela não se atrevia a exigir-lhe nada na Justiça. Sua única esperança ainda era Marisa.

– Você bem que podia tentar ajudar-me – começou ela, em tom de súplica.

– Eu? Como?

– Podia falar com Vinício.

– Posso tentar, mas não sei se ele vai ouvir-me. Ele quer que você arranje um emprego.

– Mas isso não é justo! Sou sua mulher e não fui feita para o trabalho árduo.

– Ex-mulher, Sandra. Você e Vinício não são mais casados.

– O desquite não põe fim ao casamento! Ainda somos casados aos olhos de Deus.

– Aos olhos de Deus, o único casamento que interessa é o que se forma pelos laços do amor.

As palavras de Marisa penetraram Sandra como uma flecha. Pensava que podia contar com a ingenuidade da amiga, mas só agora percebia que ela já não era mais aquela menininha tola de antigamente. Transformara-se em mulher e, embora penalizada, não se deixava mais intimidar com lágrimas e súplicas.

– Pensa que ele a ama de verdade, não é mesmo? – tornou com desdém.

– Tenho certeza disso.

– Você não sabe de nada, Marisa. Vinício não é o homem que parece ser.

– Por que não deixa que eu mesma decida isso?

– Você é uma tola. Pensa que ele é fiel a você? Pois não é.

– Acho que não é a hora nem o lugar para conversarmos sobre isso, Sandra. Não está triste com a morte de sua mãe?

– Ninguém está sofrendo mais do que eu. Mas a vida continua, e tenho que cuidar da sobrevivência.

– Pois então, pense no que lhe falei. Arranje um emprego, e sua sobrevivência estará garantida.

– Tola! Vai voltar para os braços do meu marido...

– Ele não é mais seu marido, Sandra! – Marisa começava a perder a paciência.

– Nem seu tampouco...

Enojada, Marisa virou-lhe as costas e começou a afastar-se. Já havia escutado o bastante e não estava disposta a discutir com Sandra sobre a sepultura de sua mãe.

– Pensa que ele a ama, não é mesmo? Mas não ama, nunca amou. Se a amasse de verdade, jamais a teria traído. – Marisa não estava disposta a lhe dar ouvidos e continuava caminhando, com Sandra falando e gesticulando a seu lado. – Ele nunca lhe contou, não é mesmo? Jamais lhe contou que fez sexo comigo enquanto vocês eram namorados!

– O que está me dizendo? – indignou-se Marisa, parando abruptamente.

– Isso mesmo que você ouviu. Vinício e eu fizemos amor no carro dele, enquanto você o aguardava ansiosa em casa de Lídia!

– Você me dá pena, Sandra – retrucou ela, com olhos úmidos. – Será que não percebe o quanto se está rebaixando por causa de umas migalhas?

– Mas é verdade. Pergunte a ele. Depois daquele baile no Colégio Militar...

– Pare com isso...

– Vinício foi a minha casa e nós saímos. Ele parou o carro numa rua deserta e me seduziu. Fizemos amor...

– Não adianta, Sandra. Por mais que você tente, não poderá mais nos envenenar.

– Não estou mentindo!

– Ainda que não esteja, que importância isso tem agora? O que Vinício fez no passado não me interessa mais. Hoje somos pessoas adultas, e o que importa é que nos amamos e nos respeitamos.

– Idiota! Não vê que ele a enganou todos esses anos?

– Pobre Sandra. A que ponto chega o seu desespero? Devia respeitar o túmulo de sua mãe e abster-se dessas infâmias. – Foi caminhando novamente, com Sandra a seu lado, mas ergueu as mãos e censurou resoluta: – Não. Por favor, não me acompanhe. Vamos evitar constrangimentos desnecessários. Nada do que você disser ou fizer poderá colocar-me contra Vinício, e peço-lhe que não insista. Vai ficar feio é para você.

Retomou a caminhada mas, dessa vez, Sandra não seguiu atrás dela. Estava furiosa e frustrada ao mesmo tempo. Dera sua última cartada e perdera. Esperava que Marisa voltasse a ser sua amiga, mas ela nem se importou. Não havia mais o que fazer.

Depois que se afastou, Marisa foi ao encontro de Vinício, que a aguardava na entrada do cemitério, impaciente com a sua demora.

– Puxa vida, Marisa, por que demorou tanto? Todo mundo já foi embora.

– Foi Sandra. Pegou-me para conversar.

– Aposto como foi pedir-lhe dinheiro, não é?

– Mais ou menos. Pediu-me para interceder por ela. Tem medo de ficar sem pensão.

– Ela que arranje um emprego.

– Foi o que disse a ela.

– Muito bem! Até que enfim você me está dando razão.

Chegaram ao automóvel e se acomodaram e, assim que ele deu partida, Marisa continuou:

– Ela está desesperada.

– Imagino.

– Tão desesperada que me contou uma história estranha.

– Que história?

– Algo que aconteceu no passado. Sobre você e ela.

– O quê?

– Disse-me que vocês dois dormiram juntos quando ainda éramos namorados.

O rosto dele empalideceu instantaneamente, e rugas de preocupação vincaram suas feições, enquanto ele rememorava o dia em que fizera amor com ela dentro de seu carro.

– Ela disse isso?

– Disse.

Havia-se esquecido daquele dia por completo. Apagara-o da memória, talvez por ser algo de que não quisesse mesmo se lembrar, fosse por medo ou vergonha.

– Isso foi há muito tempo – balbuciou sem jeito. – Nem me lembrava mais.

– Por que não me contou?

– No começo, porque tive medo de você me deixar. Depois, o episódio acabou caindo no esquecimento. – Ele a olhou de soslaio e quase implorou: – Pelo amor de Deus, Marisa, que importância tem isso agora? Não vai brigar comigo por causa disso, vai?

– Não. Mas você devia ter-me contado. Não gosto nem um pouco de ser enganada.

– Eu sei, querida, e lamento. Não tive intenção de enganar você. A princípio, fui covarde, sim. Pensei em lhe contar, com medo de que ela o fizesse antes. Mas ela não disse nada, e eu não podia correr o risco de perder você. Depois, nós começamos a namorar, e ela parou de me provocar. Acabei deixando isso para lá e já nem me lembrava mais do episódio. Até hoje. – Vendo o seu silêncio, ele prosseguiu em tom de súplica: – Por favor, Marisa, não fique triste comigo. Foi um erro, eu sei, mas não a enganei por querer. Será que não pode perdoar-me?

– Não tenho nada que perdoar você. Nós nem estávamos namorando ainda.

– Mas estávamos comprometidos em nosso sentimento.

– Se é assim, por que foi dormir com ela?

– Porque ela sempre foi uma garota fácil, e eu me deixei levar por uma fraqueza.

– Só por isso?

– Ela era bonita e sensual. Mas só. Eu não a amava então, como não a amo agora.

– Ainda assim, casou-se com ela.

– Não vamos reviver tudo isso agora. Será que não pode me perdoar? Isso é passado, e o que importa é o que sinto agora. Ou será que não acredita que, hoje, eu jamais seria capaz de traí-la?

– Você está certo – sussurrou ela, apertando a sua mão. – Sandra continua querendo envenenar-nos, mas não vou fazer o jogo dela. Deixemos o passado no passado e nos preocupemos com a nossa vida daqui para a frente. O que importa é que nos amamos.

Chegaram diante do edifício de apartamentos em que viviam, e Vinício a beijou com carinho. O amor que sentiam não permitiria que ninguém estragasse a sua felicidade, principalmente Sandra e suas mentiras. Marisa não lhe guardava nenhum tipo de raiva ou ressentimento. Sandra lhe parecia uma alma enferma que não queria ajudar-se. Por esse motivo, mais do que ninguém, era digna de perdão e compaixão.

Epílogo

Era um domingo especial na Terra, e as famílias se uniam em confraternização para comemorar a ressurreição de Cristo. Era época de renascimento, e almas mais esclarecidas, tanto encarnadas quanto desencarnadas, aproveitavam a ocasião para fazer uma avaliação das trajetórias de suas idas e vindas ao mundo carnal.

Na casa de Conrado, o clima era de festa. A família estava toda reunida em volta da mesa para o almoço de Páscoa, e uma aura suave pairava no ambiente. De um lado a outro, viam-se flores brancas espalhadas pela casa, e Mateus, absorvido na tarefa de magnetizar o aroma que seria absorvido pelos encarnados, não notou a chegada dos três espíritos que pararam a seu lado. Em sinal de respeito, permaneceram calados, até que Mateus terminasse o que estava fazendo e se voltasse para eles.

– Zé Mário! Edilene! – exclamou alegre. – Que bom que vieram e conseguiram trazer o nosso amigo João com vocês.

– Ele não queria vir – esclareceu Edilene –, julgando-se desmerecedor de estar aqui.

– Afinal, a família não é propriamente minha – tornou João, em tom de desculpa. – Zé Mário e Edilene foram os pais biológicos de Marisa.

– A família espiritual não se prende pelos laços de sangue, João, e você sabe disso.

– É verdade...

– Nada de tristezas, meu amigo – cortou Mateus jovialmente, percebendo o olhar de João. – Não viemos aqui para impregnar o ambiente de tristezas, nem de culpas, nem de acusações, nem de remorsos. Viemos espalhar alegria e a esperança do renascimento.

– Tem razão – concordou João, aproximando-se de Antônia, sentada ao lado de Marisa. – Há quanto tempo não vejo minha mulher!

Bem de leve, pousou-lhe um beijo na face, que Antônia percebeu em forma de suave emoção, lembrando-se do marido de repente. Abaixou a cabeça discretamente e enxugou os olhos úmidos, sentindo imensa saudade de João.

– O que foi, mamãe? – perguntou Marisa, percebendo-lhe a repentina tristeza.

– Nada – respondeu ela, forçando um sorriso para a filha.

– É isso mesmo, Antônia – incentivou João, do invisível. – Nada de tristezas hoje. É tempo de alegria e renascimento. Veja a nossa filha, por exemplo. Não é uma bênção o que traz em seu ventre?

Instintivamente, Marisa alisou a barriga que começava a avolumar-se e sentiu a mão de Vinício sobre a dela, acompanhando-a na carícia ao bebê que trazia no ventre.

– Como vai indo o nosso filhotinho aí dentro? – indagou ele com doçura, encostando o rosto na barriga de Marisa.

– Será que vai ser menino ou menina? – imaginou Malvina.

– Tanto faz – respondeu Vinício. – Iremos gostar dos dois.

– Vai ser menina – sussurrou Mateus ao ouvido de Marisa, que repetiu sem saber:

– Acho que vai ser menina. Algo me diz que é uma menina.

– E a faculdade? – tornou Lídia. – Vai largar os estudos?

– Quando chegar a hora, tranco a matrícula e depois volto – esclareceu Marisa. – Mamãe disse que cuida do bebê para eu estudar.

– Se precisar, também posso ajudar – ofereceu-se Malvina, olhando de esguelha para Antônia.

– Obrigada, mas acho que não será necessário – revidou Antônia. – Gosto de cuidar de crianças.

– Ah! Eu também. Tenho muito jeito, sabe?

– Vocês não vão começar a brigar por causa do bebê que ainda nem nasceu, vão? – contrapôs Conrado, de bom humor.

– Não estamos brigando – protestou Malvina. – Só conversando.

– Ah! Bom...

– A propósito – cortou Lídia, dirigindo-se a Marisa. – Sabe quem eu vi outro dia?

– Quem?

– A Sandra.

– Sandra? Como é que ela está?

– Não me pareceu lá muito bem. Estava com aquele ex-namorado, o *bookmaker*.

– Leandro? Não me diga!

– Ainda bem que ela criou juízo e não lhe pediu mais pensão alimentícia – disse Conrado para Vinício.

– Ela sabe que ia perder.

– Talvez tenha arranjado um emprego – aventou Marisa.

– Duvido muito – contestou Lídia. – Pelo jeito, ela está sendo sustentada pelo tal de Leandro. Vi-os entrando numa loja de roupas baratas. E ela ainda tinha uma mancha roxa no olho.

– Não! Será que ele anda batendo nela?

– Foi o que me pareceu.

– Ela viu você? – quis saber Malvina.

– Creio que não. Ou, se viu, fingiu que não viu.

– Ela nunca simpatizou muito com você – lembrou Conrado. – Não iria cumprimentá-la, ainda mais se apanhou do namorado.

– É uma pena – lamentou Marisa, com sinceridade. – Sandra tem um grande potencial, só que não sabe aproveitá-lo como devia.

Por mais alguns minutos, continuaram falando de Sandra, até que Mateus conseguiu desviar-lhes os pensamentos para coisas mais produtivas. Se falassem dela com amorosidade, enviando-lhe vibrações positivas, de fé, de amor, de confiança, teria incentivado suas palavras. Mas exaltar apenas o que lhe acontecia de ruim não serviria para ajudá-la em nada. Ao contrário, ainda colaboraria para mantê-la na ignorância espiritual em que escolhera viver.

Atrás de Marisa, Zé Mário e Edilene, mãos postas, davam passes nela e no bebê, o que causou estranha comoção em João. Agora que se lembrava do passado, já não se sentia mais tão culpado, embora alimentasse o desejo de compensar a vida por tudo o que lhe roubara.

O que vivera com Zé Mário, Edilene e tantos outros jamais serviria de desculpa para os crimes que cometera. Agora ele sabia que Marisa havia sido sua filha em outra vida e que Zé Mário havia mandado matá-lo por causa de uma briga entre famílias. O crime, porém, não se consumou a contento, e João não morreu. Atirado num rio, seu corpo flutuou por alguns quilômetros, até que conseguiu salvar-se. Partiu então em busca de sua família, mas descobriu que Antônia e Marisa, então sua filha verdadeira, haviam sido assassinadas pelo casal traiçoeiro.

Em busca de vingança, João tentou matá-los, mas não conseguiu. Zé Mário e Edilene eram um casal bastante rico e influente na cidade em que viviam, e João não viu meios de se aproximar. Aos poucos, desistiu da idéia de vingança e partiu em busca de uma compensação para a sua dor. Foi quando resolveu engajar-se no exército otomano e conheceu Conrado e Kedar, envolvendo-se no assassínio dos oficiais de sua própria nação.

– Rememorando momentos difíceis? – indagou Mateus, que havia lido seus pensamentos.

– Sim. Hoje me lembro de tudo o que aconteceu entre nós e de como me tornei um homem cruel a partir do assassinato de minha esposa e minha filha.

– Acha que foi esse o motivo?

– Acho que foi essa a desculpa de que o meu espírito necessitava para exercitar a violência que jazia latente dentro de mim. Hoje compreendo tudo e não tenho raiva de Zé Mário e Edilene. Não tenho raiva de ninguém.

– Isso é muito bom, porque você vai precisar perdoar-se para enfrentar as dificuldades que se apresentarão a você daqui para a frente.

– Sei disso e estou me preparando para uma nova encarnação. Sei que isso não poderá ser agora, mas espero que, daqui a uns trinta ou quarenta anos, eu esteja pronto para reiniciar minha jornada.

– Quem sabe? – retrucou Mateus, enigmático. – E agora, João, gostaria de lhe fazer um convite.

– Vamos partir?

– Sim, já é hora. Zé Mário e Edilene vão voltar, e a família de sua filha também já se prepara para as despedidas. Por que não se despede deles também?

Com um sorriso agradecido, João se aproximou de Antônia primeiro e depois de Marisa. Beijou-as com saudade, e ambas se lembraram dele em pensamento, embora não dissessem nada. Em seu silêncio, reviram a sua imagem e choraram intimamente, imaginando se não seria bom se ele estivesse ali entre elas.

– Quem sabe numa próxima vida? – sussurrou ele ao ouvido de Antônia.

Abraçou a todos, inclusive Conrado, de quem não guardava nenhum ódio, despediu-se de Zé Mário e Edilene e saiu seguindo Mateus. Os dois atravessaram a casa e cruzaram os jardins, passando pelo muro que separava a casa da rua. Do lado de fora, sentado sobre um automóvel, Kedar parecia absorto em seus pensamentos.

– Olá, Kedar – cumprimentou Mateus, em tom jovial.

O outro se virou bruscamente e, ao dar de cara com Mateus, retrucou com frieza:

– Ah! É você.

– Somos nós – falou Mateus, exibindo João, que Kedar não havia visto até então.

– O que é que vocês querem? – perguntou, encarando João com ar de desdém. – Veio juntar-se ao outro traidor, Januário? Vocês agora se merecem.

– Na verdade – foi Mateus quem respondeu –, viemos nos juntar a você.

– Que bonzinhos! Ficaram com pena da minha solidão e resolveram vir até aqui só para me fazer companhia? Trouxeram algum ovo de Páscoa?

– O que está fazendo aqui sozinho? – indagou Mateus, ignorando o seu sarcasmo.

– O que você acha?

– Está esperando uma brecha para entrar?

– Estou sim, e daí? Por acaso veio expulsar-me daqui?

– Como dizem, Kedar, a rua é pública, e você pode ficar por aí o tempo que quiser. Só não vou poder permitir que você entre.

– Já percebi isso há muito tempo.

– Será que ainda não se cansou?

– Não...

– Não achei a sua resposta muito firme. Faltou convicção, sabia?

– Não me amole, seu chato! Vá enrolar suas santinhas lá no céu.

João ficou abismado com a falta de respeito de Kedar e pensou em intervir, mas, a um gesto de Mateus, calou-se e não fez nada.

– Lembra-se de quando perguntei se você era feliz?

O outro fez cara de enfado e respondeu sem emoção:

– Não.

– Não está dizendo a verdade, Kedar, mas não faz mal. Conheço-a bem, ainda que você não a queira dizer.

– Ótimo. Se a conhece, por que precisa aborrecer-me? Por que não vai brincar de adivinhação em outro lugar?

– Acha que estou brincando?

– Não sei nem me interessa. Só o que quero é que me deixe em paz.

– Vou deixar, assim que você responder a minha pergunta. Da outra vez em que lhe perguntei se você era feliz, você disse que sim, e eu lhe mostrei que não era bem o que parecia. Hoje, torno a fazer-lhe a mesma pergunta e espero uma resposta mais consciente. Diga-me, Kedar, você é feliz?

Para surpresa de João, Kedar abaixou a cabeça e soltou doloroso suspiro, não respondendo de imediato. Passados alguns minutos foi que conseguiu falar:

– Como espera que eu seja feliz se quase todos os que conhecia me abandonaram? Sou um espírito poderoso lá no lugar de onde vim, mas agora vejo que meu poder só comanda as sombras. Não há mais exército, perdi meus escravos.

– Já se passou o tempo em que você era soldado.

– Engana-se, Mateus. Ainda sou um soldado, um capitão, um comandante. Possuía muitos espíritos a meu serviço. Mas aí você chegou e estragou tudo. Não podia contentar-se apenas com Januário, já que não tinha jeito? Tinha que se meter comigo também?

– Os espíritos que você chama de comandados partiram por sua própria vontade. Não fiz nada para convencê-los.

– Deve ter-lhes prometido o céu, não é mesmo?

– Não lhes prometi nada. Sequer fui eu que os socorri. Como você mesmo disse, vim apenas em busca de João. Os outros foram socorridos por seus parentes e amigos, espíritos bondosos que se dispuseram a auxiliar. E não foi um momento de beleza sublime? Não foi bonito ver todos aqueles espíritos partindo, envoltos em raios de luz?

– Bonito para quem? Só se for para você.

– Ora vamos, Kedar, confesse. Será que você também não está cansado dessa vida que leva? Seus soldados e seus prisioneiros partiram porque já não agüentavam mais tanto sofrimento. Será que você também não está cansado disso tudo?

Novamente, Kedar soltou profundo suspiro e encarou Mateus, virando-se de vez em quando para fitar João, que permanecia imóvel a seu lado.

– Diga-me uma coisa, Mateus – tornou com ar fatigado –, o que é que Januário fez para conseguir a sua simpatia? Por que ele não está aqui comigo, já que foi tão mau ou pior do que eu?

– Em primeiro lugar, o que você chama de simpatia, eu chamo de amizade, e eu a ofereço a todos aqueles que estejam em busca de um amigo. Em segundo lugar, ele não está com você porque não quis segui-lo.

– E eu? Por que ainda estou aqui, depois de todos esses anos?

– Você é a pessoa mais indicada para responder a essa pergunta.

– Tem razão. Eu sei por que estou aqui. Porque venho acompanhando e seguindo Conrado há muitas vidas, desde que ele me traiu e me entregou ao inimigo.

– No entanto, Conrado hoje está em situação muito melhor do que a sua. E você, por mais que queira e tente, não consegue chegar até ele. Sequer tem forças para romper a barreira de proteção com que cercamos o seu lar.

– Olhe, Mateus, não quero ser grosseiro com você, mas já estou ficando cansado dessa conversa. Isso não leva a nada.

– Você tem razão. Quantas conversas semelhantes a esta nós já tivemos antes?

– Sei lá. Uma porção. E nunca chegamos a lugar algum.

– Não? Por que é então que você está louco para me seguir?

– Eu!? Seguir você? Era só o que me faltava!

– Tem certeza de que não quer ir comigo?

– É claro que tenho. O que é que eu iria fazer lá em cima com você? Aposto como não tem nenhuma mulher gostosa por lá.

– Muito bem, Kedar, vou fazer como você me pediu. Vou embora e vou deixar você em paz.

– Ufa! Até que enfim o convenci. Pode ir tranqüilo, Mateus, e não precisa preocupar-se em voltar.

– Não vou preocupar-me, porque não pretendo mais voltar aqui.

– Como assim? Vai abandonar o seu protegido?

– Não. Estou deixando você.

– A mim? Como?

– Não vou mais incomodá-lo, Kedar. Não é isso o que quer?

Ele fitou Mateus com desgosto e passou as mãos pelos cabelos, pensando no que deveria dizer. Até que já se acostumara com Mateus e suas verdades chocantes. No fundo, gostava um pouquinho dele e não queria mesmo que fosse embora. Falara aquilo por costume, porque sabia que, vira e mexe, lá estava Mateus a seu lado, com aquele seu joguinho de palavras ao qual já se habituara e com o qual até se divertia. Havia muita verdade no que ele dizia, e só agora Kedar reconhecia.

– Para onde você vai? – indagou Kedar, após alguns minutos.

– Para a cidade astral que habito.

– E isso fica muito longe daqui?

– A distância de um piscar de olhos.

– Ah... e como é que é por lá? Bonito?

– Muito bonito.

– E as pessoas? São assim iguais a você?

– Em sua maioria.

– Ah!

– Não gostaria de acompanhar-me?

– Eu? Não, acho que não. Creio que não gostaria de ficar à toa no céu, só rezando e assistindo o tempo passar.

– Quem foi que lhe disse que ficamos à toa onde vivo? Há muito trabalho para quem quer trabalhar.

– Não sei nada sobre seu modo de vida. Não poderia ajudá-lo.

– Não sabe, mas pode aprender. Temos grupos de estudo bastante interessantes, e você poderia escolher algum.

– Januário escolheu?

– Sim – João apressou-se em responder. – Vários. E estão me fazendo muito bem.

– Hum... não sei, não. Acho que não me adaptaria. Depois, teria que me envolver com aquelas coisas de rever o passado e assumir responsabilidades. Não sei se estou com disposição para isso.

– Não quer é assumir que terá que restabelecer no mundo a parcela de desequilíbrio que você causou.

– É, talvez seja isso mesmo. Acho que não estou pronto para nascer aleijado nem miserável.

– Quem foi que falou que você vai ter que nascer assim?

– E não vou?

– Só se você quiser.

– Não vou querer.

– Por que não deixa isso para o momento oportuno e me acompanha? Por ora, não precisará pensar nessas coisas, até que esteja bastante fortalecido.

– Hum... não, obrigado. Acho que vou ficar por aqui mesmo. Já estou acostumado com a treva, entende? Ao menos lá, tenho algum poder. Na cidade em que você vive, na certa, não terei nenhum.

– Terá o poder de todo espírito em crescimento, que é o de se modificar segundo a compreensão que vai adquirindo da vida.

– Olhe, Mateus, até que você é um sujeito bacana, e não tenho nada contra você. Sou eu quem não está pronto para partir.

Mateus balançou a cabeça em sinal de compreensão e arrematou:

– Muito bem. Você é quem sabe. Não vou mais insistir. Como disse, vou partir e não pretendo mais aborrecê-lo. Vou respeitar sua vontade. A não ser que me chame, não virei mais ao seu encontro.

– Está certo.

– Adeus, então.

– Adeus...

Em vez de desaparecer ou volitar, Mateus tomou o braço de João e foi caminhando com ele rua abaixo, seguido pelos olhares surpresos de Kedar. Vendo o espírito amigo se afastar, Kedar sentiu um imenso vazio dentro do peito, um medo indescritível de que nunca mais tornasse a vê-lo. Se ele se fosse, não saberia como nem onde encontrá-lo, e acabaria passando mais uma eternidade em seu mundinho escuro e sujo. Será que agüentaria mais alguns séculos naquele mundo de sombras? Todos os que haviam partido pareciam estar gostando, porque ninguém voltara para reclamar. Por que só ele não tinha direito de mudar de vida também?

Direito, ele tinha. O que lhe faltava era coragem para ver-se e enfrentar todos os seus atos. Mateus, porém, dissera-lhe que ele não precisaria pensar em nada daquilo por enquanto. Poderia seguir com ele e se fortalecer, e só então pensaria no que fazer de sua vida. Ficou imaginando como seria o lugar de que ele lhe falara. Devia ser muito bom. Januário parecia gostar. Será que ele não poderia gostar também?

Subitamente, seu coração disparou, e ele tomou uma decisão. Mateus e João já estavam quase dobrando a esquina quando resolveu ir atrás deles. Em poucos segundos os alcançou. Deteve Mateus com as mãos e indagou timidamente:

– Meus inimigos não estarão por lá para me acusar?

– Não.

– Tem certeza?

– Os seus estão? – perguntou Mateus, dirigindo-se a João.

– Não, nenhum.

– Vou ser bem tratado lá? – prosseguiu Kedar.

– Como qualquer outro ser criado por Deus.

– Posso confiar em você?

– O que diz o seu coração?

– Meu coração diz que sim.

– Então, você mesmo respondeu a sua pergunta.

Kedar ficou andando ao redor deles, pensando na melhor maneira de lhes dizer o que pretendia. Mateus, por sua vez, não lhe facilitava nada e ficava à espera de que ele manifestasse o seu desejo. Depois de muitas voltas, Kedar postou-se bem diante do outro e, olhos nos olhos, falou resoluto:

– Muito bem, quero ir com você. Estou mesmo cansado dessa vida e creio que já é hora de experimentar coisas novas. Sim, Mateus, quero ir com você. Seja para onde for que esteja me levando, qualquer lugar há de ser melhor do que a escuridão que habito.

Mateus apenas sorriu. Segurou a mão de João a seu lado e, com a outra mão, tocou levemente a de Kedar, que sentiu como se milhares de fagulhas atravessassem o seu corpo, transmitindo-lhe calor e um bem-estar indescritível. Em seguida, Mateus olhou para o céu em silenciosa prece e, pouco depois, os três alçavam vôo para as alturas.

Havia cumprido sua maior tarefa na Terra.

Fim

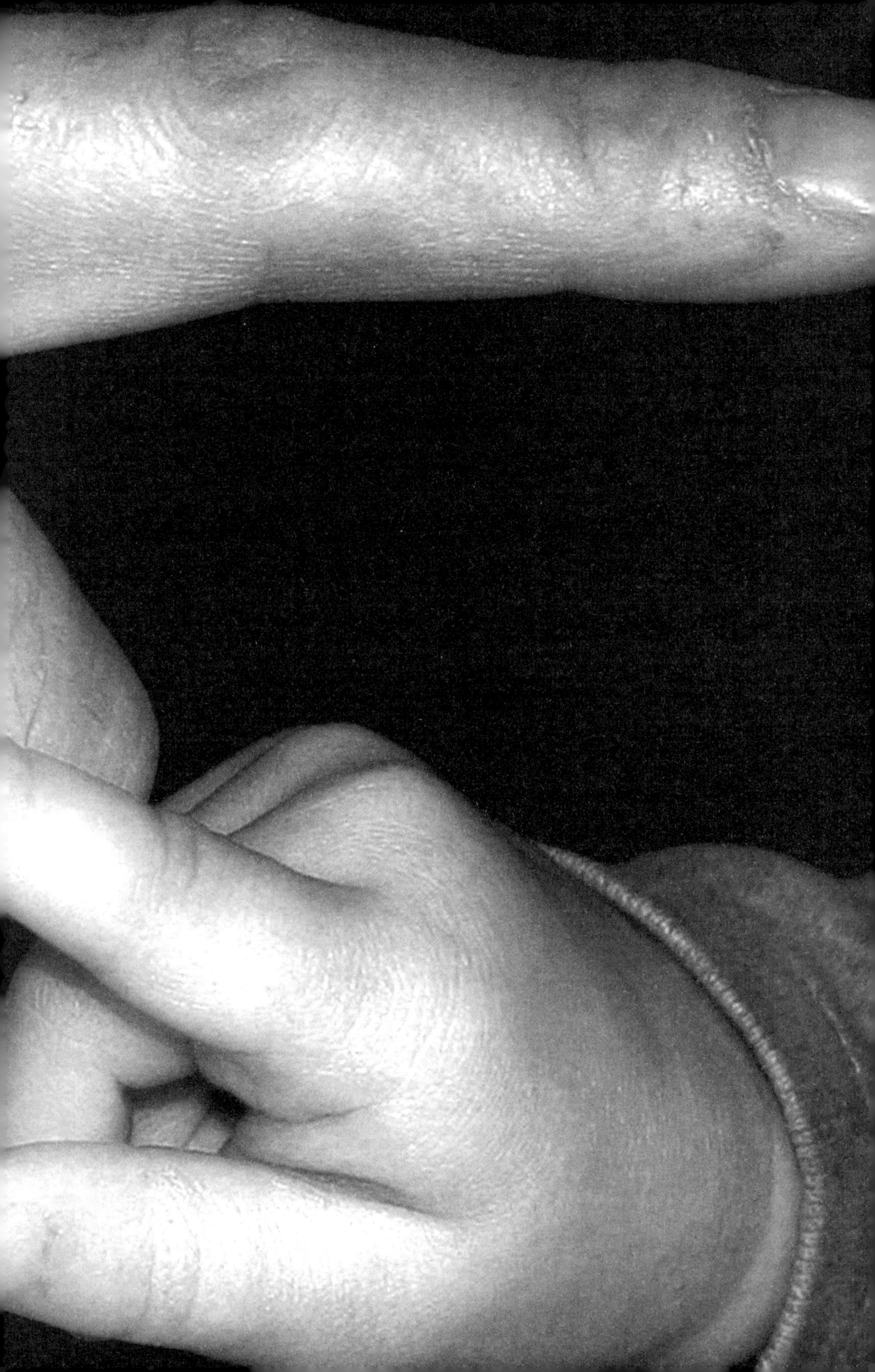

Zibia Gasparetto

Crônicas e romances mediúnicos.
Mais de sete milhões de exemplares vendidos.
Há mais de dez anos Zibia Gasparetto vem se mantendo na lista dos mais vendidos, sendo reconhecida como uma das autoras nacionais que mais vende livros.

Crônicas

Zibia Gasparetto

- Conversando contigo!
- Eles continuam entre nós

Silveira Sampaio

- Pare de sofrer
- O mundo em que eu vivo
- Bate-papo com o além
- O repórter do outro mundo

Ditado por outros espíritos

- Pedaços do cotidiano
- Voltas que a vida dá

Romances

Lucius

- O amor venceu
- O amor venceu (em edição ilustrada)
- O morro das ilusões
- Entre o amor e a guerra
- O matuto
- O fio do destino
- Laços eternos
- Espinhos do tempo
- Esmeralda
- Quando a vida escolhe
- Somos todos inocentes
- Pelas portas do coração
- A verdade de cada um

- Sem medo de viver
- O advogado de Deus
- Quando chega a hora
- Ninguém é de ninguém
- Quando é preciso voltar
- Tudo tem seu preço
- Tudo valeu a pena
- Um amor de verdade
- Nada é por acaso
- O amanhã a Deus pertence
- Onde está Teresa?

Luiz Gasparetto

Estes livros vão mudar sua vida!
Dentro de uma visão espiritualista moderna, estes livros vão ensiná-lo a produzir um padrão de vida superior ao que você tem, atraindo prosperidade, paz interior e aprendendo acima de tudo como é fácil ser feliz.

Livros

Adulto

- Atitude
- Faça dar certo
- Se ligue em você
- Prosperidade profissional
- Para viver sem sofrer

Frases de Auto-Ajuda

- Essencial

Poesias Metafísicas

- Conserto para uma alma só

Biografia Mediúnica

Gasparetto

série Amplitude

1 – Você está onde se põe
2 – Você é seu carro
3 – A vida lhe trata como você se trata
4 – A coragem de se ver

Infantil

- Se ligue em você – nº 1
- Se ligue em você – nº 2
- Se ligue em você – nº 3
- A vaidade da Lolita

Mensagens Mediúnicas pelo Espírito **Calunga**

- "Um dedinho de prosa"
- Tudo pelo melhor
- Fique com a luz...
- Verdades do espírito

CDs

Prosperidade
Auto-ajuda

Aprenda a usar as leis da prosperidade. Desenvolva o pensamento positivo corretamente. Descubra como obter o sucesso que é seu direito, em todos os aspectos de sua vida.

série Viagem Interior (1, 2 e 3)
Auto-ajuda • Exercícios de meditação

Por meio de exercícios de meditação mergulhe dentro de você e descubra a força da sua essência espiritual e da sabedoria. Experimente e verá como você pode desfrutar de saúde, paz e felicidade desde já.

série Palestra
Auto-ajuda

1 – Meu amigo, o dinheiro
2 – Seja sempre o vencedor
3 – Abrindo caminhos
4 – Força espiritual

série Pronto Socorro
Auto-ajuda

1 – Confrontando o desespero
2 – Confrontando as grandes perdas
3 – Confrontando a depressão
4 – Confrontando o fracasso
5 – Confrontando o medo
6 – Confrontando a solidão
7 – Confrontando as críticas
8 – Confrontando a ansiedade
9 – Confrontando a vergonha
10 – Confrontando a desilusão

série Vida Afetiva
Auto-ajuda

1 • Sexo e espiritualidade
2 • Jogos neuróticos a dois
3 • O que falta pra dar certo
4 • Paz a dois

Calunga • Prece da Solução
Auto-ajuda

Calunga é um desencarnado carismático, possui uma sabedoria sobre a natureza humana que surpreende a todos. Consegue tocar o mais profundo de nosso Ser pela forma de observar a vida, como bom mineiro que foi quando estava entre nós. Porta-voz dos espíritos superiores, está sempre a nos mostrar novas formas de lidar com as velhas coisas da vida.

série Palestras
Auto-ajuda

- S.O.S dinheiro
- Mediunidade
- O senhor da vida
- Os homens
- Paz mental
- Romance nota 10
- Segurança
- Sem medo de ter poder
- Simples e chique

série Realização
Auto-ajuda

Com uma abordagem voltada aos espiritualistas independentes, eis aqui um projeto de 16 CDs para você melhorar. Encontros com o Poder Espiritual para práticas espirituais de prosperidade. Nesta coleção você aprenderá práticas de consagração, dedicação, técnicas de orações científicas, conceitos novos de força espiritual, conhecimento das leis do destino, práticas de ativar o poder pessoal e práticas de otimização mental.

série Espírito
Auto-ajuda

1 – Espírito do trabalho
2 – Espírito do dinheiro
3 – Espírito do amor
4 – Espírito da arte
5 – Espírito da vida
6 – Espírito da paz
7 – Espírito da natureza
8 – Espírito da juventude
9 – Espírito da família
10 – Espírito do sexo
11 – Espírito da saúde
12 – Espírito da beleza

série Luzes
Auto-ajuda · Coletânea com 8 CDs
Volumes 1 e 2

Este é um projeto idealizado pelos espíritos desencarnados que formam no mundo astral, o grupo dos Mensageiros da Luz. Por meio de um curso ministrado no Espaço Vida & Consciência pela mediunidade de Gasparetto, eles nos revelaram os poderes e mistérios da Luz Astral, propondo exercícios para todos aqueles que querem trabalhar pela própria evolução e melhoria do planeta. Nesta coletânea, trazemos essas aulas, captadas ao vivo, para que você também possa se juntar às fileiras dos que sabem que o mundo precisa de mais luz.

DVD

O mundo em que eu vivo
Auto-ajuda

Momentos imperdíveis da palestra do Calunga proferida no dia 26 de novembro de 2006 no espaço Vida & Consciência.

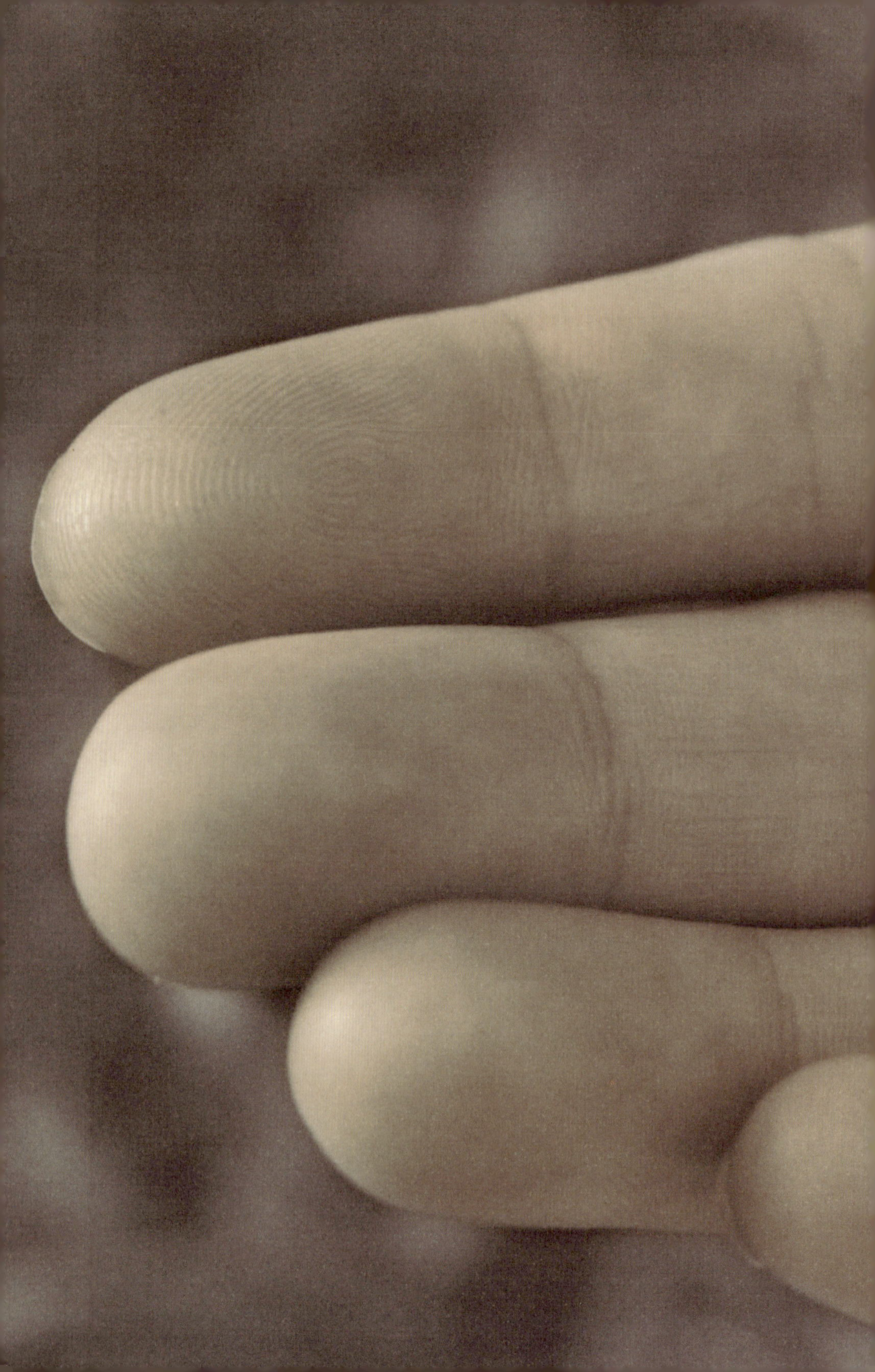

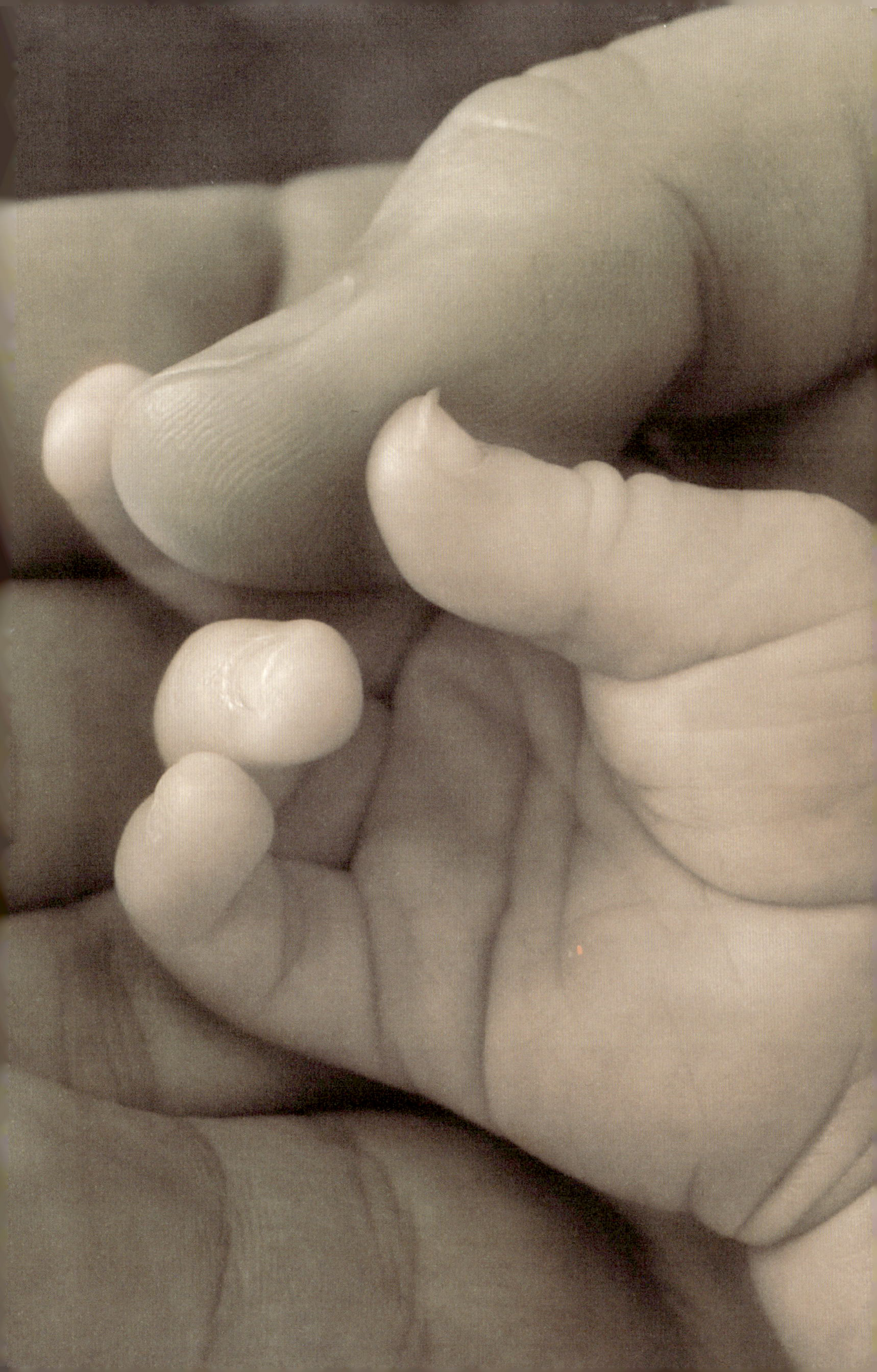